LE PDG

PRÉMONITIONS

JOSEPH GAÉTAN
ARSENEAU BASQUE

LE PDG

PRÉMONITIONS

ROMAN

LES ÉDITIONS
JKA

Le PDG — Prémonitions
Dépôts légaux :
Bibliothèque nationale du Québec
Bibliothèque nationale du Canada

Les Éditions JKA bénéficient du Programme de crédit d'impôt pour l'édition de livres — Gestion SODEC — du gouvernement du Québec.

Numéro d'enregistrement : 1070866

© Les Éditions JKA
Saint-Pie (Québec)
J0H 1W0 Canada
www.leseditionsjka.com

ISBN : 978-2-923672-95-3
Imprimé au Canada

*À Linda, ma tendre épouse, que j'admire
et qui m'accepte tel que je suis.
À mes précieux enfants,
Marc-Olivier et Jolaine, vous êtes ma raison de vivre,
mon plein bonheur.*

Je suis amplement artiste afin de cueillir librement
dans mon imagination.
L'imagination est plus importante que la connaissance.
La connaissance est limitée,
tandis que l'imagination embrasse le monde.
ALBERT EINSTEIN

Alors, laissez-moi imaginer…
Laissez-moi vous envelopper de mon imagination…
Gaétan

Prologue

Tout à coup, elle ressentit un malaise inhabituel... Elle eut peine à analyser ce qui se passait au juste... Son cœur se mit à palpiter. Sa respiration devint irrégulière. Un engourdissement envahit rapidement son corps. Une bouffée de chaleur monta en elle... Ces sensations la submergèrent en entier. Curieusement, elle eut l'impression que son corps se détachait d'elle.

« Mais que se passe-t-il ? » se demanda-t-elle, inquiète.

Elle essaya de bouger mais son corps ne répondit pas à sa volonté. Elle eut la nette impression d'être figée dans un bloc de glace. Tout était sombre, elle ne pouvait rien distinguer.

« Où suis-je ? »

Elle eut beau essayer de voir à quel endroit elle était, ce fut sans succès. La jeune femme se sentit alors brusquement projetée hors de son corps. Elle se vit planer au-dessus de l'endroit où elle était et elle se dirigea vers une destination inconnue. Cette sensation de lévitation fit augmenter son anxiété d'un cran. Tout n'était que silence... Un silence inquiétant...

« Je dois rêver ! C'est ça ! Je rêve sûrement ! »

Graduellement, des objets apparurent à travers un brouillard... C'était encore trop flou pour qu'elle puisse identifier le lieu. Peu à peu, elle entrevit une grande chaise noire sur un pied circulaire métallique... Des boucles de cheveux ici et là par terre... Elle discerna une main gantée de noir qui s'avança et qui prit quelques mèches pour les insérer dans une enveloppe. Elle n'eut que le temps de voir la couleur de celles-ci avant que tout devienne rapidement sombre... Des mèches de cheveux blonds...

Chapitre 1

IL ÉTAIT SEPT HEURES DU MATIN. Gaël avait décidé d'arriver très tôt au bureau, avant tout le personnel, afin de prendre son temps pour s'installer dans ses pénates. Il avait même déjà enregistré son message d'accueil dans la nouvelle boîte vocale de son téléphone. La sonnerie le tira soudainement de la lecture de son courrier électronique.

— Bonjour, ici Gaël Lauzié.

— Bonjour, Monsieur Lauzié. Édouard Baske à l'appareil.

— Oh ! Bonjour, Monsieur Baske ! Que puis-je faire pour le président du conseil d'administration ?

— Vous êtes tôt au boulot ! Je voulais laisser dans votre boîte vocale un message vous demandant de m'appeler ce matin à votre arrivée.

Gaël regarda l'heure à sa montre. Celle-ci affichait déjà huit heures trente.

— Je tenais à être le premier arrivé pour ma première journée.

— Ne vous épuisez pas dans ce poste dès votre premier jour de boulot ! Votre prédécesseur s'est donné corps et âme à son travail. Et, comme vous le savez, son cœur a lâché et son âme s'est envolée vers un monde soi-disant meilleur.

— J'en prends note, Monsieur.

— Selon votre curriculum, vous avez un grand sens de l'organisation et vous êtes très efficace. J'aime les gens qui peuvent accomplir beaucoup en peu de temps, mais je ne voudrais pas que ce soit au détriment de votre santé.

— Soyez-en assuré, Monsieur Baske. Je saurai faire preuve d'efficacité sans hypothéquer ma santé.

— Très bien ! Je vous appelais pour vous dire que je serai au Centre mardi prochain pour vous rencontrer. Je pourrai vous familiariser avec tout le processus budgétaire. Serez-vous disponible la semaine prochaine pour quelques jours ?

— Je ne pense pas que ce soit un problème, dit Gaël. Je dois organiser mon horaire avec ma secrétaire ce matin. Je vous donnerai trois jours si vous le désirez. Est-ce assez ?

— C'est amplement suffisant. J'en profiterai aussi pour revoir avec vous le processus de gestion interne de l'établissement et tout le tralala qui se rattache à votre poste de PDG.

— Je serai content de vous recevoir ! Merci ! Vous m'en voyez très heureux !

— Alors, je vous rencontrerai mardi prochain.

— Autre chose, Monsieur Baske ?

— Pas pour le moment. Bonne chance pour votre première journée de travail.

— Merci beaucoup.

Tous deux raccrochèrent. Gaël affichait un sourire de satisfaction. Être le nouveau président-directeur général du Centre de formation internationale avait de quoi fasciner.

À quarante-deux ans, il impressionnait son entourage par sa stature et le charisme qu'il dégageait. Il affichait toujours un magnifique corps d'athlète. Sa prédilection pour les activités sportives s'était manifestée dès son entrée à l'université, à dix-huit ans, lors de ses études de baccalauréat en comptabilité. Il avait fait partie entre autres de l'équipe de natation interuniversitaire. Aujourd'hui, les seules activités physiques qu'il avait essayé de maintenir, lorsque le temps le lui permettait, étaient un peu de jogging et surtout, la natation, de temps à autre. Malgré tout, il réussissait à conserver une grande forme physique. Avec son mètre quatre-vingt-quinze et ses yeux bleus aux longs cils, Gaël charmait inconsciemment la gent féminine. Allait-il pouvoir prendre le temps de se maintenir en forme avec toutes les futures responsabilités qui planaient au-dessus de sa tête ? Son regard s'assombrit l'espace d'un moment.

« J'ai travaillé trop dur, j'ai trop souhaité ce poste pour m'inquiéter de ma forme, se dit-il avec conviction. Je saurai sûrement combiner famille, santé et carrière… »

Néanmoins, être en bonne santé autant physique que mentale semblait nécessaire à Gaël pour pouvoir être productif, bien dans sa peau et, de cette façon, bien s'intégrer dans son entourage. Malgré son apparence imposante, quiconque le côtoyait tombait immédiatement sous son charme masculin, avant même qu'il ait prononcé le moindre mot.

Son visage carré aux pommettes saillantes lui donnait une apparence étonnamment jeune. Naturellement blond, ses cheveux mi-longs à la coupe impeccable n'avaient pas perdu leurs reflets dorés, et quelques mèches rebelles et provocatrices retombaient sur son front exempt de rides. Son teint à peine hâlé lui donnait un air légèrement exotique. La douceur de ses yeux et la blondeur de ses sourcils reflétaient autant la mansuétude que la force de son caractère.

Gaël examina son nouvel environnement, confortablement installé à son bureau. Il se bomba le torse, rempli d'un légitime sentiment de satisfaction. Il avait enfin réussi. Il l'avait finalement obtenu, ce poste si convoité, autant par certains de ses confrères que par lui-même.

« J'ai effectivement atteint le summum de ma carrière », se dit-il, bien calé au fond de son fauteuil.

Il prit le temps de vérifier pour une énième fois si tout était à son goût. Située au deuxième étage de l'établissement, la pièce nouvellement réaménagée était grande et spacieuse. Des tons d'ivoire et de vert forêt allégeaient le tout. À sa droite, ses multiples certificats et diplômes enrichissaient déjà le mur, attestant fièrement la réussite de ses disparates études supérieures. Au fond de la pièce prenait place une table de travail en chêne massif entourée de huit chaises spacieuses, imposantes et bien agencées.

« Cet espace me sera d'une très grande utilité, pensa-t-il. Je pourrai présider de petites équipes de travail sans avoir à me déplacer dans ce grand édifice. »

Cette grande table longeait un mur vitré jusqu'à la porte principale qui lui permettait de voir les allées et venues du personnel dans l'aire de l'administration. Les stores verticaux, de couleur vert forêt, étaient entrouverts. À sa gauche, quelques tableaux décoraient le mur et représentaient de magnifiques coins de la ville en diverses saisons. Cette ville était d'ailleurs renommée pour ses attraits touristiques à l'année longue. Sous les tableaux, un magnifique vase oriental reposait sur un imposant classeur assorti à sa table de travail. Entre ce classeur et la table de travail, il y avait une porte permettant à sa secrétaire de pénétrer dans son bureau sans avoir à le contourner. Son bureau massif, pièce centrale de l'ameublement, était libre de paperasse et ne laissait voir que l'ordinateur et le téléphone, reflétant ainsi un esprit très ordonné et spartiate. Deux chaises aux motifs identiques à celles entourant la table de travail faisaient face à son bureau pour accueillir les visiteurs, élèves ou employés.

Il ouvrit le premier tiroir de son bureau pour en retirer son agenda. Il le déposa devant lui ainsi qu'un stylo noir de marque *Alphonso* de très grande qualité. Les initiales G. L., en or quinze carats, y apparaissaient. Ce stylo lui avait été offert par son épouse le jour de Noël. Il ouvrit l'agenda et y jeta un coup d'œil pour vérifier l'horaire de la journée prévu par sa secrétaire. Il avait demandé à celle-ci une semaine moins chargée que les suivantes pour avoir le temps de prendre connaissance des dossiers en cours et surtout, des plus urgents. Il inscrivit ensuite dans l'agenda les trois jours promis à Édouard Baske.

« Aujourd'hui, je vais commencer mollo », se dit-il.

Un sourire narquois lui vint aux lèvres en regardant le classeur.

« Je me donne toute la semaine pour découvrir tout ce qui se cache dans ce mystérieux classeur. Ma secrétaire va sûrement m'être d'un précieux secours ! »

Il se sentit soulagé qu'elle soit sa source d'information pour l'aider à décortiquer et analyser tous ces dossiers, dont certains étaient très volumineux. Il fit pivoter son fauteuil et regarda par la fenêtre aux dimensions impressionnantes qui occupait presque tout le mur. Les stores verticaux, du même modèle que ceux qui faisaient face à la table de travail, étaient entièrement ouverts, offrant une vue magnifique. Il jeta un coup d'œil dehors à nouveau. Un ciel bleu, exempt de nuages.

« Il va faire un temps splendide aujourd'hui », pensa-t-il.

Gaël pouvait sentir la chaleur d'un soleil déjà ardent dans ce ciel si serein. La disposition de l'établissement faisait en sorte qu'il avait une magnifique vue sur la plus belle partie de la ville, et l'on pouvait admirer une section du parc des Deux-Rivières, ainsi nommé en l'honneur du comte des Deux Rivières, qui fut le premier à en fouler le sol. La ville était entourée de deux magnifiques rivières qui se déversaient dans l'océan. Le comte avait été ébloui par la beauté pittoresque des lieux. Il y avait vu un signe précurseur du destin et un sentiment profond d'appartenance en raison de l'analogie entre son titre de noblesse et ce site enchanteur. Ce parc hébergeait une grande variété d'arbres. Plusieurs sentiers pavés avaient été aménagés pour les piétons. Ici et là, on retrouvait de magnifiques statues symbolisant l'époque de la colonisation. Témoins figés de l'histoire de leurs aïeux, ces statues représentaient des paysans besogneux et relataient leur courage et leur ardeur, illustrant ce qu'était devenue cette ville par la suite. Au centre du parc prenait place une imposante fontaine qui s'illuminait majestueusement à la tombée du jour. L'océan, tout près, complétait le panorama, avec son eau d'un bleu limpide dont la beauté était accentuée par sa robe de sable fin et doux longeant la rive.

« Je ne me lasserai jamais d'admirer cette magnifique vue imprenable… » Cette pensée avait surgi maintes et maintes fois lorsqu'il venait s'entretenir avec son prédécesseur. Il était loin de penser, à ce moment-là, qu'il allait un jour le remplacer et qu'il pourrait à sa guise se délecter de ce panorama.

La ville fourmillait déjà de piétons et de voitures. En ce début de mai, non seulement la nature s'éveillait et s'apprêtait pour la belle saison, mais les gens semblaient être plus éveillés, plus excités. Un regain d'énergie causé par la renaissance de la nature qui explosait sous toutes ses formes laissait présumer que l'été était tout près. La ville se transformait somptueusement. Gaël examina les piétons. Il pouvait même ressentir l'humeur exaltante des passants dans leur attitude et leur démarche. Il apprécia la beauté de la ville tout en examinant les gens qui déambulaient sur les trottoirs.

« Je me demande s'ils ont autant de préoccupations que moi », se dit-il, faisant ainsi allusion à la charge de travail qui l'attendait. Il regarda le dessus vierge de son bureau.

« Dans peu de temps, la paperasse s'y sera accumulée, songea-t-il. Ce ne sont pas les responsabilités et la charge de travail qui vont me permettre de garder ce bureau propre et impeccable comme aujourd'hui ! Madame Landrie va certainement s'occuper de maintenir l'ordre sur ce meuble. »

Adjointe-administrative, Rosemarie Landrie était d'une grande discrétion et d'une rare compétence. Âgée de cinquante-trois ans, toute menue, avec ses cheveux châtains toujours en chignon, elle était l'archétype de la secrétaire sérieuse et efficace que l'on pouvait voir dans certains vieux films. Un peu trop, selon plusieurs membres du personnel, qui la considéraient comme une personne trop sérieuse et pincée. Toujours mise impeccablement, elle semblait échapper à l'emprise du temps. Rosemarie avait conservé toute la beauté de son ancienne jeunesse. Ses petites lunettes foncées et ovales masquaient ses minces sourcils. Un maquillage discret et un soupçon de rouge à lèvres réussissaient à adoucir un peu ce visage sérieux et réservé. Fidèle bras droit de son ancien patron pendant vingt-six ans, elle connaissait l'horaire de ses journées, ses déplacements, ses goûts même ! Rien ne se rendait au bureau du PDG sans son autorisation. Toute paperasse, toute correspondance et tout appel étaient filtrés par Rosemarie, ce qui facilitait énormément le travail du directeur. Elle était au courant du contenu de chaque dossier et du moindre petit papier dans cet immense classeur. Le décès soudain de son patron, à l'âge de cinquante-quatre ans, lui avait donné tout un choc. Une belle complicité professionnelle s'était installée entre eux au fil des ans et ce départ imprévu lui avait brisé le cœur.

Durant les cinq dernières années, Gaël avait été le directeur de la faculté des sciences administratives. De ce fait, tout le personnel le connaissait et savait ce dont il était capable. C'était un modèle de persévérance. Un optimiste hors du commun. Cependant, autant il pouvait être exigeant envers lui-même, autant il l'était aussi envers ses collaborateurs. Une tête de cochon, disaient-ils de lui, mais un chic type quand même ! Il n'abandonnait jamais avant d'avoir obtenu ce qu'il voulait. Sa forte personnalité, l'expertise acquise avec le temps et surtout, sa diplomatie, motivaient beaucoup ses collègues à suivre ses pas, à se donner à fond dans leur travail. De ce fait... beaucoup d'admirateurs... certains envieux... possiblement quelques jaloux...

Gaël avait conscience de ses futures responsabilités. D'autant plus que son prédécesseur n'étant plus de ce monde, il devait rapidement faire preuve d'autonomie et d'un bon leadership. Apprendre sur le tas, comme on dit. Prendre la direction du Centre de formation internationale n'apportait pas seulement le plaisir de porter le titre de président-directeur général. Il devrait prendre des décisions

importantes, prévoir certaines restructurations académiques qui provoqueraient probablement certains chan-
gements au sein du personnel, sans oublier les multiples
voyages à la capitale pour rendre des comptes au Ministère
et au conseil d'administration. Et il y aurait bien d'autres
problèmes à résoudre, sans aucun doute.

L'établissement avait une grande réputation depuis plus
de trente ans. Le conseil d'administration avait dû revoir
son mandat, sa mission et aussi son nom quelques années
plus tôt. Ce fut tout un revirement afin de mieux répondre
aux demandes sans cesse grandissantes pour les nouvelles
carrières engendrées par les progrès de la technologie et de
la société. Et, de surcroît, la réception de demandes en provenance de nombreux pays étrangers allait en croissant sans
cesse. L'immeuble avait subi trois phases d'agrandissement
depuis son ouverture, afin d'accepter un plus grand nom-
bre d'étudiants et d'offrir une plus vaste gamme de choix
de carrières. Quatre facultés s'y retrouvaient : celle des
sciences informatiques, celle des sciences bureaucratiques
et administratives et celle de droit. On pouvait maintenant
y compter plus de mille cinq cents étudiants dont un tiers
provenaient de pays étrangers. Environ soixante-quinze
enseignants y œuvraient, en plus du personnel de soutien
administratif, de secrétariat et autre. Les possibilités de
trouver un emploi après cette formation étaient de quatre-
vingt-seize pour cent dans le pays et de cent pour cent à
l'étranger. Anciennement identifié comme l'Institut natio-

nal de formation postsecondaire, l'établissement portait maintenant le nom de Centre de formation internationale.

Gaël pensa à son épouse et à ses deux enfants. Que de temps sacrifié à sa profession et ce, aux dépens des besoins de sa famille ! Ses fréquentes absences pour les besoins de sa carrière, parallèlement à ses multiples études postuniversitaires, l'avaient souvent amené à s'éloigner d'eux. Son désir d'obtenir un baccalauréat en administration l'avait poussé par la suite à faire une maîtrise dans ce domaine. De chef du service de la comptabilité, il était devenu, à la suite de ses études, directeur de la faculté des sciences administratives. Mais c'était plus fort que lui, il ressentait constamment un vide, un vide qu'il définissait comme une soif d'apprendre et un besoin de relever des défis. Le choix parmi les candidatures pour ce poste avait été facile pour le conseil d'administration. Les nombreuses preuves de compétence fournies dans son curriculum vitæ et à l'entrevue lui avaient permis de se démarquer nettement de ses concurrents. Ses dernières études lui avaient permis d'obtenir une mention honorable pour un certificat universitaire en gestion professionnelle. Un argument de taille parmi ses diplômes pour impressionner le comité d'évaluation des mises en candidature.

Une force intérieure le poussait constamment à se dépasser, à gravir les échelons, et surtout, à vouloir accéder au sommet de sa carrière. Pour sa propre satisfaction, il devait prouver à la société qu'il était un modèle de réussite, même aux dépens de ses propres besoins ou de ceux de sa famille. Et surtout… Il devait le prouver à ses parents…

« Je ne bénirai jamais assez ma petite famille, se dit-il. Sans leur support inconditionnel, je me demande si j'aurais persévéré… »

Un sentiment de culpabilité l'envahit soudainement, pendant un bref instant, le temps de lui permettre de le refouler au plus profond de son subconscient et de ne pas permettre à certains souvenirs de refaire surface…

❧

Gaël était l'aîné de trois enfants. Ses sœurs étaient des jumelles nées deux ans après lui. Sa mère avait eu une grossesse très difficile lorsqu'elle l'avait porté. Elle avait été prise de violentes nausées et de vomissements fréquents au point de rester au lit durant toute la durée de sa grossesse. Cependant, là n'était pas le drame… C'était plutôt son enfance particulière…

La grossesse n'ayant pas été désirée, ses parents furent obligés de se marier pour éviter le déshonneur à leurs familles respectives. Ce qui était une passion idyllique se transforma en une obligation imprévue et lourde de responsabilités. Cet amour passionnel de leurs dix-sept ans ne put être conservé au fil du temps, laissant graduellement place à des regrets, et surtout, à l'amertume de ne pouvoir poursuivre chacun les études qu'ils désiraient. Ainsi, ils furent forcés à débuter prématurément leur vie d'adulte et de parents. Une mère à la forte personnalité qui, à la moindre occasion, accusait son mari d'être responsable des revers de leur destin. Un père soumis qui préférait encaisser pour éviter toute confrontation avec celle-ci.

Ses parents désiraient ardemment une fille comme premier enfant et leur certitude d'en avoir une était tellement forte qu'ils n'avaient même pas envisagé un instant que ce puisse être un garçon. L'amertume de leur situation leur fit idéaliser la naissance d'une fille. Les trois premières journées de la toute nouvelle vie de Gaël se passèrent sans prénom. Quelle déception pour eux, qui souhaitaient tant avoir une petite fille. Mais, surtout, quel prénom choisir pour un petit garçon qui aurait dû être plutôt une fillette ? Son prénom fut choisi au hasard dans une revue artistique européenne qui présentait un entretien concernant un acteur qui tentait de faire carrière au cinéma. Et ce ne fut pour Gaël que le début d'une enfance qui serait hors de l'ordinaire…

Chapitre 2

SON AGENDA OUVERT, Gaël en examinait le contenu lorsque le téléphone sonna.

— Bonjour, ici Gaël Lauzié.

— Monsieur Lauzié, vous avez un appel. Puis-je vous le transmettre ?

Gaël regarda sa montre. Celle-ci indiquait huit heures quarante. Il fut surpris du temps écoulé depuis sa conversation téléphonique avec le président du conseil d'administration. Le personnel était déjà à son travail depuis huit heures trente.

— Bien sûr, Madame Landrie, lui répondit-il, reconnaissant la voix de sa secrétaire. Passez-le-moi.

— Appelez-moi Rosemarie, Monsieur Lauzié. Nous allons avoir à travailler longtemps ensemble !

— À vos ordres, Madame ! Ou plutôt, Rosemarie ! lui dit-il en riant.

— Très bien ! Je ne veux pas avoir à vous le redire ! répliqua-t-elle sur un ton mi-figue, mi-raisin.

La sonnerie de l'appel transféré se fit entendre.

— Bonjour, ici Gaël Lauzié.

— Allô ! C'est moi !

— Oh! Allô, Jeanne! Est-il arrivé quelque chose? dit-il d'une voix inquiète, sachant que son épouse n'avait pas l'habitude de l'appeler au travail, encore moins à une heure aussi matinale.

— Mais non, voyons! Tout va très bien, mon chéri. Je t'appelle tout simplement pour savoir quelles étaient tes premières impressions en cette toute première journée, mon cher PDG!

Un sourire narquois lui vint aux lèvres.

— Je pense que ça va te monter à la tête, mon petit boulot, lui dit-il en riant.

— Ton « petit » boulot! Je suis tellement fière de toi! C'est bien toi, toujours humble!

C'était une grande qualité que Jeanne appréciait particulièrement chez lui. Lorsque Gaël lui avait parlé de sa volonté de postuler à ce poste, elle en ressentit aussitôt une grande fierté. Dans ses pensées, il ne faisait aucun doute que son époux était le candidat idéal pour occuper cette fonction. Elle était persuadée qu'il obtiendrait ce poste. Néanmoins, lorsqu'il lui avait annoncé qu'il l'avait obtenu, elle avait eu un étrange sentiment. Elle s'était gardée de lui dire qu'elle avait eu un mauvais pressentiment lorsqu'il le lui avait annoncé. Sans oublier le rêve inhabituel qu'elle avait fait cette nuit-là. Deux situations difficiles à analyser, et la dernière l'avait laissée vivement inquiète. Son coup de téléphone visait avant tout à s'assurer que tout allait bien.

Jeanne Savoit, âgée de trente-neuf ans, ne mesurait qu'un mètre quarante-cinq. Elle faisait contraste avec son époux. Gaël paraissait un géant lorsqu'elle était à ses côtés. Son teint clair mettait en évidence le doux contour de son visage. Elle savait mettre en valeur les traits fins de son visage par un maquillage très doux. Au fil des années, elle avait développé un excellent goût en matière vestimentaire, essayant de compenser un léger surplus de poids accumulé à la suite de deux grossesses. Brunette aux yeux pers, elle bouleversait mystérieusement les gens qu'elle côtoyait. Bien malgré elle, elle dégageait un je-ne-sais-quoi qui la démarquait des gens ordinaires. À travers ses longs cils, son regard trahissait une grande sensualité, mais surtout, donnait la très nette impression qu'elle pouvait lire dans les pensées. Cette aura émanait naturellement d'elle à travers ses gestes, mais surtout à travers son regard si particulier. Un regard pénétrant, donnant l'impression à quiconque qu'elle pouvait lire dans leur âme. Et cette impression émanait d'elle bien inconsciemment.

Effectivement, Jeanne avait un certain don de clairvoyance. Elle ne pouvait pas prédire ce qui allait arriver, mais elle ressentait souvent qu'un événement allait survenir. Mais quoi, qui, comment et où ? Elle n'en savait rien, sauf que cela concernait toujours les siens, et que ce n'était jamais rien qui soit de bon augure… Elle considérait plutôt cette capacité comme un fardeau lourd à porter, une source de grandes inquiétudes lorsqu'elle y était confrontée.

— Tu es bien gentille de m'appeler. Merci ! lui dit-il, reconnaissant.

— Y a pas de quoi, mon cher ! répondit-elle sans lui dévoiler ses véritables intentions. J'ai bien hâte que tu me fasses visiter ton bureau. À ce que tu m'as dit, l'ameublement et la décoration sont de toute beauté…

— Tout est sobrement bien décoré, ma belle. Tu pourras m'en faire une critique puisque tu es experte dans ce domaine !

— Je doute que je puisse y trouver une faille. Je connais tes goûts. Et c'est pour cela que c'est sûrement très beau.

— Tu en jugeras par toi-même lorsque tu viendras.

— As-tu un petit moment cette semaine pour me recevoir, Monsieur le PDG ?

— Sûrement, Madame ! Veuillez attendre un moment afin que je consulte mon agenda, lui répondit-il avec une voix hautaine.

Gaël ouvrit son agenda et jeta un coup d'œil à son horaire de la journée suivante.

— Que dirais-tu de demain matin, à neuf heures ?

— Ça me va.

— Ce sera alors tout un honneur pour moi de recevoir l'épouse du PDG pour un entretien privé.

— Avec plaisir.

Tous deux se mirent à rire de bon cœur.

— Ma première journée commence tranquillement, lui dit-il pour changer de sujet. Madame Landrie va venir me rejoindre bientôt pour m'aider à me familiariser avec certains formulaires administratifs et, après le dîner, nous allons faire la guerre au monstrueux classeur !

— Oh, mon cher ! Ça va être toute une bataille…, dit-elle en riant.

— Sûrement ! J'ai de quoi ne pas m'ennuyer aujourd'hui et le reste de la semaine. Je dois terminer l'ordre du jour de ma première réunion de direction cet après-midi. Je vais inaugurer mon nouveau poste en mettant les points sur les « i » immédiatement avec les directeurs et les chefs de service.

— Oui. Méchant comme tu es, ils vont avoir peur !

Tous deux se mirent à rire de nouveau.

— Tu sais bien que je ne ferais pas de mal à une mouche ! Tu me connais mieux que ça, après toutes ces années passées ensemble !

Gaël et Jeanne s'étaient rencontrés à l'université. Gaël commençait sa troisième année universitaire lorsque Jeanne entreprit sa première. Elle avait choisi de faire un baccalauréat en arts. Elle, toute petite et menue, lui, grand et musclé, ils s'étaient plu au premier regard ; un coup de foudre intense, un amour passionnel et inconditionnel. Deux années idylliques qui passèrent trop vite et qui débouchèrent sur un véritable déchirement lorsque Gaël dut retourner dans sa région natale pour accepter le poste de comptable à l'Institut national de formation postsecondaire. Les deux années qui avaient suivi avaient été assez pénibles pour chacun. Que de longs trajets effectués les fins de semaine afin de pouvoir se retrouver. La joie immense de se revoir le vendredi soir et la peine lors de chaque départ le dimanche après-midi.

Jeanne termina ses études et leur mariage fut célébré peu de temps après. Des noces simples, sans artifice, comme Gaël le souhaitait. Seulement deux témoins, amis de Gaël, pour témoigner de leur union devant l'homme d'Église, sans la présence des parents ni de la famille. Jeanne était fille unique et ses parents étaient décédés dans un tragique accident d'auto, quelques mois avant son départ pour l'université dans la ville voisine. Sans oncles ni tantes, elle avait préféré s'éloigner de sa région natale, qui lui rappelait trop de souvenirs. Elle avait alors annulé son inscription à l'université et opté pour une autre à l'autre bout du pays. Étant donné que son futur époux affectionnait toujours la simplicité des choses, cela lui importait peu. Et puisqu'il souhaitait que ce soit ainsi, il en fut ainsi. De ce bonheur, deux magnifiques enfants naquirent : Mya, maintenant âgée de sept ans, et le petit Phélix-Olivier, cinq ans.

— Je sais bien que tu plaisantes, mon beau grand blond ! dit-elle. Les mouches n'ont même pas peur de toi ! le taquina-t-elle. Doux comme un petit chat, mais un petit chat qui peut rugir comme un lion lorsqu'on le provoque !

— Mais voyons ! Je veux juste casser la glace, clarifier mes attentes envers eux et, pendant que j'y serai, tâter le pouls concernant leurs attentes envers moi aussi...

— J'aime tellement te taquiner, mon amour...

— Je sais bien, dit-il en souriant. Attends, ce soir... tu vas voir ! Tu ne perds rien pour attendre !

— Alors là ! Je n'ai pas le choix ! Je dois t'offrir un petit quelque chose immédiatement pour te calmer ! lui susurra-t-elle.

— Je ne comprends pas, ma douce. Explique-toi...

— Je t'ai fait parvenir un colis par messager ce matin. Va demander à ta secrétaire « le petit quelque chose » ! Je viens tout juste de lui parler pour savoir si elle l'avait reçu et c'est effectivement le cas.

— J'y vais de ce pas ! Attends, ne raccroche pas !

— Sois-en assuré ! Je vais certainement attendre !

Gaël se précipita vers le bureau de sa secrétaire. Celle-ci quitta sa paperasse pour le regarder sérieusement sans mot dire.

— Bonjour, Rosemarie. Excusez-moi de surgir dans votre bureau de manière aussi impromptue, mais il semblerait que vous avez reçu tantôt « un petit quelque chose » pour moi.

— Ah oui ! Je devais attendre que vous me le demandiez. Le voici.

Elle se leva et alla vers le classeur. Elle prit le colis placé sur le dessus, se dirigea vers son patron et lui remit le paquet. Gaël le prit aussitôt.

— Je vous remercie.

— De rien, Monsieur Lauzié.

Gaël retourna aussitôt à son bureau et se précipita vers son fauteuil. Il s'y installa allègrement, tout excité par cette surprise inattendue. Il reprit allègrement le combiné téléphonique.

— Jeanne ! Mais qu'est-ce que c'est ?

— Un petit quelque chose de ma part ainsi que de celle des enfants. C'est pour que tu puisses penser à nous au bureau.

— J'ai une épouse et deux enfants adorables. Je vous aime tellement, lui répondit-il avec un trémolo dans la voix.

— Nous t'aimons aussi. Je t'aime.

Un silence se fit, le temps de leur permettre d'apprécier chacun cet amour merveilleux qui les unissait.

— Est-ce que tu es en train de le développer ? demanda Jeanne.

— Oh non ! répliqua-t-il. Je n'ai rien ouvert encore ! Je pensais au bonheur de vous avoir dans ma vie. Je vais mettre le téléphone sur le mode main libre. Ainsi, je pourrai déballer ce cadeau tout en continuant de te parler.

— D'accord, mon bel ange.

Il appuya sur le commutateur du téléphone et remit le combiné sur son socle. Il commença à tâter le paquet, essayant de deviner ce qu'il pouvait bien contenir.

— Mais enfin, qu'est-ce que tu fais ? lui demanda-t-elle en entendant le frottement de ses doigts sur le paquet.

— Je tâte, Jeanne ! Je fais durer le plaisir.

— Arrête ! Tu me fais languir !

Gaël ouvrit le paquet sans plus tarder. À l'intérieur de celui-ci, il y avait deux emballages. Un premier, d'un vert opalescent avec de légers motifs fleuris, et un deuxième, de même taille, d'un bleu azur.

— Mais ça alors ! Il y en a deux, Jeanne !

— Eh oui ! Un de moi et l'autre des enfants.

— Lequel devrais-je ouvrir en premier ?

— Celui qui est vert. Il est de moi.

— D'accord.

Gaël déballa le présent et y découvrit un magnifique cadre oriental artisanal, peint en or et incrusté aux quatre coins d'un clou de diamant. Cependant, ce fut la photo s'y trouvant qui le toucha le plus. C'était une photo d'eux prise lors de leur voyage en France, l'année d'avant, devant la tour Eiffel. Une photo très réussie témoignant sans équivoque de leur grand bonheur d'être ensemble.

— Quelle splendide photo, Jeanne ! Je n'ai pas réalisé qu'elle était aussi belle lorsque nous avons regardé nos photos de vacances. La beauté de ce cadre est décuplée par ta présence.

— Ah, toi ! Toujours aussi charmant. Je te l'offre avec tout mon amour, lui répondit-elle, émue et enchantée de sa satisfaction. Allez, ouvre le prochain !

Gaël découvrit un cadre identique au précédent, renfermant cette fois-ci une photo de leurs enfants souriant comme deux petits anges, leur regard débordant de vitalité.

— Oh, Jeanne ! lui dit-il, ému de tant d'attention. Je ne sais plus quoi dire, les cadres sont plus que magnifiques et les photos sublimes. Merci beaucoup. J'aimerais vous serrer tous les trois dans mes bras.

— Sache que nous serons toujours là pour t'appuyer, mon amour.

— Oh, Jeanne… Je t'aime tellement !

Il y eut un court silence. Avec ces magnifiques présents, sa première journée de travail commençait bien.

— Mais où as-tu déniché ces deux merveilles ? Cela a dû te coûter une fortune !

— Puisque tu affectionnes particulièrement les œuvres d'art oriental, j'ai dû faire des pieds et des mains pour me les procurer, mais cela en valait la peine. Ils proviennent directement de Chine.

— C'est trop, mon amour. Tu n'aurais pas dû !

— Ne dis plus rien, mon ange. Tu le mérites cent fois.

Gaël admira de nouveau ses cadeaux et les installa avec soin près du téléphone.

— J'ai hâte de revenir à la maison pour vous remercier de vive voix.

— Nous serons là tous les trois.

— À ce soir, alors.

— D'accord, à ce soir ! En passant, j'avais l'intention de nous préparer une bonne lasagne végétarienne. Qu'en penses-tu ?

Gaël adorait les mets végétariens. Même si Jeanne n'était pas une mordue de végétarisme, elle aimait bien lui faire plaisir en lui préparant à l'occasion ses mets préférés.

— Ça va être délicieux !

— Alors, le chef va vous préparer cela, Monsieur.

— Tu es un amour !

— Je sais ! lui dit-elle avec sensualité.

— Je tâcherai de rentrer tôt.

— Bye, cher PDG !

— À ce soir alors, lui répondit-il, un sourire aux lèvres.

Il raccrocha en se promettant de rentrer le plus tôt possible.

— Eh bien ! Mettons-nous au boulot, et que ça saute ! lança-t-il d'une voix sûre démontrant toute la force de son caractère. Si la montagne ne vient pas à moi, j'irai à la montagne et je la gravirai, quitte à user cent paires de souliers !

Il se sentait d'attaque, prêt à accomplir le travail colossal qui l'attendait. Il s'appliqua sans tarder à préparer l'ordre du jour pour la réunion prévue en fin d'après-midi.

❧

Jeanne passa l'avant-midi en ville, furetant dans les boutiques pour se choisir un prêt-à-porter pour la soirée fort prometteuse avec son époux. Elle en profita aussi pour acheter ce dont elle avait besoin pour le souper. Sur le chemin du retour, elle ressentit soudainement le même malaise que celui qu'elle avait ressenti en songe la nuit précédente. Un engourdissement de tout son corps avec une bouffée de chaleur soudaine. Elle dut garer son auto sur l'accotement, craignant d'en perdre la maîtrise.

« Que m'arrive-t-il ? » se demanda-t-elle nerveusement.

Elle n'eut que le temps d'éteindre le moteur du véhicule. Cet engourdissement l'envahit entièrement. Un nœud lui noua la gorge. Son cœur se mit à palpiter. Sa respiration devint irrégulière. Tout devint sombre autour d'elle et un silence l'entoura. Elle se sentit soudainement projetée hors de son corps et elle s'élança vers une destination inconnue.

Jeanne réalisa qu'elle n'avait pas perdu conscience. Elle essaya de bouger mais elle en fut incapable. Elle se sentait à l'extérieur de son enveloppe corporelle, mais tout en restant consciente.

« Mais que se passe-t-il ? pensa-t-elle, soudainement en proie à une grande anxiété. Je ne dors pourtant pas en ce moment ! »

Peu à peu, des images floues apparurent. Elle eut l'impression cette fois de voir par l'entremise d'une tierce personne. Peu à peu, elle discerna une feuille, puis une main gantée de noir au-dessus de celle-ci. Cette même main noire, mais cette fois-ci, tenant une plume... Une écriture maladroite... illisible...

« J'ai tellement l'impression que je suis entrée dans cette personne... Que je suis ses yeux... »

Jeanne essaya de se calmer. Garder son calme ne pouvait que l'aider à mieux percevoir ce qui se passait. Elle se concentra pour déchiffrer le message, mais tout était trop flou. La feuille fut pliée d'un coup en trois sans qu'elle ait le temps d'y lire quoi que ce soit. Puis on la mit dans une enveloppe.

Une autre feuille apparut. Cet inconnu y inscrivit un autre message. Cette fois-ci, elle put en lire la première ligne :

Cher PDG

« Qu'est-ce que c'est que ça ? » se demanda-t-elle.

Elle essaya de discerner les mots qui suivaient sans y parvenir. L'écriture était difficile à lire, l'individu écrivait gauchement. Cette feuille fut également pliée en trois et insérée dans une autre enveloppe.

Les enveloppes disparurent… La main disparut…

Tout autour d'elle devint sombre…

Elle reprit conscience. Un peu confuse sur le moment, elle se demanda où elle était. Après avoir repris ses sens, elle réalisa qu'elle était toujours dans son véhicule.

« Ai-je rêvé tout cela ? se demanda-t-elle. C'était tellement réel… »

En proie à une grande inquiétude, elle redémarra et reprit le chemin vers chez elle. Tout au long de la route, elle ne put s'empêcher de se questionner à propos de ce qu'elle venait de vivre.

« Mais qu'est-ce que cela signifie ? se demandait-elle, songeuse.

Chapitre 3

LA PREMIÈRE HEURE PASSA RAPIDEMENT. Stimulé par les présents reçus et par cette première journée dans son nouvel environnement, Gaël compléta l'ordre du jour pour la réunion de l'après-midi. Il prit connaissance du procès-verbal de la dernière réunion tenue par son prédécesseur, Monsieur MacLaughlein, afin d'inscrire à l'agenda les dossiers à suivre.

« Les membres convoqués à la réunion vont sûrement comprendre que les dossiers ne soient pas tous à jour. Je tâcherai de voir à tout cela le plus tôt possible. »

Il inscrivit ensuite les affaires nouvelles à discuter et il termina en préparant les documents annexés à l'ordre du jour afin de les faire circuler parmi les membres qui devaient être présents à cette réunion.

« Bon ! Je pense que tout est finalement prêt. Je n'ai plus qu'à attendre que Madame Landrie se présente. Mon ordre du jour est finalement complété. Elle pourra le faire imprimer et le distribuer aussitôt pour que tout le personnel concerné se prépare à cette réunion. »

Confortablement calé dans son fauteuil, il attendit patiemment Rosemarie pour entreprendre l'analyse des formulaires. Il regarda le logo du Centre sur l'en-tête des feuilles : CFI. Trois lettres majuscules, blanches avec un contour noir, posées l'une sous l'autre de manière oblique, sans autre artifice. Compte tenu de la nouvelle vocation et de la nouvelle identité du Centre, le conseil d'administration avait proposé un concours au personnel afin de trouver un nouveau logo. Il se remémora ces instants avec un sourire.

Gaël, à ce moment, avait eu l'idée d'y participer. Selon lui, le sigle de l'établissement devait être simple, sans ajout de signes quelconques, afin d'éviter toute confusion ou toute fausse interprétation. Mais comment élaborer un modèle de ce genre ? Surtout, un modèle qui puisse néanmoins attirer l'intérêt de quiconque le voyait, tout en reflétant un professionnalisme de haute qualité… C'est à ce moment que lui vint une idée.

« Je dois mettre l'accent sur les trois premières lettres du nom de l'établissement, s'était-il dit simplement, mais de manière révélatrice et professionnelle. »

Il imagina ces trois lettres blanches encadrées de noir et superposées de manière oblique pour en relever l'esthétique. Il en fit l'esquisse et le résultat fut plus que satisfaisant dès sa première réalisation. À tel point que le croquis fut choisi à l'unanimité par le comité d'évaluation du concours. Il fut présenté au conseil d'administration, qui en trouva la conception très intéressante.

Gaël examina de nouveau le logo sur les en-têtes des feuilles ; il se retourna et son regard se dirigea vers la baie vitrée. Le sigle, de dimension imposante mais invitant par sa simplicité, y prenait place fièrement. Une bouffée de fierté monta en lui, lui procurant un fort sentiment de satisfaction légitime et d'appartenance à ce Centre.

« J'espère avoir réussi à atteindre l'âme de cet établissement avec ce sigle », se dit-il avec un léger sentiment d'accomplissement.

Une multitude d'épinglettes, fabriquées à partir de ce logo, avaient été offertes au personnel et aux étudiants, ravis de ce cadeau plein de sens à leurs yeux. On pouvait ressentir la fierté des personnes qui la portaient. Et que dire de la bague créée aussi à partir de ce croquis et destinée aux futurs diplômés de cette institution d'enseignement. Les trois lettres obliques étaient en or blanc encadré de noir, sur un fond circulaire, avec une monture d'or jaune. Gaël avait été impressionné et fut emballé lorsqu'il en reçut une en guise de remerciement pour son concept. Un cadeau plus que précieux. Il jeta un regard admiratif à cette bague qu'il portait fièrement depuis à son annulaire droit.

— Bonjour, Monsieur Lauzié.

Cette voix maintenant familière le tira de ses pensées. Il leva les yeux vers son interlocutrice.

— Bonjour, Rosemarie. Je ne vous ai pas entendue entrer. Je vous attendais.

— Eh bien, me voici ! répliqua-t-elle. Avant de commencer, je vous remets le courrier.

Elle déposa sur son bureau une pile volumineuse d'enveloppes de différents formats. Gaël regarda la pile, surpris par la quantité.

— C'est le courrier qui s'est accumulé depuis le départ de Monsieur MacLaughlein, commenta la secrétaire. J'ai préféré vous attendre pour savoir de quelle façon vous désirez que votre courrier vous soit acheminé. J'apprécierais des directives à ce sujet, s'il vous plaît.

— Expliquez-moi de quelle manière vous procédiez avec Monsieur MacLaughlein.

— Tout le courrier adressé au PDG m'était acheminé et moi seule étais autorisée à l'ouvrir. Je devais en prendre connaissance et classer la correspondance par ordre de priorité pour faciliter la tâche. Ensuite, quand il avait pris connaissance du tout, je m'installais avec lui pour noter ses directives afin de tenir à jour la correspondance.

— Cela me semble parfait. Vous allez alléger ma tâche de beaucoup si vous continuez ainsi.

— Si cela vous va, cela me va aussi. Cependant, je tiens à vous dire que lorsque je recevais une enveloppe ou un colis portant la mention « confidentiel », je préférais ne pas l'ouvrir et le remettre à Monsieur MacLaughlein.

— Cela me va aussi. Nous travaillerons de cette manière.

— Alors, si vous me permettez...

Rosemarie reprit la pile de courrier. Elle prit la dernière enveloppe et la remit sur son bureau.

— Je prendrai connaissance du contenu de ce courrier et il ne vous restera que celui-ci.

Gaël regarda l'enveloppe sur son bureau. Elle était adressée à son nom avec la mention « confidentiel » en grosses lettres détachées près de ses coordonnées et aucune adresse de retour n'y figurait. Aucun timbre ni sceau de la poste. Ceci correspondait à première vue à une enveloppe reçue par courrier interne d'un département quelconque à l'intérieur de l'établissement.

— Je regarderai cela plus tard, dit-il à sa secrétaire.

— Alors, par quoi voulez-vous commencer ce matin, Monsieur Lauzié ?

— Je vois que vous ne voulez pas perdre de temps ! À vos ordres, mon colonel !

Gaël vit le regard de sa secrétaire s'embrumer soudainement. Elle regarda son patron dans les yeux un instant avant de répliquer :

— Monsieur Lauzié, je peux vous assurer que ce n'est pas mon intention de vous ordonner quoi que ce soit. C'est la deuxième fois que vous me dites « à vos ordres » et cela me rend mal à l'aise. Vous êtes le dirigeant de cet établissement et je ne suis que votre secrétaire. Je peux vous assurer que ce serait déplacé de ma part de vous donner quelque ordre que ce soit.

— Rosemarie..., répondit Gaël, surpris par cette réplique, ce serait dommage de commencer cette première journée avec un malentendu. J'avoue ne pas être aussi réservé et sérieux que votre ancien et très respecté patron, mais je suis contre l'idée d'un formalisme exagéré entre vous et moi. Pas plus qu'envers quiconque d'ailleurs. Je suis le patron, je sais où est ma place dans l'établissement, mais de là à projeter l'image d'un patron intransigeant ou sans émotions, ce n'est pas mon genre. Et vous n'êtes pas seulement une secrétaire !

Il la regarda sérieusement pour appuyer la suite de ses propos.

— Je crois sincèrement qu'un bon esprit de collaboration entre nous et le personnel se développe par une écoute proactive, un travail d'équipe sain et aussi, par la possibilité de prendre plaisir à travailler ensemble, sans avoir à toujours projeter un niveau élevé de professionnalisme. Donnons-nous la chance de nous apprécier mutuellement sans excès de formalités. J'ai besoin de vous et vous savez très bien que votre support m'est très précieux dans l'apprentissage de mes nouvelles fonctions.

Le regard de Rosemarie s'adoucit légèrement mais non sans effort.

— Vous avez raison. Pardonnez-moi, lui répondit-elle avec un effort évident pour adoucir ses paroles. Laissez-moi juste le temps de m'habituer à vous et à votre façon de travailler et, de votre côté, de vous habituer à moi et à ma façon de travailler. Donnons-nous du temps. Je suis de la vieille école ! Je veux juste vous prouver que je suis efficace, termina-t-elle avec un regard sérieux.

— Vous n'avez rien à prouver, Rosemarie. Je connais votre réputation, celle d'une très bonne secrétaire, une employée efficace qui n'aime pas perdre son temps. Nous ne sommes plus à la petite école, et encore moins à la milice, alors soyons juste plus à l'aise dans nos relations professionnelles.

— Alors, recommençons à partir du début, s'il vous plaît, lui dit-elle, essayant de nouveau d'adoucir avec effort son regard en y ajoutant un ton de voix plus doux.

— Marché conclu ! répliqua-t-il avec un sourire.

— Par quoi voulez-vous commencer, Monsieur Lauzié ? dit aussitôt Rosemarie avec un sourire plus ou moins mitigé.

« Comme elle est particulièrement difficile à analyser, cette Madame Landrie…, pensa Gaël. Mais je ne suis pas son ancien patron. Chacun a sa personnalité. »

— D'abord, Monsieur Lauzié, j'aimerais que vous jetiez un coup d'œil à l'horaire que je vous propose pour la semaine, avant d'étudier les formulaires. Étant donné que vous souhaitiez que je sois avec vous au cours des prochains jours afin de vous aider à vous familiariser avec la bureaucratie administrative, je me suis permis de vous faire un horaire flexible selon votre agenda. Vous pourrez respecter vos réunions et vos obligations et vous verrez au fur et à mesure pour les imprévus.

Gaël se leva. Il prit son agenda et quelques documents sur son bureau.

— Allons nous installer à la table de travail, je vous prie. Nous serons plus à l'aise pour travailler.

Il ferma les stores avant de prendre place à la table pour éviter toute distraction causée par le va-et-vient sporadique du personnel.

— Est-ce qu'il y a beaucoup d'imprévus dans une journée, selon vous ? demanda Gaël.

— Oui, assez souvent, lui répondit-elle en s'installant à ses côtés. Vous verrez que parfois vous aurez à remettre à plus tard ce que vous aviez prévu faire afin de mieux gérer les priorités. Surtout quand vous aurez à exécuter certaines tâches urgentes demandées par le conseil d'administration ou le Ministère, et ce, le plus tôt possible, sinon pour hier.

— Je ne suis pas surpris. Cela m'arrivait souvent lorsque j'étais directeur de la faculté des sciences administratives. Gérer les priorités. Une phrase bien à la mode aujourd'hui.

— J'en conviens, dit-elle.

— Montrez-moi l'horaire que vous désirez me proposer, s'il vous plaît. Je vais vérifier si tout y est et m'assurer qu'il n'y a pas de conflit avec ce que j'ai prévu cette semaine.

— Le voici, lui dit-elle en lui tendant une feuille.

— Merci. J'ai préparé un ordre du jour pour cet après-midi. Pendant que j'examinerai l'horaire, j'aimerais que vous le mettiez au propre. J'aimerais que chaque membre de l'assemblée ait une copie de l'agenda avant la réunion.

— Je vais faire mieux, je vais demander à Laurie de le préparer et de le remettre aux personnes concernées cet avant-midi.

— J'ai préparé aussi certains documents relatifs à quelques points de l'ordre du jour. Cependant, je veux les distribuer seulement au cours de la réunion.

— Je vais expliquer tout ça à Laurie. Les documents seront dans la salle de réunion au moment prévu.

Elle prit le tout et alla aussitôt voir la secrétaire-adjointe.

Entre-temps, Gaël analysa l'horaire proposé par sa secrétaire. Tout lui sembla correct et compatible avec ce qu'il avait prévu à l'agenda. Aujourd'hui, lundi, analyse des divers formulaires, étude des dossiers les plus urgents et réunion en après-midi. Mardi, étude des politiques et procédures administratives, examen des descriptions de tâches des chefs de service et du personnel afin de mieux connaître leurs fonctions ainsi que leurs responsabilités. Et, finalement, une tournée de direction, question de faire sentir sa présence dans le Centre et, en fin de journée, étude des dossiers du classeur. Mercredi, prendre connaissance des comités et des équipes de travail ainsi que de son implication comme PDG dans certains de ceux-ci. Puis, encore une fois, retour à ce fameux classeur. Rencontre individuelle avec chaque chef de service pour réviser avec chacun la description de tâches examinée plus tôt dans la semaine afin de mieux connaître le fonctionnement de leur service. Jeudi et vendredi étaient aussi occupés que les jours précédents. Il nota dans son agenda l'horaire proposé par sa secrétaire.

En attendant son retour, Gaël se leva et se dirigea vers la baie vitrée pour admirer à nouveau le paysage qui s'offrait à ses yeux. Il remarqua l'enveloppe qu'il avait laissée sur son bureau.

« Qui donc a-t-il bien pu m'adresser personnellement du courrier ? se demanda-t-il. En spécifiant *confidentiel* de surcroît ! Peut-être un mot de bienvenue... », espéra-t-il en souriant.

Il alla s'installer à son bureau et prit l'enveloppe. En revenant vers la table de travail, il l'ouvrit. Il en sortit une feuille pliée en trois. En dépliant celle-ci, il remarqua immédiatement la forme des lettres. Comme si le correspondant avait eu une grande difficulté à écrire. Des lettres à demi formées, à peine lisibles par endroits et toutes penchées vers la gauche. Une plume de couleur rouge avait été utilisée.

« Mais qu'est-ce que c'est que ça ? » se demanda-t-il.

Il essaya de déchiffrer cette écriture inhabituelle. Ses yeux s'agrandirent au fur et à mesure qu'il poursuivait la lecture de ce message.

Cher PDG,

Loin de mes pensées de te souhaiter la bienvenue.

Ce sera ta première journée d'enfer, mon très, très cher PRÉSIDENT-DIRECTEUR GÉNÉRAL.

Ça va commencer bientôt...

« Mais qu'est-ce que c'est que ça ? se demanda-t-il encore. Une plaisanterie de bien mauvais goût... »

Rosemarie réapparut et elle s'avança vers la table de travail. Gaël remit la feuille précipitamment dans l'enveloppe et la glissa parmi ses documents... Rosemarie le regarda sans mot dire et alla s'installer à la table de travail. Gaël se demanda s'il devait lui en parler ou non.

« Ce doit être un canular, se dit-il. Quelqu'un veut sûrement me jouer un tour... Aussi bien n'inquiéter personne pour le moment. »

Il jeta de nouveau un regard sur l'horaire proposé par sa secrétaire. Il essaya en vain de se concentrer pour en refaire la lecture. Rosemarie remarqua le regard inquiet de son patron.

— L'horaire ne vous convient pas ? demanda-t-elle.

— Tout me semble être là, répliqua aussitôt Gaël. Toute une semaine !

— De toute évidence, lui répondit-elle. Une semaine très remplie. Alors, nous allons commencer par les formulaires administratifs. Nous aurons de quoi nous occuper tout l'avant-midi. Cet après-midi, nous analyserons quelques dossiers du classeur. Je présume que nous n'aurons le temps d'en regarder que deux. Ce sont les plus volumineux et les plus urgents. Il est important que vous en preniez connaissance le plus tôt possible.

— Cela me convient, lui répondit Gaël.

Les propos de sa secrétaire lui firent oublier la menace anonyme.

— Vous rencontrez toujours le président du conseil d'administration mardi prochain ?

— Euh... Oui, répondit-il, surpris. Comment se fait-il que vous soyez au courant de sa venue ? Nous n'en avons discuté au téléphone que ce matin, lui et moi !

— Oh ! Mais c'est tout à fait naturel que je sois au courant, Monsieur Lauzié ! N'oubliez pas que je suis votre ombre dans ce Centre. Tout ce qui vous concerne, tout ce qui vous entoure passe préalablement par moi. Je suis là pour vous faciliter la tâche. Rien ne doit se rendre à vous sans ma permission.

Rosemarie le regarda droit dans les yeux. Un regard perçant, difficile à analyser, qui le mit étrangement mal à l'aise.

— Ne décidez rien dans les prochaines semaines sans me consulter, Monsieur Lauzié. Mon expertise vous rendra la vie beaucoup plus facile et vous évitera sûrement de vous mettre les pieds dans les plats.

Le regard de Rosemarie s'adoucit.

— Mieux vaut tout contrôler de mon côté afin que vous puissiez mieux gérer du vôtre. En ce qui concerne la gestion, c'est vous le patron... En ce qui concerne l'affluence autour de votre bureau, c'est moi le filtre. Vous m'en serez reconnaissant, vous verrez. Soyez assuré...

« Pas étonnant qu'on la surnomme « la Muraille de Chine », se dit Gaël. Avec une secrétaire comme ça, je n'ai pas de besoin d'un garde du corps ! »

— Monsieur Baske m'a appelée la semaine dernière. Il m'avait demandé de vous en parler afin que je puisse vous planifier quelques jours ensemble. J'ai pris l'initiative de l'ajouter à votre horaire et de vous en aviser quand vous seriez en fonction. Voilà la réponse à votre question. Il a dû oublier qu'il m'en avait parlé.

— Probablement...

— Vous irez de surprise en surprise avec moi, Monsieur Lauzié ! lui répondit-elle en affichant un sourire narquois.

— Oui... sûrement, répliqua-t-il, incertain de pouvoir analyser ce sourire.

Il préféra revenir en arrière.

— Monsieur Baske passera quelques jours à m'expliquer les états financiers et le processus de gestion. Cela occupera sûrement les trois jours que je lui ai proposés et que vous aviez déjà inscrits à mon horaire, d'ailleurs, lui dit-il. Peut-être plus...

— Ne vous inquiétez pas à ce sujet, deux à trois jours tout au plus, je peux vous l'assurer. Vous avez déjà des connaissances à ce niveau, vous avez eu à gérer tout ça en plus petit dans votre ancien service.

— Oui, sûrement, je vous l'accorde. Merci de me rassurer.

— Votre prédécesseur, Monsieur MacLaughlein, me remettait les projections budgétaires et les redressements régulièrement pour que je les entre à l'ordinateur. Je n'ai jamais participé à l'élaboration des budgets, mais je connais tous les hiéroglyphes qui y apparaissent. C'est juste un peu plus volumineux, car il y a tout le Centre à gérer. Je vous aiderai à déchiffrer tout ça !

— J'ai l'impression que je ne pourrai pas me passer de vous ! lui dit-il avec un sourire mitigé.

— Mais je suis ici pour ça, Monsieur Lauzié. Sinon, à quoi servirais-je ? Vous ne pouvez pas tout apprendre en une seule journée ! N'oubliez pas, Rome n'a pas été faite en un jour.

— Je sais. Et j'oserai ajouter que tous les chemins mènent à Rome. Vous serez un de ces chemins, Rosemarie, afin de me guider vers l'autonomie à laquelle j'aspire en tant que PDG de ce Centre.

— Avec plaisir, je peux vous l'assurer, lui répondit-elle lentement avec un regard étrangement sérieux. Je peux vous l'assurer...

⁂

Jeanne se remettait peu à peu de ses émotions. Cette expérience extracorporelle l'avait cependant laissée inquiète. Elle avait vécu une situation inusitée, étrange, presque irréelle. Elle réalisait bien que ce genre de transe était un événement tout nouveau qui était apparu en elle. Il ne s'agissait plus seulement d'un vague sentiment prémonitoire comme ceux qu'elle avait occasionnellement, mais de quelque chose de tout à fait inhabituel. Son sixième sens avait tout à coup décuplé. Le rêve qu'elle croyait avoir fait la nuit précédente lui donna la conviction que c'était plus qu'un simple songe, mais sa première expérience extracorporelle. De plus, elle était le principal témoin de deux actes mystérieux qui avaient été commis en vingt-quatre heures, deux actes dont elle seule était au courant.

« Je me demande pourquoi je vis tout ça tout d'un coup... Et, surtout, quel rapport ont ces événements avec moi... Ou avec qui ? » songea-t-elle, plus inquiète.

Elle se contenta de siroter son thé glacé, bien calée dans son fauteuil. Elle était installée dans le solarium, une pièce qu'elle appréciait beaucoup pour la chaleur du soleil et le paysage printanier qui s'offrait à l'extérieur. Le gazon verdissait, les arbres bourgeonnaient pleinement, bref, la vie reprenait son cours. Elle posa sa tasse sur la petite table à côté d'elle et prit un magazine de mode pour le feuilleter.

Jeanne ne put s'empêcher de pousser un long cri.

— Nooooon!!!!!!!!!!!

« Non! Pas encore! s'écria-t-elle. Pas encore! »

Ce même sentiment engourdissant, cette même perception que quelque chose allait se produire. Elle eut la nette conviction qu'elle allait revivre une transe similaire à la précédente.

« Non! Arrêtez! Je ne veux pas!... Non!!! »

Elle eut beau se révolter face à ce phénomène, Jeanne eut l'impression d'être attirée vers un gouffre. Son cœur se mit à palpiter de nouveau, sa respiration devint rapide. Tout s'assombrit et elle se sentit tirée vers l'extérieur de son corps. Elle s'élança vers une destination inconnue. Plus elle se rapprochait du lieu, plus elle commençait à distinguer l'endroit où elle était.

Soudainement, elle se vit longer un corridor. Jeanne avait nettement l'impression de faire partie intégrante de ce corps inconnu. Le couloir était flou mais elle pouvait deviner que c'était un endroit familier. Un endroit où elle était déjà allée. Tout à coup, l'étranger s'immobilisa. Elle se vit devant un ascenseur. L'endroit devint un peu plus clair autour d'elle. Jeanne vit qu'elle s'en éloignait tout en continuant à le regarder. Une porte apparut devant ses yeux et l'inconnu referma celle-ci à demi, laissant une petite ouverture, le regard fixé sur la porte de l'ascenseur.

Jeanne eut l'impression que l'étranger demeura derrière cette porte durant une éternité.

❧

Un léger son de cloche se fit entendre et le chiffre trois s'alluma au-dessus de la porte de l'ascenseur. Celle-ci s'ouvrit lentement. Un chariot de ménage en ressortit, poussé par un jeune homme grassouillet, préposé à l'entretien. Il longea le corridor et s'arrêta près de la fontaine. Il y avait un tableau au-dessus. Il y prit une fiche et examina l'horaire des cours de la journée.

— Bon ! se dit-il tout haut. Je vais commencer par quelle classe ce matin…

Il vérifia quelle classe était libre.

— Aussi bien commencer par les laboratoires, le 305 est libre présentement.

Il poussa son chariot et, d'un mouvement lent, il se dirigea vers le 305. Il s'arrêta près de la porte et sortit le passe-partout de sa poche. Il déverrouilla celle-ci et l'entrouvrit. Il prit le produit nettoyant et une guenille et pénétra dans la salle tout en fredonnant le dernier succès du groupe de l'heure.

❧

Jeanne vit le préposé pénétrer dans cette salle. Elle eut la nette conviction que la scène se passait dans l'établissement où Gaël travaillait. L'étranger surveillait ce préposé. Elle se vit sortir de l'endroit où l'individu se terrait. Lentement, elle se vit s'approcher du chariot de ménage du préposé. Soudain, une main gantée de noir, cette même main qu'elle avait vue dans sa transe précédente, s'approcha doucement du dessus du chariot, en direction de l'amoncellement de chiffons. La main prit le passe-partout malencontreusement oublié par l'employé au pied de la pile de chiffons. Un étui apparut dans l'autre main, aussi gantée de noir. L'inconnu ouvrit l'étui et prit soigneusement une empreinte de la clé. L'étui se referma et l'inconnu nettoya méticuleusement la clé avec un chiffon volé sur la pile. Celle-ci reprit rapidement sa place initiale. Le chiffon sale disparut. L'inconnu repartit discrètement, emportant l'empreinte du passe-partout.

❧

L'employé fredonnait dans la salle de classe tout en poursuivant ses tâches, ignorant ce qui se passait dans le corridor.

❧

Jeanne se vit repartir et longer de nouveau ce corridor. Tout devint plus flou, laissant place graduellement à la noirceur.

Elle reprit conscience, toujours assise dans son fauteuil, encore sous le choc de ce qu'elle venait de vivre.

Chapitre 4

GAËL ET ROSEMARIE PASSÈRENT L'AVANT-MIDI sans être interrompus dans l'analyse d'une multitude de formulaires tels que les demandes de formation ou de congé pour le personnel et les demandes d'achat d'équipement ou de réparations mineures et majeures. Plusieurs autres formulaires furent aussi analysés. Ils s'attardèrent aussi sur le processus de gestion des plaintes du personnel, des étudiants ou de la clientèle. La secrétaire adjointe de Madame Landrie s'occupa de prendre tous les appels et n'eut pas besoin de les interrompre de toute la matinée. Cependant, en fin d'avant-midi, vers onze heures trente, ils furent interrompus par quelqu'un qui frappa à la porte.

— Veuillez entrer, dit Gaël en élevant légèrement la voix.

La porte s'ouvrit lentement, laissant apparaître le visage de la secrétaire adjointe. Laurie Elwart était nouvellement arrivée au sein de l'équipe administrative. Elle occupait ce poste depuis peu de temps. En fait, elle avait commencé deux mois plus tôt. Elle avait complété ses études au Centre et, diplômée depuis quelques mois, elle avait obtenu, à sa grande surprise, ce poste permanent. Sa candidature avait été retenue pour ses excellents résultats scolaires et sa très grande assiduité au programme. À l'entrevue de sélection, elle avait démontré une très bonne connaissance théorique en techniques bureaucratiques. Dès la première semaine suivant son embauche, elle faisait déjà preuve d'une certaine autonomie et ses habiletés de travail plurent à tout son entourage.

Grande brune aux yeux bruns, âgée de vingt-trois ans, elle faisait contraste avec Madame Landrie. Elle arborait une longue et épaisse chevelure qu'elle laissait toujours retomber en cascade sur ses épaules. Son style vestimentaire laissait aisément deviner les charmes féminins d'une jeunesse en plein essor. Sa timidité témoignait de sa présence encore toute fraîche dans ce secteur, mais cela rehaussait tout le charme naturel qui se dégageait de sa personne.

— Monsieur Lauzié, je sais que Madame Landrie m'a demandé de ne pas vous interrompre dans votre travail ce matin. Je m'en excuse, mais votre sœur est ici et elle veut absolument vous voir.

Gaël se tourna vers sa collègue. Celle-ci se contenta de le regarder. Elle resta bouche cousue. Il attendit quelques secondes pour avoir une réaction ou un commentaire, mais elle demeura muette. « Mon doux, qu'elle est impassible, cette dame ! » pensa-t-il en l'examinant discrètement.

Il se tourna vers Laurie.

— Ne soyez pas mal à l'aise, Laurie, je ne vous en veux pas.

Il se retourna de nouveau vers sa secrétaire sans pouvoir déceler chez elle la moindre émotion.

— Je crois que nous avons tous les deux très bien travaillé jusqu'à présent, nous pouvons nous arrêter et reprendre après le dîner. Si vous n'y voyez pas d'inconvénient, bien entendu.

— Comme vous le désirez. Je pourrai répondre aux appels les plus urgents et vérifier si quelqu'un est venu vous voir ce matin.

— Alors, je vous reverrai plus tard. Laurie, veuillez faire entrer Madame Lauzié, s'il vous plaît.

Rosemarie se leva tranquillement, prit sa paperasse et se dirigea vers la jeune secrétaire sans mot dire. Celle-ci ouvrit la porte et recula rapidement pour la laisser passer. Aussitôt la secrétaire sortie, la sœur de Gaël apparut. Laurie referma la porte dès que celle-ci la traversa.

— Bonjour, PDG ! lança-t-elle sur un ton hautain.

— Bonjour, Solaine. Tu sembles dans une forme splendide aujourd'hui, se moqua-t-il gentiment.

— Figure-toi que j'ai perdu mon temps tantôt à discuter avec un fichu entêté ! Il y a un problème de programmation dans un de mes cours informatisés et il ne veut pas le régler immédiatement. Et, en plus, ta jeune secrétaire a refusé que j'entre te voir sans ta permission ! Elle m'a mise hors de moi !

Solaine Lauzié, de deux ans sa cadette, partageait certains airs de famille avec son frère. Avec son mètre quatre-vingts et sa silhouette élancée, elle aurait pu faire carrière comme mannequin professionnel. Certains traits de son visage et son teint hâlé témoignaient avec évidence de cette ressemblance. Sa chevelure brune était coupée à la garçonne et parsemée de mèches blondes. Cependant, ses yeux pers étaient plutôt froids. Solaine se distinguait de Gaël par sa nature froide et son attitude hautaine envers tout le monde. Consciente de sa forte personnalité, elle s'en servait pour obtenir ce qu'elle voulait, autant au point de vue professionnel que personnel. Ce qui lui valait une réputation plus ou moins controversée dans son entourage. Solaine était directrice de la faculté des sciences bureaucratiques depuis trois ans. Très efficace comme gestionnaire, elle excellait moins dans ses relations interpersonnelles.

— Solaine! Voyons! répliqua Gaël. Laurie a seulement suivi les directives que nous lui avons données. J'avais une matinée très chargée. J'oserai dire que ta faculté a bien su former la relève!

— Puisque tu le dis! répliqua-t-elle en haussant les épaules.

— Je peux être en discussion avec quelqu'un, ou avec une équipe de travail, ou même au téléphone, et ne devoir être dérangé sous aucun prétexte... Même si c'est par ma sœur.

— Même si tu es avec la vieille? lui répondit-elle narquoisement.

— Même si je suis avec Madame Landrie, dit Gaël en insistant sur le nom de sa secrétaire.

Solaine ne répondit pas. Elle se contenta de jeter un regard circulaire autour de la pièce, analysant tout ce qu'elle voyait.

— Tu n'as pas perdu de temps ! Tu as fait réaménager le bureau, je reconnais tes goûts. Trop simple pour moi. Personnellement, j'ai besoin de couleurs plus vives et de décorations plus intéressantes.

— Nous n'avons jamais eu les mêmes goûts, Solaine, dit Gaël. Enfants, je disais blanc, tu disais noir… Ou plutôt rouge… Rouge vif…

— Excuse-moi, lui dit-elle, je déteste qu'on discute du passé.

— Moi aussi d'ailleurs, répondit-il.

Gaël tourna son regard vers la fenêtre panoramique pour essayer de chasser certains souvenirs…

— Revenons plutôt au présent, Gaël…

— J'aimerais bien, lui répondit-il d'un ton placide.

Certains souvenirs refirent surface, malgré ses efforts pour les refouler. De merveilleux et doux souvenirs… Néanmoins ensevelis rapidement par d'autres plus douloureux…

❦

— Gaël ! Gaël ! cria Émilie. Mais où es-tu caché ? Je n'ai plus envie de jouer, ajouta-t-elle sur un ton boudeur.

Le petit Gaël sortit de sa cachette l'air penaud.

— Ha ! Ha ! Je t'ai eu, frérot ! lui lança-t-elle en riant de bon cœur.

— Comment ça ? s'écria-t-il, visiblement fâché. Tu n'as pas le droit de faire ça ! C'est tricher !

— Mais non, mon grand frère adoré ! C'est juste que je m'ennuie de toi quand je ne te vois pas ! répliqua-t-elle d'un air angélique.

— Capricieuse, va ! dit celui-ci en essayant de prendre un regard faussement mécontent. Tu n'es qu'un bébé !

— Mais non ! s'exclama-t-elle. Je ne suis pas un bébé ! J'ai maintenant sept ans et j'ai déjà perdu trois dents de bébé ! J'ai même deux dents d'adulte qui poussent. Regarde !

Avec ses doigts, elle retroussa sa lèvre supérieure pour lui montrer ses deux canines qui commençaient à peine à percer. Gaël y jeta un coup d'œil et Émilie lui fit se contorsionner le visage d'une manière digne d'un concours de grimaces.

Cette grimace improvisée déclencha chez tous deux un fou rire.

— Tu es vilaine ! dit le frérot en s'efforçant de paraître offensé.

— Oh, Gaël ! Ne dis pas ça ! Je ne suis pas vilaine… ! répondit-elle, le regard tout à coup attristé.

— Mais non, petite sœur, lui répondit-il tendrement. C'est juste une taquinerie. Je t'aime beaucoup trop pour ça.

Émilie, sœur jumelle de Solaine, était de nature curieuse et aventurière. Elle voulait tout savoir, au grand dam de son entourage qui parfois ne savait plus quoi répondre à ses questions souvent ahurissantes dans son langage d'enfant. Le contraire de Solaine, trop sérieuse et terre à terre. Jumelles, quoique non identiques, l'une et l'autre se ressemblaient beaucoup malgré tout, par la forme de leur visage et leur coupe de cheveux identique. Cependant, Émilie était une blonde aux yeux bleus et Solaine, une brunette aux yeux pers. Émilie, légèrement plus petite que sa sœur, était le portrait de sa mère et la copie quasi conforme de son grand frère. Cet air de famille, qui aurait fait l'orgueil de tout autre parent, provoquait plutôt l'effet contraire chez les siens. Cette petite fille ressemblait trop à l'aîné non désiré et leur rappelait par sa présence ce destin qu'ils n'avaient pas souhaité.

— Où est Solaine ? demanda Émilie. Elle ne veut jamais jouer avec nous.

— Sauf si c'est elle qui nous dicte quoi faire ou à quoi jouer, répliqua-t-il.

— Oh ! Mais c'est pas sa faute. Elle tient ça de papa !

L'âme pure de cette jeune enfant lui faisait tout pardonner à sa sœur. Même si elle savait que celle-ci était la préférée de ses parents. Et même lorsqu'elle recevait une punition qui aurait dû revenir à sœur jumelle. Solaine prenait souvent un malin plaisir à la rendre responsable de ses propres bévues. Ses parents préféraient croire la brunette au détriment de la blonde.

— Tu pardonnes tout, toi ! dit Gaël. Moi, je n'aime pas me faire mener par elle.

— Et tu as des punitions plus souvent que moi ! lui dit-elle avec un sourire narquois.

— Je sais, répondit-il.

Gaël avait un caractère plus fort que sa sœur Émilie, ce qui occasionnait souvent des situations conflictuelles avec Solaine, celle-ci ne laissant pas sa place pour s'affirmer bien plus fortement que son frère. À certaines occasions, Gaël préférait baisser les bras bien malgré lui, pour ne pas être puni injustement par ses parents pour une situation tout au plus banale. Trois enfants si différents par leurs personnalités… Gaël au tempérament fonceur, cherchant désespérément à prouver à ses parents, malgré son jeune âge, qu'il était digne d'être leur fils. Solaine à la personnalité très forte, régulièrement en conflit avec sa sœur jumelle mais surtout avec son frère. Et Émilie… douce et gentille, toujours prise entre eux et leurs parents, essayant de s'adapter du mieux qu'elle le pouvait à l'un et à l'autre pour éviter toute altercation. Cependant, entre son grand frère et elle, une connivence naturelle régnait, sans conflits, augmentant ainsi la jalousie de Solaine envers cette complicité intime qu'ils avaient.

❧

— Gaël ! Est-ce que tu m'écoutes ? Réponds-moi ! lança Solaine d'un air irrité.

— Oh… pardon ! répondit-il, revenant sur le coup au moment présent.

Il fit un effort pour détourner son regard du panorama extérieur qu'offrait la baie vitrée. Il se retourna lentement pour regarder sa sœur.

— Je pensais à la réunion de cet après-midi, mentit-il.

— Ah oui, cette fameuse réunion. Tous les chefs de service en parlent !

— Ah oui ?

— Tu fais l'annonce d'une réunion importante. Tu précises que tu veux que tous les directeurs et les chefs de service y soient, sans rien mentionner de plus. Il y a de quoi faire jaser tout le monde.

— Je veux discuter de certaines choses.

— Et tu as annoncé cette réunion la semaine dernière, avant même d'être officiellement en poste… ! répondit-elle sur un ton énigmatique. Avoue que ce n'est pas normal !

— Quoi de plus normal que de vouloir tous les rencontrer le premier jour de mon entrée en fonction !

— Certaines rumeurs circulent…, se contenta-t-elle de lui dire sans donner plus de détails.

Gaël la fixa du regard. Un regard interrogateur. Ses propos laissaient sous-entendre quelque chose.

— Certaines rumeurs selon lesquelles… ? demanda-t-il.

Solaine ne répondit pas, satisfaite d'avoir obtenu l'effet qu'elle voulait. Elle regarda son frère avec un sourire malicieux.

— Eh bien ! Je vois que tu prends plaisir à me parler à demi-mot !

— Je ne veux pas que tu me prennes pour une délatrice !

— Il ne fallait pas que tu commences… Si tu m'en parles, c'est que tu brûles d'envie de m'en dire plus long, mais tu ne peux pas résister à me faire languir.

Solaine le regarda, sachant bien qu'il avait raison et qu'il était inutile d'en rajouter.

— Mais tu ne m'auras pas ! poursuivit Gaël, sachant bien que sa sœur ne résisterait pas à l'envie de lui raconter ces rumeurs. Si tu ne veux pas m'en parler, autant changer de sujet.

— D'accord ! répondit-elle aussitôt. Tu m'as eue ! Certaines personnes disent ici et là qu'il va y avoir des coupures de postes, car certaines formations vont être abolies pour faire place à de nouvelles carrières en technologies informatiques. Tout le monde est « sur le gros nerf » depuis une semaine.

— Personne n'est venu m'en parler.

— Évidemment ! répondit-elle. C'est toi le PDG maintenant ! Personne ne va oser t'en parler, tu pourrais leur demander la source de leurs informations !

— J'ai effectivement certaines informations, mais rien de concret pour le moment. Monsieur Baske m'en a glissé un mot la semaine dernière sans donner plus d'explications. Je n'en sais pas beaucoup pour le moment.

— Même pas pour ta sœur… ? murmura-t-elle précautionneusement, comme si les murs avaient eu des oreilles.

— Même pas pour ma sœur. De toute façon, je vais discuter de ce que je sais à la réunion de cet après-midi. Tu seras alors mise au courant en même temps que tout le monde.

Le regard de Solaine disait sa frustration et sa déception. Elle leva les yeux au plafond en signe de résignation.

— Tu n'as pas répondu à ma question de tantôt, Gaël ! poursuivit-elle, préférant changer de sujet afin d'éviter que la discussion ne dégénère.

— Quelle question ?

— As-tu discuté avec maman dernièrement ? lui demanda-t-elle en plissant les yeux légèrement en signe de réprobation.

— Non, pas ces jours-ci, avoua Gaël. Ça servirait à quoi ?

— Tu ne lui as pas annoncé ta nomination à ce nouveau poste ? s'exclama-t-elle, les yeux grands ouverts.

— Non, ça ne m'intéressait pas de le lui annoncer. Elle aurait probablement répliqué, comme d'habitude d'ailleurs, qu'Émilie aurait pu faire une carrière plus intéressante que la mienne, elle qui voulait déjà devenir médecin pédiatre à sept ans.

« Ce passé va-t-il me suivre jusqu'à la fin de mes jours ? » pensa-t-il en fermant les yeux, le cœur meurtri.

— Le passé doit rester le passé, dit-elle, devinant les pensées de son frère.

Elle regarda fixement le vase oriental posé sur le classeur.

— Cela ne sert à rien d'y repenser, poursuivit-elle. Revenons au présent.

Gaël regarda sa sœur. Celle-ci se tourna vers lui.

— Même au présent, Solaine, maman me dirait de surcroît que tu mérites bien mieux ce poste que moi. Et je l'entends me dire tu es plus compétente que moi. Et tout le tralala de ce qu'elle m'a toujours raconté par rapport à toi et aux autres. Je m'y suis résigné. Le passé ne s'effacera jamais, ni pour elle, ni pour toi, ni pour moi, ni pour quiconque d'ailleurs. Mais tu as raison, le passé doit rester le passé et il faut essayer du mieux qu'on peut de l'oublier…

— Oui, revenons au présent. Je veux juste te dire que je serai désolée quand maman sera la dernière à l'apprendre. Elle n'en sera que plus fâchée. Cependant, c'est ta décision et je ne veux pas y être mêlée.

— C'est aussi bien comme ça. Merci bien, répondit-il pour mettre fin à cette conversation.

Solaine regarda l'heure à sa montre.

— Oups ! dit-elle, je dois y aller. J'ai un rapport à terminer. Je te reverrai cet après-midi à la réunion. D'accord ?

— Oui. Bien sûr.

Solaine passa près de son frère et lui toucha l'épaule.

— Ne travaille pas trop dur… Prends soin de toi, lui dit-elle d'un ton neutre.

— Ne t'inquiète pas, ça va aller. À plus tard.

Elle se dirigea vers la porte principale. Elle sortit sans se retourner.

« Et ainsi va la vie… », se dit-il en soupirant.

Il alla s'installer à son bureau. Il se tourna vers la fenêtre pour regarder le va-et-vient de la circulation. Des souvenirs refoulés dans sa mémoire refirent surface… Des souvenirs d'événements un peu plus difficiles à revivre…

— Gaël ! Viens donc avec moi… S'il te plaît !

— Non !

— S'il te plaît !

— Non, Émilie. Papa et maman nous ont dit qu'on n'avait pas le droit d'y aller sans la présence d'un adulte. Tu sais bien que si nous y allons, nous allons avoir une punition, si on se fait prendre.

Émilie le supplia de la suivre pour aller s'amuser près de la rivière. Elle adorait y aller pour lancer de petites roches du bord de la rive afin et les faire rebondir sur l'eau. Elle était très impressionnée de voir son grand frère réussir cet exploit. Elle avait beau essayer, elle n'y arrivait jamais.

— Oh ! Apprends-moi à faire des ricochets !!! S'il te plaît !

— Non, Émilie !

— Oh ! Dis oui ! Dis oui ! Dis oui !

— Arrête ! D'accord…, lui répondit-il en soupirant.

— Merci, mon grand frère en or ! Donne-moi encore ton truc pour pouvoir réussir. On jouera à celui qui sera capable de faire le plus de rebonds !

— Eh bien, tu n'as qu'à me regarder attentivement. Essaie de faire comme je t'ai montré l'autre jour. Tu te penches légèrement vers la droite. Tu ne lances pas en l'air le caillou, tu dois plutôt essayer de lui faire suivre la surface de l'eau.

— J'essaierai. Et je vais réussir !

— On ne restera pas longtemps. D'accord, petite sœur ?

— Oui, d'accord.

Ils se rendirent clopin-clopant et en riant jusqu'au bord de l'eau. Leur demeure familiale longeait l'une des deux rivières contournant la ville. La rivière était à trois cents mètres de la maison. Le bout de cette parcelle de terrain était divisé en deux sections. La première descendait en pente légère jusqu'à une courte rive. La seconde se terminait par une petite pointe de terre, et cette pointe s'élevait et s'avançait pour se terminer par un cap de quelques mètres de hauteur. Le courant au bout de cette pointe était circulaire et l'eau y tourbillonnait intensément, surtout en ce début de printemps.

— Gaël… Dis-moi…, demanda la petite sœur. Le printemps… Est-ce que c'est quand la neige fond et qu'elle se transforme en gazon ?

Il pouffa de rire.

— Mais où piges-tu ces questions ? lui demanda-t-il en continuant de rire. La neige fond et se transforme en eau et elle se rend jusqu'aux racines du gazon. Ceci lui permet de pousser et de verdir.

— Oui… mais ça fait beaucoup d'eau !

— Le surplus pénètre plus creux dans le sol.

— Et quand il y en a trop ?

— Alors, ça s'en va vers la rivière.

— Et qu'est-ce qui se passe dans les forêts lorsque c'est loin des rivières ?

— Oh, Seigneur ! s'exclama Gaël, ne sachant plus quoi répondre. Je ne sais pas ! Il doit y avoir des genres de canaux plus creux dans le sol et l'eau se rend quand même aux rivières...

— Ça doit être ça, répondit-elle en essayant d'imaginer dans sa petite tête d'enfant une multitude de canaux sous la terre.

— Viens ! Je vais te montrer encore une fois comment faire des rebonds. Tu dois choisir de petites roches minces et plates. Ça rebondit mieux sur la surface de l'eau.

— D'accord !

Émilie prit soin de suivre attentivement pour une énième fois les instructions de son frère. Plusieurs essais ratés furent suivis d'un coup réussi. La sœurette se mit à sauter de joie, heureuse de ce succès.

— Bravo, Émilie ! dit Gaël. Tu as réussi !

— Oui ! Enfin ! lui répondit-elle, tout excitée, sautant comme une petite gazelle d'un pied sur l'autre en frappant des mains. J'ai hâte de montrer ça à Solaine.

Ils s'amusèrent encore à faire quelques lancers, réussis et ratés.

— Ce n'est pas facile aujourd'hui de faire des ricochets, le courant est fort.

— Mais j'ai réussi quand même !

— Je suis fier de toi. Mais il faut penser à retourner à la maison maintenant.

— Quoi ! Déjà ? répondit-elle, déçue.

— Mais oui, sinon nous allons nous faire disputer. Maman va s'en apercevoir et ce sera notre fête.

— D'accord, lui dit-elle. On reviendra demain.

— Avec un adulte !

— Nous demanderons à papa ce soir.

Les deux enfants repartirent vers la maison d'un pas plus lent que lors de l'aller. En rentrant à la maison, ils entendirent la voix de leur mère.

— Où étiez-vous passés tous les deux ? Je vous cherchais.

— Nous étions derrière la maison, mentit à demi l'aîné.

— Mais non ! Ce n'est pas vrai ! entendit-il tout à coup près de lui.

Il se retourna et vit sa sœur Solaine, l'air offensé. Ses joues toutes rouges témoignaient de sa frustration.

— Ils étaient partis à la rivière ! Je les ai vus ! lança-t-elle, le regard hautain.

Gaël et Émilie regardèrent la dénonciatrice avec des yeux accusateurs. Solaine les regardait avec défi.

— Je les ai vraiment vus, maman !

Leur mère leur jeta un regard accusateur et ses joues s'empourprèrent. Elle regarda sévèrement Gaël.

— Combien de fois vous ai-je répété que c'était dangereux d'y aller seul sans la surveillance d'un adulte ? Le courant, à ce temps-ci de l'année, est très fort, et si vous tombez à l'eau, vous n'aurez aucune chance de vous en sortir. Faut-il que je passe mon temps à vous surveiller ? Je n'ai pas que ça à faire !

— C'est ma faute, répondit Émilie, voulant protéger son frère. C'est moi qui ai supplié Gaël de venir avec moi.

— Je l'ai surveillée, maman…, se défendit celui-ci, la peur dans l'âme.

— *Surveillée!!!* cria la mère, en proie à une forte colère. Un enfant de neuf ans n'est pas assez grand pour surveiller un autre enfant de sept ans. Surtout toi! Tu n'es qu'un irresponsable. Il faut toujours que tu fasses des problèmes. Encore une fois!

— Je m'excuse, maman... Je ne le referai jamais plus..., promit le fautif.

— Encore des excuses! Cette fois, tu as nettement dépassé les bornes. Va immédiatement dans ta chambre. Et interdiction de sortir de la maison pour le reste de la semaine!

— Mais maman! supplia Gaël, on ne le fera plus jamais. Je te le promets.

— Tu n'as pas de parole! Je n'ai pas confiance en toi! Ton père a bien raison, tu seras toujours un irresponsable. Monte dans ta chambre immédiatement, et pour le reste de la journée. Comme ça, tu auras tout le temps pour réfléchir aux conséquences de tes actes.

Gaël se dirigea vers sa chambre, les larmes aux yeux. Il passa devant Émilie. Celle-ci avait l'air aussi abattu que lui. Elle regrettait de l'avoir mis dans une telle situation. Mais il ne lui en voulait pas, il s'en voulait à lui seul de ne pas avoir su lui refuser. Il regarda son autre sœur. Solaine restait muette, soudainement mal à l'aise devant le résultat de sa dénonciation et l'ampleur de la réaction de sa mère. Elle détourna le regard pour éviter d'accentuer son sentiment de culpabilité.

— Tu n'es pas gentille, souffla-t-il en passant près d'elle.

— Tu n'avais qu'à ne pas y aller. Je ne veux pas vous perdre dans la rivière, répliqua-t-elle pour se déculpabiliser.

— Ouais... Disons que c'est ça.

Et il s'en alla dans sa chambre afin de laisser libre cours à ses larmes. Non pas pour pleurer à cause de la punition, qu'il jugeait bien méritée, mais à cause de l'attitude de sa mère, qui avait encore profité de l'occasion pour le dénigrer devant ses sœurs.

Chapitre 5

Tous les chefs de service étaient présents dans la salle du conseil. Une douzaine en tout, ils attendaient impatiemment l'arrivée du PDG. Au fur et à mesure que les personnes convoquées s'installaient à leur siège, ils fouillaient la pile de documents qu'on leur avait remis afin de déceler un indice quelconque concernant l'enjeu de cette supposée restructuration.

Solaine s'était installée à l'extrémité de l'immense table ovale. Elle n'avait pas du tout envie de briller par sa présence. Cependant, cela ne fit qu'attirer les regards vers elle, car elle avait l'habitude de s'installer à l'autre bout de cette table, à côté du précédent PDG. Et aussi parce qu'elle avait pris l'ancienne place de Gaël, lorsqu'il était directeur.

Phylippe Goudaist, qui était assis à quelques sièges de Solaine, la fixa d'un regard ironique.

— On dirait que Madame ne fait plus partie de l'élite ? lança-t-il de manière arrogante et avec un sourire mi-caché.

Phylippe était d'un an plus âgé que Gaël. Il était directeur de la faculté de droit. Grand, brun et musclé, Phylippe prenait jalousement soin de son physique, plus par souci de son apparence que par souci de sa santé. Son regard perçant et sérieux lui donnait la réputation d'un homme qui savait toujours ce qu'il voulait. Ce qu'il voulait… Ou plutôt, ce qu'il aurait aimé avoir. Il avait postulé pour le poste de président-directeur général du Centre et, malgré son excellent curriculum vitæ, Gaël avait été choisi, lui donnant ainsi l'impression d'avoir subi une amère défaite, d'où lui venait une rancune difficile à cacher.

Tous les regards se tournèrent subitement vers Solaine. Tous étaient au courant de leurs fréquentes prises de bec. Deux caractères forts, qui pouvaient créer des remous dans une réunion lorsqu'ils ne partageaient pas les mêmes opinions. Visiblement offusquée par les propos gratuits de Phylippe, Solaine réagit vivement.

— On voit bien que tu en fais encore moins partie que moi, « Monsieur Encore et Toujours le Chef de Service » !

Visiblement satisfaite de sa réplique, elle lui rendit à nouveau ce même sourire à demi simulé. Le visage de Phylippe vira au rouge.

— Et « Madame la Sœur du Présent PDG » va sûrement nous dire qu'elle ne sait rien du tout de cette fameuse restructuration dont nous entendons parler ?

Solaine sourit. Elle se considérait spécialiste en répliques pour déstabiliser un interlocuteur qui osait l'attaquer. Elle fixa celui-ci dans les yeux et prit soin d'élever un peu la voix pour s'assurer que son adversaire et le groupe présent comprennent ses sous-entendus.

— Vous devez sûrement savoir, « Monsieur Toujours le Chef de Service », que Gaël a un sens très élevé du professionnalisme et que personne ici n'oserait penser un seul instant qu'il m'aurait fait part de quoi que ce soit. Même si je suis sa sœur.

Phylippe ouvrit la bouche, mais il n'eut pas le temps de dire quoi que ce soit. Gaël entra dans la salle, suivi de sa secrétaire, coupant ainsi cette guerre de mots enfantine. Il remarqua ce silence. Aucun membre présent n'avait osé dire quoi que ce soit durant l'altercation entre Solaine et Phylippe. Il prit place à l'autre bout de la table, faisant ainsi face à sa sœur. Il remarqua ce changement. Solaine n'avait pas pris sa place habituelle. Il s'efforça de ne rien laisser paraître. Rosemarie s'installa à sa droite, assumant comme d'habitude la responsabilité de prendre des notes pour le procès-verbal de la réunion.

L'assemblée était trop silencieuse, ce qui était contraire à son habitude, et laissait flotter dans l'atmosphère une impression de malaise et d'inquiétude. Gaël avait ressenti cette anxiété dès son entrée dans la salle. Il se demanda s'il était la raison de ce silence. Une première réunion avec le nouveau PDG peut-être...

« Mais non, pensa-t-il, tous les gens ici me connaissent et je les connais tous ! C'est sûrement la crainte face à toutes ces rumeurs entourant une restructuration. »

Cette pensée le rassura à demi, et il fut reconnaissant à Solaine de l'avoir avisé des rumeurs qui circulaient dans l'établissement.

Gaël regarda ses confrères et ses consœurs. Il se demanda s'il devait sourire ou être sur ses gardes et rester sérieux. Il réalisait bien que diriger ce Centre allait sûrement refroidir certaines relations amicales qu'il avait construites au fil des années avec ses collègues de travail.

« C'est moi maintenant le dirigeant de la boîte, et surtout, celui qui annonce les bonnes et les mauvaises nouvelles », se dit-il en pensant au contenu de l'ordre du jour.

Il préféra rester sérieux et ne pas adopter pour le moment une attitude trop familière envers eux.

— Je vous souhaite la bienvenue, chers collègues, et je veux vous remercier de votre présence, commença-t-il.

« Au moins, ça casse la glace ! » pensa Gaël.

Il n'obtint comme réponse qu'un silence. On pouvait sentir dans l'assemblée une indécision. Il remarqua cette inquiétude et il sut que cette première réunion serait assez particulière, sinon difficile.

— Madame Landrie, veuillez faire circuler l'ordre du jour.

Rosemarie acquiesça et le remit aux membres présents. Ils y jetèrent un coup d'œil aussitôt pour chercher un indice qui aurait pu laisser soupçonner un danger pour leur emploi. Aucun item à l'ordre du jour ne parlait d'une restructuration ou d'un licenciement quelconque de personnel. Cependant, l'item cinq mentionnait : Expansion du Centre de formation internationale.

— Avez-vous des points à ajouter ? s'informa Gaël auprès de l'assemblée.

— Pourrions-nous aller directement à l'item cinq, Monsieur le président ? demanda Phylippe.

— L'item cinq sera discuté en temps et lieu, Monsieur Goudaist. Nous allons suivre l'ordre du jour tel que proposé.

Le ton ferme mais calme de Gaël ne laissa aucun doute, il n'y avait pas place au marchandage. Il attendit un instant pour recevoir d'autres commentaires. Rien.

— Alors, nous pouvons commencer.

La réunion débuta tranquillement. Gaël discuta des dossiers en suspens depuis la dernière réunion avec l'ancien PDG, afin de donner la priorité aux plus urgents. Ensuite, il partagea ses objectifs en tant que nouveau PDG du Centre ainsi que ses attentes envers eux, les directeurs et les chefs de service. Rosemarie nota silencieusement les propos et les commentaires pertinents pour la rédaction du procès-verbal. Jamais elle ne commentait les discussions ni ne demandait à un membre de l'assemblée de répéter un propos qu'elle aurait manqué. Elle savait exactement quoi écrire, mais surtout quoi ne pas écrire lorsque certaines discussions se transformaient en conflits verbaux.

Cependant, l'assemblée se déroulait sans heurt et était étrangement calme. Seul Phylippe demanda des précisions à quelques reprises. Solaine, qui prenait habituellement part aux discussions en y ajoutant son grain de sel, ne commenta pas une seule fois.

— Nous en sommes maintenant à l'item cinq, celui de l'expansion du Centre de formation internationale.

Tous les regards devinrent attentifs et Gaël se sentit tout à coup leur point de mire.

— Bon ! Enfin ! murmura à peine Phylippe.

— Pour commencer, je vous avise qu'il n'est pas question pour le moment d'un licenciement quelconque. Je sais qu'on en parle et que cela vous préoccupe beaucoup. Le président du conseil d'administration m'a avisé qu'il sera ici mardi prochain pour me présenter l'essentiel de ce projet d'expansion. Par la suite, je devrai me rendre dans la capitale le vendredi suivant pour rencontrer tout le conseil d'administration afin de recevoir une description détaillée de ce projet. Et, d'après moi, une expansion ne signifie pas nécessairement des pertes d'emploi.

— Tout dépend vers quoi le Centre se dirige, commenta Phylippe.

— Explique-moi ce que tu entends par ce que tu viens de dire.

— On peut procéder à une expansion en offrant de nouveaux services ou de nouveaux apprentissages. Mais il se peut aussi que ce soit pour remplacer certaines formations qui ne répondent plus aussi bien qu'avant à la demande.

— Et tu penses à quels types de formations ? demanda Gaël.

— En ce qui concerne la faculté des sciences administratives, il y a une baisse d'inscriptions pour certaines carrières. Tout le monde le sait. Toi, ou même Robert, ne pouvez pas nous dire le contraire !

Phylippe se tourna vers Robert et attendit une réponse de sa part.

Robert Arsenal était le nouveau directeur de cette faculté qui était anciennement sous la direction de Gaël. Il se tourna vers Phylippe mais ne dit rien. De petite stature et d'un tempérament réservé, Robert ne voulait surtout pas confronter Gaël, son meilleur ami depuis l'université, à sa toute première réunion avec le groupe. Cependant, Gaël ne laissa pas le temps à Robert de placer un commentaire.

— J'en saurai un peu plus la semaine prochaine, commenta Gaël. Je pourrai donc vous rencontrer de nouveau avant de me rendre dans la capitale et je pourrai vous faire part des dernières nouvelles à ce sujet.

Robert regarda Phylippe. Celui-ci était visiblement déçu qu'il n'ait pas eu le temps de répliquer. Robert ne laissa pas paraître son soulagement de ne pas avoir eu à commenter ses propos.

— Je suis conscient que cela cause de l'incertitude parmi vous, poursuivit-il. Cependant, ne présumez rien à l'avance. Et, s'il vous plaît, faites fi des rumeurs qui circulent en ce moment.

— Il n'y a pas de fumée sans feu, Gaël ! dit Phylippe. Les gens ici ne parlent que de ça. C'est le sujet de conversation de l'heure. Alors c'est tout à fait normal qu'on soit tous inquiets.

— J'en conviens, Phylippe, mais vous appuyez tous vos craintes sur des rumeurs non fondées.

— Va-t-on être réaffectés ? Perdre des coéquipiers, ou tout simplement perdre notre emploi ? Beaucoup de questions et pas de réponses, dit Phylippe.

— Voyons, Phylippe ! Ne tombons pas dans l'exagération ! C'est une expansion, et non une fermeture quelconque d'un secteur !

— Que penses-tu des baisses d'inscriptions pour certaines formations ?

— Je ne sais pas. Je n'ai aucune idée de l'influence que cela a pu avoir sur le projet d'expansion.

— Et personne ne sait quoi que ce soit ! Nous serons mis au courant lorsque tout sera décidé !

— Et quand on ne sait rien, on spécule, on nourrit et on accentue les rumeurs ! dit Solaine en fixant Phylippe, sans broncher.

— Quoi ? dit celui-ci en levant le ton, visiblement insulté. Tu insinues que j'alimente les rumeurs ?

— Bon ! Le voilà qui spécule ! C'est ta spécialité d'interpréter à ta manière ce que tu entends ou ce qu'on te dit !

— Ça suffit ! s'écria Gaël d'une voix forte et ferme. Je ne tolérerai en aucun temps ce genre de discussion dans mes réunions.

Le ton de sa voix ne laissa aucun doute sur le sérieux de sa réaction. Il regarda silencieusement les membres autour de la table, mais s'attarda un peu plus sur Phylippe et Solaine. Il y avait un silence complet dans la salle. Personne n'osa réagir. Son regard se fit plus vif.

— Nous formons une équipe et je tiens fermement à ce que cette équipe ne forme qu'un tout. Nous pouvons discuter tout en demeurant respectueux l'un envers l'autre. À partir de maintenant, quiconque enfreindra cette règle sera expulsé de cette présente réunion et de toutes celles à venir.

— Si je comprends bien, dit Phylippe, qui avait subitement retrouvé son calme, nous n'aurons le droit ni de nous contredire ni de te contredire en échangeant nos opinions ?

Gaël le regarda d'un air calme.

— Monsieur Goudaist. Tout peut être dit. Tout peut être contredit. Tant que cela se fait dans le plus grand des respects envers autrui, je suis réceptif à tout commentaire ou toute critique. Et je tiens à ce que ce soit la même chose entre vous.

— D'accord, nous avons tous compris le message, répondit Phylippe en se retournant sans gêne vers Solaine.

Solaine réalisa que Phylippe voulait encore une fois la provoquer et l'envie de répliquer lui brûla les lèvres. Cependant, elle préféra se taire pour ne pas aller à l'encontre de ce que son frère venait tout juste de préciser. Elle se contenta d'observer son adversaire d'un regard condescendant en signe de confrontation. Il était hors de question pour elle de se laisser intimider par lui.

— Puisque le message est passé, je vous saurai gré de votre appui et de votre collaboration. Je désire aussi votre coopération en ce qui a trait aux rumeurs qui circulent au sujet de ce projet d'expansion. Je vous demande de ne pas alimenter ces rumeurs, sinon elles vont grossir démesurément et surtout, s'éloigner de la vérité. Et nous finirons sûrement par apprendre, de très mauvaise source, que le Centre ferme ses portes ! Ce qui sera très loin de la vérité…

Les membres acquiescèrent du regard.

— Revenons aux derniers items à l'ordre du jour. Je désire clore la réunion d'ici peu.

Les derniers moments de la réunion se passèrent dans le calme et de manière plus agréable. Gaël fixa la prochaine réunion le jeudi de la semaine suivante. Les directeurs et les chefs de service se levèrent, prirent leurs documents et, un à un, sortirent sans mot dire, saluant le PDG d'un geste de la main ou d'un hochement de la tête lorsqu'ils passaient près de lui. Gaël se contenta de retourner leurs salutations d'un hochement de tête. Le même manège eut lieu lorsque Solaine et ensuite Phylippe passèrent près de lui.

Rosemarie, toujours assise, attendait patiemment pour recevoir les directives usuelles de son patron concernant le procès-verbal de la réunion. Gaël apporta quelques précisions. Elle s'empressa de noter ses commentaires. Entre-temps, Gaël remarqua que Robert prenait tout son temps pour ramasser ses affaires. Il ne s'était pas encore levé de la table. Gaël, connaissant bien son ami, devina qu'il désirait lui parler avant de quitter les lieux.

— Peux-tu attendre un instant, Robert ? demanda-t-il.

— D'accord, lui répondit-il.

— Je pense que ce sera tout, Madame Landrie. Je serai au bureau tantôt.

— Très bien, Monsieur Lauzié, répondit Rosemarie.

Elle se leva silencieusement et s'éloigna vers son bureau. Gaël la regarda partir et leva les yeux au plafond avec un signe évident d'incompréhension sur le visage.

— Quelle froideur…, marmonna-t-il entre ses dents, lui jetant un dernier coup d'œil avant qu'elle ne disparaisse en sortant de la salle.

Robert, connaissant bien son ami, n'eut aucune difficulté à comprendre ce qu'il avait dit tout bas.

— C'est juste une question d'habitude, Gaël. Elle a toujours été comme ça. On la connaît tous. Ce n'est pas une méchante femme. Elle est faite comme ça.

— Je sais. Ce sera une question d'habitude. Heureusement, elle est excellente dans tout ce qu'elle fait. Son support m'est très important et elle me l'offre. Pour le reste, on verra bien.

— Merci pour tantôt, Gaël. Je n'avais pas envie de me mettre de son côté, surtout pour lui faire plaisir. Je sais qu'il aime bien ça, les confrontations.

Gaël comprit que Robert faisait allusion à Phylippe.

— Je n'aime pas ce genre de discussion, poursuivit-il. J'étais mal à l'aise de dire quoi que ce soit à la suite de ses propos.

— De rien, mon ami. J'en étais conscient. Phylippe cherche toujours les occasions pour déclencher une querelle.

— J'ai bien vu ça ! À l'avenir, je vais me tenir sur mes gardes avec lui lors des prochaines réunions.

— Ne t'inquiète pas. Je crois avoir réussi à lui faire comprendre tantôt qu'il n'avait pas intérêt à faire la pluie et le beau temps en ma présence.

— Tu as raison ! Tu n'as pas perdu de temps. Je crois qu'il a compris.

Tous les deux se sourirent.

— Comment trouves-tu ta première journée ? demanda Robert.

— Ça se passe assez bien. Il y a beaucoup de paperasse et je me sens un peu perdu dans tout ça.

— C'est tout à fait normal, l'ancien PDG n'est pas là pour t'initier. Tu vas finir par passer à travers. Ensuite, ce sera plus facile pour toi.

— Je l'espère ! Et toi ? Comment ça va dans ton coin ? Je ne suis plus derrière toi maintenant ! lui dit-il en riant.

— Hé, hé ! j'ai été privilégié ! Tu m'as bien entraîné, je peux naviguer seul !

— Bien. Je suis heureux que ce soit toi qui ait été choisi pour combler mon ancien poste. Je suis là si jamais tu as besoin de moi.

— Je le sais et je t'en remercie. J'apprécie beaucoup.

Ils se regardèrent et surent que leur amitié persisterait malgré les exigences de leur travail. Des amis pour la vie, quoi qu'il arrive.

— Nous devrions aller prendre un verre prochainement pour fêter nos nouvelles nominations, proposa Gaël. Notre amitié ne doit pas changer, malgré nos responsabilités au travail.

— Je suis entièrement d'accord avec toi. Et, s'il te plaît, continuons à éviter de parler boulot lorsque nous serons à l'extérieur d'ici.

— Comme nous l'avons toujours fait d'ailleurs par le passé.

— Absolument, répondit Robert avec un grand sourire.

— Bon, je dois y aller. On se reparle plus tard.

— D'accord, mon ami.

Les deux amis se quittèrent après une brève poignée de main. Robert sortit de la salle avec ses affaires. Gaël ramassa tranquillement ses documents et se dirigea d'un pas lent vers son bureau.

※

Jeanne commença lentement à préparer le repas prévu pour son époux. Elle ne pouvait s'empêcher de repenser à ses expériences extracorporelles. Elle s'apprêta à préparer les légumes. Une crainte s'était installée en permanence en elle : la crainte de revivre une autre expérience de façon soudaine et imprévisible à un moment qui puisse la mettre dans une situation inconfortable.

« Je donnerais tout pour ne pas revivre cette expérience, pensa-t-elle. Je dois en parler avec Gaël, ce soir, après le repas. »

Malheureusement, Jeanne n'avait aucune emprise sur ces épisodes désagréables. Elle le réalisa une fois de plus alors qu'elle terminait la préparation des légumes. Cet engourdissement qui débutait encore sournoisement, envahissant en entier son corps. Elle éprouvait à nouveau cette sensation devenue familière, ce qui ne l'empêchait pas d'être à nouveau une source d'anxiété énorme pour elle. Jeanne dut interrompre son activité et elle se laissa lentement choir par terre. Assise par terre, elle se cacha le visage dans les mains, refusant de croire qu'elle allait encore une fois vivre tout cela.

« Quand tout cela va-t-il s'arrêter ? se lamenta-t-elle, les larmes aux yeux.

Elle sentit sa respiration accélérer, son cœur palpiter.

« Inutile de combattre, j'en suis incapable de toute façon. Je ne peux rien contrôler. »

Son corps s'alourdit de plus en plus. Elle sentit qu'elle le quittait une fois de plus pour aller vers un autre lieu. Tout s'assombrit momentanément autour d'elle. Lorsque la noirceur se dissipa, au début, tout ne fut que brouillard. Lentement, elle commença à percevoir l'endroit où elle était. Le brouillard se dissipa peu à peu. Elle se vit dans un corridor.

« Que va-t-il se passer cette fois ? se demanda-t-elle. Suis-je au même endroit que l'autre fois ? Cela ne me semble pas être le même couloir. »

Elle essaya de fermer les yeux pour ne rien voir, mais peine perdue. Elle ne pouvait faire aucun mouvement. Elle ne pouvait plus rien contrôler. Elle voyait à travers les yeux de cet individu. Sa vision s'améliora, tout devint un peu plus clair. Elle eut même l'impression d'y être quasiment en personne. Cependant, tout était silence, elle ne pouvait percevoir aucun son.

« J'ai l'impression de regarder un film avec le son coupé », poursuivit-elle dans ses pensées.

Elle distingua un corridor, une porte à sa gauche. Elle se vit en face d'un grand local où il y avait plusieurs bureaux pourvus d'ordinateurs. Son regard balaya la pièce. Il n'y avait personne aux alentours. Son regard se dirigea de nouveau vers la porte. Elle vit une main gantée de noir s'en approcher, la même main que dans ses visions précédentes.

« C'est le même inconnu, se dit-elle. Je vois à travers les yeux de cette personne. »

Le corps dont elle avait pris possession sans en avoir le contrôle inséra une clé dans la serrure et ouvrit la porte. Il s'y engouffra.

Jeanne était abasourdie. C'était comme être dans un rêve mais en restant bien éveillé. Tout se déroulait si rapidement. Elle se percevait comme la spectatrice de ce film muet. Spectatrice bien malgré elle, prisonnière temporaire et involontaire de ce corps inconnu.

Elle remarqua qu'elle était dans un endroit vaste et spacieux. Elle se vit avancer vers un bureau.

« Je dois probablement être quelque part dans le Centre, se dit-elle. Mais où ? Je dois en parler à Gaël. Il se passe quelque chose d'anormal là-bas. Gaël doit être au courant. »

L'inconnu regardait les quelques documents placés sur le bureau. Son regard se dirigea vers des photos encadrées.

Jeanne se sentit défaillir. Elle reconnut les cadres qu'elle avait offerts à son époux.

« C'est le bureau de Gaël ! se dit-elle, en proie à une peur incontrôlable. Mais que lui veut-il ? »

Jeanne eut beau essayer de se libérer de cette transe, elle n'y parvint pas. Otage de ce corps, elle n'avait d'autre choix que de se soumettre à ses allées et venues. L'inconnu prit un cadre et regarda longuement la photographie. Elle se vit sur celle-ci. Le cadre reprit sa place initiale. Plusieurs mèches de cheveux apparurent ici et là sur le bureau. Des mèches de couleur blonde.

« Des mèches de cheveux comme celles que j'ai vues dans mon rêve ! pensa-t-elle. Cela me confirme que ce n'était pas seulement un rêve la nuit dernière ! »

L'inconnu se tourna vers la porte et il s'y rendit d'un pas rapide. Celle-ci s'ouvrit lentement et il regarda prudemment à l'extérieur. Personne aux alentours. Il sortit rapidement et se dirigea du côté par où il était venu.

Tout s'assombrit soudainement. Le noir total, et toujours accompagné de ce silence mortifiant.

Jeanne reprit conscience, toujours prostrée, par terre. Une grande inquiétude l'envahit aussitôt.

« Pourquoi cet inconnu était-il dans le bureau de Gaël ? se demandait-elle. Je ne pense pas que ce soit simplement pour lui jouer un tour, c'est beaucoup plus sérieux que ça. J'en suis persuadée. »

Elle se releva aussi vite qu'elle le put, en proie à une grande panique. Ce brusque changement de position l'étourdit un peu. Elle s'appuya sur le comptoir pour reprendre ses esprits. Aussitôt qu'elle se sentit plus sûre d'elle, elle se rua sur le téléphone au bout du comptoir. Elle composa aussitôt le numéro d'accès direct de son époux. Heureusement, celui-ci le lui avait laissé sur un bout de papier tout près du téléphone. Le son de la sonnerie se fit entendre à plusieurs reprises. La boîte vocale s'enclencha et la voix de Gaël se fit entendre. Jeanne raccrocha nerveusement, préférant ne pas lui laisser de message. Elle jugea préférable de le joindre en passant par sa secrétaire. Elle se dirigea vers le vestibule pour prendre le répertoire téléphonique du Centre. Elle y trouva le numéro de celle-ci et le composa nerveusement. Elle tomba à nouveau sur une boîte vocale. Elle raccrocha aussitôt.

Ne sachant plus quoi faire, elle hésita quelques instant. Elle décida de se rendre immédiatement au bureau de son époux, craignant le pire pour celui-ci si elle ne parvenait pas à le rejoindre le plus tôt possible.

*

Gaël pénétra dans le secteur administratif. Rosemarie et Laurie étaient occupées à leur besogne. Il se dirigea vers Laurie. Celle-ci interrompit son travail et le regarda. Elle lui offrit un large sourire, découvrant ainsi une dentition parfaite qui accentuait la finesse de son visage.

— Je n'ai aucun message à vous transmettre, Monsieur Lauzié.

— Merci, Laurie.

Il lui répondit par un sourire, quoique plus réservé que celui de la jeune secrétaire. Il se dirigea vers Rosemarie, qui était occupée à rédiger le procès-verbal de la réunion de l'après-midi. Il n'eut pas le temps d'ouvrir la bouche. Rosemarie prit la parole aussitôt qu'il fut devant elle.

— Tout va bien, lui lança-t-elle sans prendre la peine de lever les yeux. Je n'en suis pas à mes premières armes dans la rédaction de procès-verbaux.

Gaël ne put s'empêcher de sourire à ce commentaire.

— Ah bon ? Et en plus, vous pouvez lire dans mes pensées ! lui répondit-il en riant. Ne soyez pas trop efficace ! Je vous empêcherai de prendre votre retraite le moment venu parce que vous serez irremplaçable !

Rosemarie interrompit sa rédaction et le dévisagea d'un regard neutre.

— Quand le moment sera venu, vous en serez avisé assez tôt. Entre-temps, profitez de mon expertise. Et pour la relève, ajouta-t-elle en se tournant vers Laurie, nous verrons avec le temps.

Laurie, qui avait suivi la conversation, ramena aussitôt les yeux sur sa paperasse en rougissant. Rosemarie se tourna vers Gaël et, avec un effort évident, elle fit un sourire du coin des lèvres.

— Quand je partirai, Monsieur Lauzié, j'ai l'intention de faire en sorte que mon passage ici soit difficile à oublier.

— Difficile pour moi ou pour Laurie ? demanda celui-ci.

Rosemarie le regarda avec le même sourire. Ses yeux s'adoucirent légèrement.

— L'avenir vous le dira, se contenta-t-elle de lui répondre en souriant un peu plus.

Cette fois-ci, ses yeux et son regard se firent moins sévères... voire même étrangement calmes...

Chapitre 6

JEANNE ARRIVA EN TROMBE dans l'aire administrative du Centre. Elle fit un court arrêt à l'entrée du service pour reprendre son souffle et se dirigea aussitôt vers le bureau de Rosemarie.

— Bonjour, Madame. Je dois voir de toute urgence Gaël Lauzié. Je suis son épouse.

Rosemarie quitta lentement des yeux son travail et regarda son interlocutrice sans mot dire. Elle nota bien son regard inquiet et une nervosité dans le ton de sa voix et dans ses gestes, mais elle n'en fut pas impressionnée outre mesure.

— Je vais vérifier si Monsieur Lauzié peut vous recevoir. Veuillez patienter un moment, Madame.

— Je viens de vous dire que je dois le voir de toute urgence, lança-t-elle avec une insistance qui ne laissait en rien percevoir son niveau d'anxiété.

— J'ai très bien compris, Madame Lauzié. Veuillez attendre, s'il vous plaît.

Le ton neutre de la secrétaire était sans équivoque, ce qui irrita Jeanne au plus haut point. Rosemarie prit le combiné téléphonique et rejoignit Gaël.

— Monsieur Lauzié, votre épouse est ici et elle demande à vous voir immédiatement.

Elle fixa silencieusement Jeanne un court instant.

— Très bien, répondit-elle.

Elle raccrocha, et tout en continuant à fixer Jeanne, elle lui dit :

— Veuillez entrer, Madame Lauzié, en pointant la porte de sa main.

Frustrée par l'attitude et le geste de celle-ci, Jeanne lui adressa un merci à peine audible sans même la regarder et se dirigea prestement vers le bureau de son époux. Rosemarie la suivit des yeux, nullement impressionnée par le regard inquiet de celle-ci. Elle retourna à son travail lorsque Jeanne ouvrit la porte du bureau. Elle y entra rapidement et la referma aussi vite qu'elle l'avait ouverte. Elle se tourna vers Gaël. Toujours sous le choc de sa récente découverte, celui-ci tenait encore une mèche de cheveux entre ses doigts. Il regarda son épouse, le regard incrédule. Elle regarda le bureau où il était assis. Elle s'avança vers son mari, le regard empreint de surprise. Elle fut estomaquée de voir les meubles qui l'entouraient, sans remarquer sur le coup les mèches ici et là sur le bureau.

« J'y étais tantôt, se dit-elle. C'était bien ici ! Je reconnais le mobilier ! »

— Gaël, dit-elle, il se passe quelque chose d'anormal. J'ai vécu des situations hors de l'ordinaire. Je...

Elle n'eut pas le temps d'en dire plus. Dès qu'elle fut rendue près de son bureau, ses yeux s'agrandirent d'effroi en voyant ce que Gaël tenait dans sa main. Celui-ci n'avait pas eu le temps de se ressaisir et de cacher les mèches encore éparpillées ici et là sur le bureau.

— Oh non ! C'est donc vrai, ce que j'ai vécu ! Oh, Gaël, j'ai tout vu ! J'ai tout vu ! J'ai vu ces mèches de cheveux tantôt. J'étais dans ton bureau ! Oh… Mais qu'est-ce qui se passe ?

Jeanne, sous le choc, ne savait plus comment réagir. Elle s'effondra dans l'une des deux chaises devant le bureau et se mit à sangloter. Gaël se leva, abasourdi par les propos de son épouse, n'étant même plus certain d'avoir bien compris ce qu'elle venait de lui dire. Il laissa tomber la mèche de cheveux sur le bureau et se leva rapidement. Il contourna le meuble le plus rapidement qu'il put pour aller la rejoindre.

— Que veux-tu dire, Jeanne ? Tu étais ici ? Comment ça ?

— Non ! Pas ici ! Oui ! Ici, dans ce bureau ! Non… Oh là là… Je ne sais plus comment t'expliquer, gémit-elle entre ses sanglots.

Gaël s'approcha de Jeanne et entoura de ses bras ses épaules tremblantes. Il ne comprenait absolument rien aux propos incohérents de son épouse. Elle devait se ressaisir afin qu'il puisse mieux comprendre ce qui se passait.

— Reprends ton calme, Jeanne. Ça va aller.

Gaël sortit un mouchoir de son veston et le tendit à son épouse. Elle le prit maladroitement et s'essuya les yeux.

— J'ai l'impression de devenir folle.

— Mais non, Jeanne. Tu dois te ressaisir. Reprenons dès le début, et calmement. Explique-moi comment tu savais pour ces mèches de cheveux. Et surtout, pourquoi tu me dis que tu étais ici tantôt.

Jeanne prit une longue respiration pour se donner du courage. Elle commença par le début. Elle lui parla, la voix entrecoupée de sanglots, des mèches de cheveux qu'elle avait vues dans le rêve qu'elle croyait avoir fait la nuit précédente. Elle poursuivit en lui décrivant ses autres expériences extracorporelles. Elle mentionna aussi l'empreinte de la clé prise par l'individu et la lettre que celui-ci avait préparée. Au fur et à mesure qu'elle lui expliquait en détail ce qu'elle avait vécu, Gaël devait faire de violents efforts pour ne pas laisser monter en lui un sentiment de panique. Tout ceci lui semblait tellement irréel.

— Ceci explique la présence de ces mèches de cheveux éparpillées sur mon bureau. Il a réussi à faire un double de la clé passe-partout.

— Oh, Gaël ! Tu dois absolument faire changer la serrure de ta porte ! Il peut entrer dans ton bureau à n'importe quel moment !

— Je ne peux pas, Jeanne. C'est impossible…

— Comment ça ? lui répondit-elle, surprise.

— La clé que cet inconnu a maintenant est un passe-partout et elle permet d'ouvrir toutes les portes du Centre. Il faudrait faire changer le passe-partout, et pour cela je devrais obligatoirement faire changer toutes les serrures du Centre. Tous les gens concernés devraient avoir une nouvelle clé individuelle pour leur propre secteur. Imagine le temps que ça prendrait.

— S'il a pu faire un double de ce passe-partout, il pourra sûrement en faire un autre si tu le fais changer...

— Cette possibilité est effectivement envisageable.

Un moment de silence suivit. Tout était si soudainement devenu invraisemblable.

— Tout ça m'a l'air complètement incroyable, lui dit-il. Je ne sais pas quoi en penser, Jeanne. J'ai l'impression que nous nageons en plein cauchemar.

— Moi je sais, Gaël ! Quelqu'un t'en veut ! Quelqu'un qui n'accepte pas que tu sois le PDG du Centre.

— Mais voyons, Jeanne ! Qui pourrait bien m'en vouloir ? Je n'ai pas d'ennemis...

— Si tu n'en avais pas, tu en as sûrement un maintenant. J'ai un mauvais pressentiment. Quelque chose va t'arriver, Gaël ! J'en suis certaine !

Jeanne se remit à sangloter. Il la reprit à nouveau dans ses bras et la rapprocha de lui. Elle se blottit contre lui en sanglotant.

— Du calme, mon ange. Il ne s'est rien passé de grave, au fond. C'est juste un plaisantin qui s'amuse à me faire peur. Tout va rentrer dans l'ordre.

— Non, Gaël ! Je le sais et je le ressens ! Quelque chose va t'arriver. J'en suis sûre. Nous devons avertir la police avant qu'il ne t'arrive quelque chose de grave.

Gaël essayait tant bien que mal de rester maître de la situation. Connaissant le don spécial de son épouse, il se rendait bien compte que les craintes de celle-ci n'avaient rien de rassurant. D'autant plus que, cette fois-ci, ses expériences extracorporelles étaient totalement inhabituelles et que le tout, de surcroît, le concernait directement. Il y avait de quoi s'inquiéter sérieusement.

— J'avoue que ces incidents sont de nature inquiétante. Pour le moment, il ne faut pas paniquer, lui dit-il. Si nous alertons la police, il n'y aura pas matière à faire enquête dans l'immédiat. Ils ne pourront rien faire.

— Que doit-on faire? lui demanda-t-elle. On ne peut pas rester là à attendre la prochaine folie de ce malade.

— On ne peut rien faire pour le moment, Jeanne. Nous n'avons aucun indice. Il se peut fort bien que nous n'entendions plus parler de cette personne.

— Non, Gaël! répliqua-t-elle avec conviction. Je sais qu'il ne va pas en rester là. Je le ressens au plus profond de mon être.

— Maintenons le *statu quo* pour l'instant, c'est la meilleure chose que l'on puisse faire. Entre-temps, je tâcherai de rester aux aguets pour déceler le moindre indice qui pourrait me mettre sur une piste quelconque.

— De grâce, fais attention! Au moindre doute, ou même au moindre soupçon envers qui que ce soit, je t'en supplie, alerte les policiers. S'il t'arrivait quelque chose de grave, je ne m'en remettrais pas.

— Ne t'inquiète pas, Jeanne. Pour le moment, il est même préférable de n'en parler à personne. Si cet inconnu refait surface, je serai en mesure de le démasquer car je serai prêt à le recevoir avec tous les honneurs qu'il mérite!

— Non, je t'en supplie ! Promets-moi de ne prendre aucun risque. Je te le redis, alerte les policiers si tu découvres quelque chose d'anormal.

Jeanne était horrifiée par ce flot d'incidents. Gaël voyait bien que son épouse était en proie à une grande panique. Ce qui était exceptionnel chez elle, qui était habituellement de nature calme et réservée. Il préféra se ranger du côté de son épouse. Il décida qu'il serait probablement préférable et plus sécuritaire de ne prendre aucun risque et surtout, de rassurer son épouse en ce sens.

— D'accord, Jeanne. Je ferai ce que tu voudras. Je t'aime trop pour risquer ma vie.

Jeanne le regarda sans vraiment être rassurée par ce qu'il venait de lui dire. Son sixième sens lui disait qu'il n'y avait rien de rassurant dans ces incidents. Elle espéra de tout son cœur qu'aucun grave danger ne plane au-dessus de son époux.

— J'espère que toute cette histoire va s'arrêter et que je ne revivrai pas ces transes à nouveau.

— Je te le souhaite. Pour toi et aussi pour moi.

Il voulait tellement se faire rassurant envers son épouse, qu'elle ne soit pas trop inquiète. Néanmoins, il réalisait bien qu'il était étroitement relié aux derniers incidents qu'elle avait vécus et qu'il y avait un danger potentiel pour lui. Il espéra seulement, si cet étranger se manifestait à nouveau, que son épouse et ses enfants ne soient pas inclus dans sa folie. Son regard s'assombrit devant cette possibilité et il regarda son épouse dans les yeux. Elle lut immédiatement les craintes qu'il avait pour lui et sa famille.

— Je ne crois pas que les enfants ou moi soyons en danger, lui dit-elle, non sans entretenir un doute à ce sujet. Je pense que ce fou t'en veut à toi et à toi seulement.

— Je l'espère. Cependant, nous ne prendrons aucun risque. Au moindre doute ou face à toute situation anormale qui pourrait t'inquiéter, je veux que toi aussi tu alertes la police. Je ferai de même de mon côté. Il faut rester vigilant.

— D'accord.

— Entre-temps, retourne à la maison et essaie de ne pas trop t'inquiéter.

— Facile à dire, Gaël... Mais je vais faire l'effort de ne pas trop m'inquiéter.

Jeanne se leva et il la suivit jusqu'à la porte principale. Il lui donna un petit baiser. Il prit le mouchoir qu'elle tenait dans ses mains et essuya tendrement une larme près de son œil. Il essaya de se faire rassurant.

— Ça va aller. Je te revois plus tard. Je te tiens au courant si je note quelque chose de suspect.

Il la serra dans ses bras. L'étreinte la rassura un peu. Avant d'ouvrir la porte, Jeanne le regarda avec intensité.

— Je t'aime.

— Je t'aime, lui répondit-il.

Elle dut le quitter à regret. Gaël retourna à son bureau. Il sortit de son tiroir le sac qui avait contenu les cadeaux reçus de son épouse et de ses enfants. Il prit soin de ramasser toutes les mèches de cheveux sur le bureau et les mit dans ce sac. Il cacha le tout dans le fond du tiroir. Il pensa à la lettre anonyme reçue le matin. Il la retira de son agenda et la cacha dans le même tiroir.

« J'ai complètement oublié de montrer cette lettre à Jeanne, se dit-il. C'est mieux ainsi, cela évitera de l'inquiéter encore plus. »

Il essaya tant bien que mal de reprendre son travail malgré cette inquiétude omniprésente : il y avait un individu, quelque part, qui s'amusait à ses dépens.

Sur le chemin du retour, Jeanne repensa aux transes qu'elle avait vécues. Elle se rappela cette lettre mystérieuse qu'elle avait vue par personne interposée.

« Avec toutes les émotions que je viens de vivre, j'ai oublié de demander à Gaël s'il avait reçu cette lettre. »

Lorsqu'elle entra chez elle, elle se dirigea directement vers l'appareil téléphonique dans le vestibule. Elle composa le numéro de son époux.

— Bonjour, ici Gaël Lauzié.

— Bonjour, c'est moi déjà.

— Est-ce que tout va bien ? demanda-t-il avec une voix qui trahissait son inquiétude.

— Oui, ça va. Ne sois pas inquiet. Je t'appelle pour vérifier quelque chose.

— Ah bon ? D'accord. Que puis-je faire ?

— J'ai oublié de te demander de me montrer cette lettre… Est-ce que tu l'as reçue ?

— Oui. Je l'ai reçue. J'ai complètement oublié de te la montrer.

— Cette vision était bel et bien vraie… Comme les autres…

— En effet… comme les autres…, répéta Gaël, toujours surpris que son épouse soit plongée dans ce tout nouveau phénomène qu'elle n'avait jamais expérimenté et dont il était difficile, de surcroît, d'expliquer la soudaine apparition.

— C'est bizarre, dit-elle. Je suis persuadée de l'avoir vu écrire deux lettres… Et tu n'en as reçu qu'une…

— Effectivement. Je ne sais quoi te répondre. Attends, je l'avais rangée. Je vais la sortir et te la lire.

Gaël prit l'enveloppe dans le tiroir et tira la feuille. Il lui lut la lettre.

— Je me souviens que la lettre commençait par « Cher PDG ». C'est bien celle-là ! Mais c'est une lettre de menaces, Gaël !

— Je m'en rends bien compte.

— Est-ce que l'écriture t'est familière ? lui demanda-t-elle.

— Non. C'est un peu difficile à lire car c'est écrit grossiè-rement. L'individu a certainement déformé intentionnelle-ment son écriture pour ne pas se faire reconnaître.

— Si c'est le cas, s'il a peur de se faire reconnaître, il se peut que ce soit quelqu'un de ton entourage.

— Peut-être, répondit Gaël, perplexe. C'est sûrement un indice à garder en mémoire. Mais je ne dois pas me mettre à soupçonner tout le monde, je pourrais devenir paranoïaque !

— Paranoïaque, non, mais tu dois faire attention et avoir à l'œil quiconque te paraîtra bizarre. Un détraqué circule peut-être encore dans le Centre et tu pourrais être le premier surpris de savoir qui est cet inconnu.

— Je resterai à l'affût de tout indice qui me permettra de soupçonner quelqu'un. D'ici là, restons vigilants.

— Oui, restons vigilants, reprit-elle en écho.

— Promets-moi aussi une chose, Jeanne.

— Oui?

— Si tu revis une autre transe, rejoins-moi dès que tu le pourras, s'il te plaît. Je veux que tu m'en informes au plus vite car cela pourrait possiblement me donner des indices.

— D'accord. Je te le promets, si tu ne prends pas de risques qui pourraient te mettre en danger.

— Promis. Je vais aviser ma secrétaire que si tu me demandes d'urgence, elle doit me rejoindre immédiatement. Que je sois avec n'importe qui, n'importe où, n'importe quand.

— Bien, je n'aurai pas à vivre une autre frustration à cause d'elle, dit-elle en repensant au froid qu'il y avait eu plus tôt entre elle et la secrétaire de son mari lorsqu'elle avait demandé à le voir.

— Qu'est-ce que tu veux dire? lui demanda Gaël, perplexe.

— Tantôt, lorsque je suis venue te voir, j'ai dit à ta secrétaire que je voulais te voir de toute urgence. Je peux te dire qu'elle n'a pas été très compatissante à mon égard, et que l'attitude qu'elle a eue envers moi n'était pas très chaleureuse.

— Je sais qu'elle est assez spéciale. Son rôle est de filtrer tout appel ou toute personne qui désire me parler ou me rencontrer. Tout le personnel sait que tout doit passer par elle. Ceci m'évite de perdre un temps précieux.

— Tu lui diras alors que je n'ai pas que ça à faire, venir te voir. Surtout que j'avais précisé que je voulais te voir de toute urgence.

— Je vais lui donner immédiatement des directives et je peux t'assurer qu'elle va les suivre. Ne t'inquiète pas, je m'en occupe de ce pas.

— Merci.

Sur ce, ils se dirent au revoir et chacun raccrocha. Gaël se dirigea promptement vers le bureau de Rosemarie afin de lui donner des directives concernant tout éventuel appel de son épouse.

Jeanne, de son côté, continua la préparation du repas promis à son époux. Ses pensées se dirigeaient constamment vers cet étranger. Elle se demandait quelles pouvaient être les raisons de l'apparition soudaine de ces transes.

« J'étais tellement emballée à l'idée de préparer ce festin pour fêter la nomination de Gaël… Mon époux ne mérite pas ça. Ce fou ne doit pas gâcher notre petite fête. »

Elle continua la préparation de son souper tout en essayant de ne pas trop penser aux derniers événements. Les enfants devaient bientôt arriver de l'école. Une présence qui allait sûrement l'aider à moins penser aux derniers incidents de la journée. Mya et Phélix-Olivier étaient des enfants très actifs et d'une curiosité désarmante. Toujours une question à propos de tout.

Gaël essaya tant bien que mal de se plonger dans l'étude de dossiers administratifs reçus plus tôt de sa secrétaire. Ses pensées retournaient constamment vers cet inconnu.

« Que me veut-il ? se demanda-t-il. Probablement un jaloux qui m'en veut d'avoir obtenu cette promotion. Un enragé qui ne me veut pas là, ou qui voulait ce poste. Qui cela peut-il donc bien être ? Je n'ai jamais eu d'ennemis dans le passé. Je dois me rendre à l'évidence que j'en ai un maintenant. De là à savoir de qui il s'agit… »

La sonnerie du téléphone résonna dans tout le bureau. Gaël sursauta malgré lui, tendu par les derniers incidents.

— Ici Gaël Lauzié.

— Bonjour Gaël, ici ta mère.

— Oh ! Bonjour maman, lui répondit-il, surpris de son appel. Est-il est arrivé quelque chose de grave ?

— Mais non ! Est-ce que je dois seulement t'appeler pour t'annoncer de mauvaises nouvelles ?

Gaël réalisa que la conversation partait sur une mauvaise pente. Il devait être, comme toujours, très délicat avec sa mère, afin que leurs propos ne dégénèrent pas vers une fin négative.

— Excuse-moi, maman. Tu as raison. Comment vas-tu ?

— Je vais très bien, merci.

Un silence suivit.

— Quel est donc le motif de ton appel ?

— Je t'appelle pour te dire que j'aurais bien apprécié que tu m'annonces ta nomination comme président-directeur général de ton « école ». Je l'ai appris dans le journal de ce matin.

— Je suis désolé, maman. J'en discutais justement avec Solaine ce matin. Je comptais te téléphoner au cours de la journée pour te l'annoncer.

— Bien sûr…, rétorqua-t-elle sur un ton irrité à peine dissimulé.

Un autre moment de silence suivit. Gaël se sentit coupable de ne pas lui avoir appris cette nouvelle. Avec les dernières mésaventures, survenues en si peu de temps, il n'avait pas pensé à l'appeler. Cependant, il savait bien que, même s'il avait eu le temps de lui annoncer la nouvelle, sa mère aurait trouvé le moyen de lui gâcher la joie d'avoir obtenu ce poste. Chaque fois qu'il lui téléphonait ou qu'il allait la visiter, leur entretien se terminait sur une note irritante et frustrante. Il gardait contact surtout pour préserver le lien familial, pour ne pas priver ses enfants de leur grand-mère.

— Quand vais-je revoir mes deux petits-enfants ? lui demanda-t-elle, changeant soudainement le sujet de la discussion.

— Sûrement bientôt, maman. D'ailleurs, rien ne t'empêche de venir nous visiter à la maison. Les enfants apprécient ta visite.

Gaël réalisa après coup qu'il n'avait mentionné que les enfants. Il savait bien que sa mère ne tenait pas Jeanne en haute estime. Elle trouvait toujours à redire aux propos de celle-ci, prétextant qu'elle ne pouvait pas être toujours d'accord uniquement pour lui faire plaisir. Elle avait beaucoup de difficulté à maintenir une bonne entente avec sa bru, malgré la bonne volonté de Jeanne envers elle.

— Tu sais bien, Gaël, que ton épouse ne m'aime pas.

— Bien voyons, maman, cesse d'être condescendante envers elle et ça ira certainement mieux.

— Comment ça ? Un peu plus et je suis le monstre de la famille !

— Arrête, maman, s'il te plaît. Je n'ai pas envie de recommencer une autre discussion avec toi. Ce serait bien que nous puissions terminer notre conversation sur une bonne note.

— Bon, c'est encore moi le problème… Comme toujours…

Réalisant qu'il ne gagnerait rien à poursuivre cette conversation de quelque manière que ce soit, il préféra trouver une excuse afin de mettre fin à cet entretien téléphonique.

— Je dois clore notre conversation, maman, j'ai un appel sur l'autre ligne, lui mentit-il. Nous irons bientôt te visiter.

— Oui, c'est ça, lui répondit-elle, le croyant à demi. Tâche de m'amener les enfants bientôt. J'y tiens. J'aimerais beaucoup passer du temps avec eux.

— D'accord, maman, lui promit-il en concluant dans son esprit que Jeanne et lui n'étaient pas nécessairement inclus dans cette invitation. Au revoir.

Il raccrocha le combiné téléphonique.

« C'est peine perdue, pensa-t-il. Elle est ce qu'elle est, et rien ne pourra changer l'opinion qu'elle a de moi. Mais elle est ma mère et quoi que je fasse, aussi bien se contenter du peu qu'elle m'offre… Même si elle n'a pas pris la peine de me féliciter pour ma nomination… »

Gaël fit pivoter sa chaise pour se retourner vers la baie vitrée afin de regarder les passants qui circulaient à l'extérieur. Malgré son désir de ne pas s'en faire, un sentiment de tristesse entremêlé de déception monta en lui. Il était attristé de ne pas savoir comment s'y prendre avec sa mère. Il était aussi déçu de ne jamais pouvoir entretenir une conversation agréable avec celle-ci. Ses pensées se perdirent parmi la foule des passants. Des souvenirs d'enfance refirent surface… Une fois de plus… Un en particulier… Le plus pénible d'entre tous…

⚜

— Émilie! Émilie! entendit Gaël de sa chambre. Émilie est-elle avec toi, Gaël? demanda sa mère.

— Non, maman, elle n'est pas avec moi.

— Est-elle avec toi, Solaine?

— Non, maman, répliqua celle-ci.

— Mais où donc est-elle passée? Elle n'est nulle part. Je ne la trouve pas. Savez-vous où elle peut être, les enfants?

— Non, répondirent-ils tous les deux en chœur.

Sa mère sortit à l'extérieur de la maison et appela la jumelle. Elle ne reçut aucune réponse de l'enfant. Elle eut beau s'égosiller à plusieurs reprises, ce fut en vain. Prise de panique, elle rentra en trombe et cria aux deux enfants :

— Gaël ! Solaine ! Descendez immédiatement ! La bicyclette d'Émilie est devant la maison. Je ne la vois nulle part. La petite écervelée a dû se rendre seule à la rivière. Venez avec moi, je veux aller vérifier si elle y est.

Ils sortirent en vitesse de la maison et se dirigèrent en courant vers l'arrière de celle-ci. Ils ne la virent pas derrière. Malgré leurs appels incessants, celle-ci ne répondait pas. Leurs regards scrutèrent au loin la rive sans discerner âme qui vive. Ils pressentirent que la situation était anormale et un vent d'angoisse passa sur eux.

— Allons à la rivière, dit Gaël. Elle est peut-être assise sur le bord de la rive.

Tous se dirigèrent d'un pas rapide vers la rive avec cette angoisse de plus en plus envahissante au fur et à mesure qu'ils s'en approchaient. Ils y parvinrent tout haletants. Aucune trace de l'enfant.

— Mais où est-elle passée ? s'écria la mère, en proie à une panique difficile à contrôler.

— Maman, dit Solaine, je vois quelque chose là-bas ! Regarde, lui dit-elle en pointant d'un doigt tremblant le cap. Il y a un manteau accroché à un tronc d'arbre. Ça ressemble à celui d'Émilie.

Un hoquet de frayeur sortit de la bouche de la mère, qui se mit aussitôt à courir vers le cap en priant que ce ne soit pas le vêtement de sa fille. Lorsqu'ils y arrivèrent, ils constatèrent que c'était effectivement le manteau d'Émilie. Il pendait dans le vide au-dessus des courants forts.

Un long cri strident se fit entendre. Le cri d'une mère dont la douleur était aussi forte que ce cri déchirant qui sortait de ses entrailles. Elle s'écrasa au sol en fixant la rivière. Cette rivière qui lui volait sa fille, son bébé à elle. Solaine s'écroula sur sa mère en joignant ses gémissements aux siens. Gaël fixait le manteau de sa sœur, accroché au tronc, paralysé par cette vision. Il se sentit incapable de bouger, incapable de crier, sa vision s'embrouilla dans les larmes. Une partie de lui s'était brusquement arrachée de son corps et de son âme pour aller rejoindre sa sœur perdue dans les flots du courant. Cette sœur qu'il adorait tellement, son autre moitié. Il sut alors qu'il ne reverrait jamais sa sœur vivante.

Les secouristes qui avaient été dépêchés sur les lieux retrouvèrent l'enfant sans vie sur la rive à quelques kilomètres de leur demeure.

✤

Gaël fixait toujours le paysage à travers la baie vitrée, perdu dans ses pensées. Une larme coula le long de sa joue. La douleur de cette perte si impitoyable était toujours aussi forte malgré le temps écoulé. Une douleur permanente et cruelle qui s'était logée en lui. Incrustée, immuable.

Jeanne, toujours affairée à la préparation du repas, s'arrêta brusquement. Un sentiment de tristesse monta en elle et l'envahit entièrement. Ses pensées se dirigèrent instantanément vers son époux.

« Mon pauvre Gaël, se dit-elle. Ta sœur te manque cruellement. Je le ressens chaque fois que tu t'y arrêtes. »

Ses yeux s'emplirent de larmes et toute la douleur que son époux ressentait l'envahit elle aussi.

Chapitre 7

Jeanne termina les derniers préparatifs du repas du soir. Elle s'affaira ensuite à nettoyer les ustensiles et les bols qu'elle avait utilisés pour cuisiner.

« Bon ! se dit-elle avec une lueur de satisfaction dans les yeux. L'essentiel est prêt pour le festin. Je pourrai mettre le tout à cuire tantôt. Il ne reste plus qu'à préparer la table et, ce soir, notre petite famille sera attablée tout autour. »

Elle se dirigea vers la salle de séjour et s'installa confortablement sur le futon. La journée pleine, remplie d'événements inhabituels, avait été longue pour elle.

« Ces quelques minutes de repos sont bien méritées ! poursuivit-elle dans ses pensées. Je vais en profiter pour regarder la télé en attendant l'arrivée des enfants. Ils seront ici dans peu de temps. »

Elle alluma le téléviseur et regarda les dernières nouvelles. Un carambolage monstre était survenu quelques heures plus tôt sur l'autoroute près de la capitale. Une vue prise d'un hélicoptère laissait voir aux téléspectateurs un fouillis de véhicules entassés pêle-mêle ici et là. Ce qui attrista Jeanne, qui espérait qu'il n'y ait pas de fin tragique pour les blessés.

La porte d'entrée s'ouvrit soudainement, laissant apparaître Mya et Phélix-Olivier. Leur entrée changea l'atmosphère de la maisonnée en un torrent de bruits et de paroles incohérentes.

— Mais non, Mya ! Tu as tort !

— Non ! J'ai raison, voyons ! Je te le répète, il n'y avait pas de dinosaures quand grand-maman était petite.

— Oui, mais elle est vieille maintenant ! Et dans mon cours d'histoire, Monsieur David nous a dit qu'il y en avait dans le temps des « prisse-toriques ».

— Préhistorique, Phélix-Olivier, pré-his-to-ri-que, articula à nouveau Mya. T'as pas écouté ton professeur ?

— Mais oui ! J'écoute toujours Monsieur David ! « Prissetorique », ou comme tu voudras, ça veut dire que ça fait longtemps, très longtemps. Il nous a dit qu'on pouvait voir des os de dinosaures au Musée des Histoires. Je veux y aller avec papa et maman samedi.

— Tu m'emmèneras ? lui demanda-t-elle en lui souriant.

— Bien sûr ! Je veux appeler grand-maman et je veux lui demander si elle a des photos de dinosaures et si elle en a déjà vu des vivants !

Mya attrapa un fou rire, ce qui choqua sur le coup son petit frère.

— Mais pourquoi tu te moques de moi comme ça, Mya ? lui demanda-t-il en pleurnichant.

— Phélix-Olivier ! Mon cher petit frère, as-tu ton livre d'histoire avec toi ?

— Oui, il est dans mon sac d'écolier.

— Eh bien ! Sors-le. Cesse de pleurer. Je vais te montrer qu'il n'y avait pas d'êtres humains en ce temps-là. Les humains sont apparus très longtemps après les dinosaures. Les dinosaures étaient même tous disparus depuis bien longtemps lorsque les Hommes sont apparus sur la Terre.

— Il n'y a que des photos dans mon livre, Mya. On n'a pas encore appris à lire à la maternelle.

Mya réfléchit un instant à une solution possible.

— Papa a sûrement un livre sur les dinosaures dans la bibliothèque au sous-sol, lui dit-elle.

— Allons rejoindre maman, elle nous aidera à en trouver un. Elle me dira si t'as raison ou pas.

— Oui, oui…, dit-elle en soupirant.

Les deux enfants accrochèrent en vitesse leur manteau dans la garde-robe de l'entrée.

— Maman ! Maman ? Où es-tu ? dirent en chœur les enfants.

Ils parcoururent les pièces de la maison pour finalement la retrouver dans la salle de séjour, assoupie sur le futon.

— Maman ? appela le cadet. Réveille-toi ! Nous sommes arrivés.

Jeanne ne bougea pas. Sa respiration régulière laissait supposer un sommeil profond.

— Ne la réveille pas, frérot. Allons dans ta chambre, nous regarderons dans ton livre d'histoire. Nous la réveillerons tantôt.

— D'accord.

Ils se dirigèrent vers les chambres de la maison tout en continuant leur discussion sur les dinosaures. Pendant ce temps, Jeanne se reposait les yeux fermés. Son visage changea soudainement. Elle bougea brusquement la tête de gauche à droite, ses joues se crispèrent, sa bouche devint un rictus. Dormait-elle réellement?

❧

Jeanne passa lentement à travers un brouillard. Lorsque la bruine s'estompa, elle se retrouva dans un endroit peu éclairé. Elle essaya de bouger la tête mais elle n'y parvint pas. La prénombre ne lui permit pas de discerner l'endroit exact où elle était.

« Qu'est-ce que je fais là? Où suis-je? »

Elle essaya de bouger mais en vain. Malgré tous ses efforts, elle ne put bouger ne serait-ce qu'un petit doigt. Cette sensation ne lui était pas étrangère.

« Oh non! Pas encore! »

Elle réalisa qu'elle avait été à nouveau projetée ailleurs. Elle pensa même qu'il était fort probable qu'elle soit encore dans le corps de quelqu'un. Et probablement dans celui de cet étranger qu'elle soupçonnait d'avoir fait parvenir la lettre à son époux, et aussi les mèches de cheveux.

« Que va-t-il encore se passer cette fois? » se demanda-t-elle, très inquiète.

Une sensation d'angoisse lui serra la poitrine. Une vive inquiétude s'empara d'elle. L'étrange impression que, cette fois-ci, elle allait vivre une expérience encore plus désagréable que les précédentes.

« Mon sixième sens me dit que ce n'est pas normal, cette fois-ci… Oh, mon doux ! se dit-elle, soudainement prise d'une grande panique. Il ne doit rien arriver à Gaël ! »

Les dernières réflexions de Jeanne ne firent qu'accroître l'anxiété qu'elle ressentait. L'étranger demeura immobile dans la pénombre, attendant on ne sait quoi. Cette attente lui parut interminable. Soudain, l'inconnu bougea. Jeanne se vit se déplacer derrière une étagère. Dans la pénombre, elle parvint finalement à discerner des objets. Elle put en identifier certains, qui servaient au nettoyage et à l'entretien d'un immeuble. L'étranger y déposa une enveloppe.

« Je suis dans un local de l'entretien ménager. C'est plein de produits de nettoyage sur les étagères. »

La porte s'ouvrit lentement. Une faible lueur pénétra dans le local. Un chariot s'avança à l'intérieur, suivi d'un homme qui le poussait. Il tendit la main vers le mur et il appuya sur le commutateur tout en continuant à pousser le chariot de l'autre main. La lumière se fit, laissant apparaître le préposé.

« C'est le jeune homme que j'ai vu ce matin. Celui qui a fait le ménage dans les salles de classe. Je suis dans le Centre ! »

Le jeune homme referma la porte du local et poussa le chariot jusqu'au fond de la salle, tournant ainsi le dos à Jeanne ou, plutôt, à l'inconnu. Il se rendit à la cuvette et s'affaira à vider le contenu de son seau d'eau sale. Il ouvrit le robinet et nettoya le seau sous le jet d'eau.

Tout à coup, un reflet brillant capta l'attention de Jeanne. Une lame de poignard s'élevait lentement dans l'air.

« Un poignard ! Oh, mon doux ! Il ne va pas faire ça ! » s'écria Jeanne, horrifiée.

L'inconnu se déplaça lentement et elle se vit s'éloigner de l'étagère en direction du préposé. Elle crut défaillir. Son angoisse atteignit son paroxysme lorsqu'elle se vit se rapprocher du jeune homme. Celui-ci, toujours occupé à rincer son seau, ne remarqua pas la menace qui planait sur lui. L'inconnu s'approcha de plus en plus… Lentement… Sournoisement.

« Non ! Il ne va pas faire ça ! »

Elle eut beau essayer de se débattre, elle demeurait toujours prisonnière de ce corps, paralysée quant à ses propres mouvements, incapable de faire quoi que ce soit. Les palpitations de son cœur augmentèrent, s'amplifièrent à tel point qu'elle eut l'impression que ses tympans allaient éclater.

L'ombre du bras de l'inconnu se dirigea vers le préposé. Jeanne discerna la forme du poignard au bout de cette ombre. Puis, le couteau apparut dans son champ de vision. Toujours cette main gantée de noir. Le jeune homme était maintenant tout près. Jeanne aurait pu le toucher si elle avait pu bouger. Le préposé s'immobilisa tout à coup. Il avait aperçu cette ombre grandissante sur le mur près de lui.

— Qui veut me faire peur ? dit-il en riant. Dois-je me retourner en poussant un cri atroce ?

« Non ! Sauve-toi avant qu'il ne soit trop tard ! » cria Jeanne. Un appel muet qu'elle seule entendit.

Le préposé se retourna en souriant. L'ombre du poignard s'élança vers lui. Le sourire du jeune homme se figea. Sous l'effet de la peur, il essaya de se protéger avec le seau qu'il tenait. Le seau essuya le coup, mais la lame, en touchant le seau, dévia et se planta profondément sous la clavicule gauche, perforant le lobe supérieur du poumon. Le jeune homme fixa l'inconnu. L'expression de surprise se transforma en peur. Ses yeux se tournèrent vers le poignard planté dans son corps. Le sang commençait à tacher sa chemise. Il leva les yeux vers son assaillant. On pouvait y lire toute la terreur qu'il ressentait. Son regard bouleversa Jeanne. Les jambes du jeune homme fléchirent. Il essaya de s'agripper à l'inconnu. Jeanne se vit reculer soudainement. Le préposé tomba à genoux. Sa respiration devint difficile. L'agresseur recula lentement. Le jeune homme se laissa choir sur le sol. L'inconnu se tourna vers l'étagère et prit l'enveloppe qu'il y avait laissée. Le blessé essaya de se relever mais il n'y parvint pas. Sa difficulté à respirer usait déjà ses forces. Le sang imbibait de plus en plus sa chemise. Il fixa l'étranger. Jeanne vit sa détresse dans ses yeux. Elle aurait voulu s'élancer vers lui pour l'aider, le rassurer, mais elle n'avait aucun contrôle sur quoi que ce soit. À sa grande surprise, elle se vit s'avancer vers le préposé. Cette même main gantée de noir s'approcha de celui-ci. Elle tenait l'enveloppe qu'elle laissa tomber près de la victime. Jeanne se vit reculer à nouveau. Elle réalisa que l'inconnu n'apporterait aucune aide au jeune homme.

« Comme si cet ignoble individu allait se repentir ! » pensa-t-elle.

L'inconnu recula lentement, laissant le préposé seul, en proie à une grande détresse respiratoire. Il se roula en position fœtale, concentrant son énergie pour rester vivant et continuer à respirer. Sa chemise s'imbibait de sang. L'agresseur se retourna pour prendre la direction de la porte. Jeanne se vit courir vers la sortie. En franchissant la porte, elle vit l'ombre d'une personne jaillir devant l'inconnu. Le choc fut inévitable. Tout se mit à tourner autour d'elle, de plus en plus vite, et elle se sentit s'élancer vers un gouffre noir.

❧

Jeanne sursauta sur le canapé. Toujours sous le choc, elle eut de la difficulté à reprendre le contrôle de sa respiration affolée. Elle regarda autour d'elle. La familiarité des lieux la rassura un instant. Elle se leva aussitôt, prise d'une soudaine panique. Elle se rua sur le téléphone pour composer le numéro de son époux. Elle devait l'avertir au plus tôt. Le temps pressait. Ses doigts tremblaient à un tel point qu'elle dut composer le numéro à deux reprises. Une personne était en danger de mort et elle seule pouvait lui sauver la vie en avertissant immédiatement son époux de la gravité de la situation.

Rosemarie arrivait justement à son bureau lorsque la sonnerie de son téléphone retentit. Elle déposa rapidement toute la paperasse qu'elle tenait dans ses mains et prit le combiné.

— Le bureau de Monsieur Gaël Lauzié, ici sa secrétaire, Madame Landrie.

Gaël craignait de rater un appel de son épouse s'il quittait son bureau. Il avait préféré faire transférer ses appels au bureau de sa secrétaire chaque fois qu'il sortait pour un certain temps. Comme il avait prévu rencontrer certains chefs de service, il était moins inquiet de cette façon.

— Je dois parler à mon époux Gaël, répondit Jeanne nerveusement.

— Monsieur Lauzié n'est pas à son bureau pour le moment. Puis-je prendre un message, Madame ?

— C'est une urgence ! C'est très urgent ! répliqua-t-elle en haussant le ton malgré elle.

Rosemarie remarqua la détresse évidente dans le ton de la voix de Jeanne. Elle n'osa pas répliquer, sachant que celle-ci était venue voir son patron un peu plus tôt. Son appel était peut-être lié à sa visite du matin. Son patron lui avait donné des consignes au sujet des appels de son épouse. Pour des raisons personnelles, se remémora-t-elle, et pour un certain temps, si celle-ci appelait et désirait lui parler de toute urgence, elle devait le rejoindre immédiatement.

« N'importe où, n'importe quand, ou avec n'importe qui », se répéta-t-elle.

— Je vais faire tout mon possible pour le contacter immédiatement, Madame Lauzié. Où peut-il vous joindre ?

— Je suis à la maison. Je vous en prie, trouvez-le !

— Il va vous rappeler bientôt.

Rosemarie raccrocha. Elle n'était pas intéressée à déranger le PDG mais elle avait conscience qu'il n'y avait pas à tergiverser avec ses ordres. À contrecœur, elle joignit le service d'information.

— Bonjour. Ici le service d'information. Comment puis-je vous aider ?

La voix calme et reposée de la standardiste ne fit qu'irriter la secrétaire.

— Ici Rosemarie Landrie, l'adjointe administrative du PDG. Veuillez faire demander immédiatement à Monsieur Gaël Lauzié de rejoindre le bureau administratif.

En cas d'urgence, aucun appel ne pouvait être annoncé par le service d'information. La politique de l'établissement ne permettait que d'utiliser l'interphone afin de ne pas déranger les étudiants et le personnel durant les heures de cours. Cependant, impressionnée par le ton de Rosemarie, la standardiste n'osa pas remettre sa demande en question.

— D'accord, Madame Landrie. Je l'annonce immédiatement.

Puisque c'était l'adjointe administrative du PDG qui le demandait, il valait mieux pour elle ne pas questionner la pertinence de sa requête. Le ton intransigeant de sa voix ne laissait aucun doute quant à l'urgence de sa demande. Et c'était indéniablement très important, à entendre le ton de la voix de celle-ci.

— Monsieur Gaël Lauzié, rappelez le bureau administratif. Monsieur Gaël Lauzié, rappelez le bureau administratif, répéta la standardiste calmement à travers tout le Centre.

Gaël arrêta immédiatement la conversation qu'il avait avec un des directeurs de service.

— Je vais prendre l'appel ici, si vous me le permettez.

Son interlocuteur acquiesça du regard. Gaël prit le téléphone près de lui et composa le numéro de sa secrétaire.

— Le service administratif, ici Madame Landrie.

— C'est Gaël Lauzié. Est-ce vous qui me demandez ?

— Oui, dit-elle promptement.

« Qui d'autre oserait vous appeler par interphone sans passer par moi ! » pensa-t-elle.

— Votre épouse a appelé. Elle demande que vous la contactiez à votre domicile tout de suite.

— D'accord, je préfère me rendre à mon bureau pour faire l'appel. Je vous remercie.

Gaël raccrocha et se tourna vers le directeur.

— Un imprévu. Nous devrons poursuivre notre entretien ultérieurement. Veuillez me pardonner.

— Je vous en prie. Contactez-moi lorsque vous voudrez me revoir.

Gaël le remercia et prit la direction de son bureau. Il accéléra le pas, impatient de rejoindre son épouse.

« Ça doit être important pour que Jeanne me demande immédiatement », se dit-il en se remémorant sa demande de l'avertir si elle revivait une de ces transes.

Chapitre 8

GAËL ENTRA EN TROMBE DANS SON BUREAU et appela sans tarder son épouse. Celle-ci décrocha dès la première sonnerie.

— Bonjour, répondit-elle promptement.

— C'est moi, Gaël.

— Oh, Gaël ! lui répondit-elle en balbutiant. Je l'ai encore vu, ce type ! Il est arrivé quelque chose de grave ! Il a poignardé quelqu'un dans le Centre !

— Quoi ? répliqua son époux, abasourdi. Ça ne se peut pas ! Il n'a pas pu faire cela !

— Je te dis que oui, Gaël ! C'est un préposé à l'entretien. Ça s'est produit dans un local où sont entreposés des produits de nettoyage.

— Il y en a un dans chacun des secteurs du Centre. As-tu pu voir à quoi le préposé ressemble ?

— Oui. Il est très jeune et grassouillet.

— J'ai l'impression que c'est Joshua. C'est le fils de l'un de nos employés à la cafétéria. Il s'occupe du ménage au quatrième étage. Je m'y rends immédiatement.

— N'y va pas tout seul, Gaël ! C'est trop dangereux ! Ce fou y est peut-être encore. Tu peux le croiser !

— D'accord. Je vais demander à l'agent de sécurité de m'accompagner.

Gaël se sentait de plus en plus anxieux. Tout allait trop vite. Il avait de la difficulté à suivre les événements. Selon son épouse, un employé avait été attaqué et se trouvait possiblement dans un état grave, s'il n'était pas déjà mort. Il devait réagir immédiatement.

— Reste à la maison, Jeanne. Je vais demander à Rosemarie d'appeler les ambulanciers ainsi que les policiers. Je sais fichtrement bien que ce que tu as vu est bel et bien arrivé. Tout ce que tu as vécu jusqu'à maintenant s'est avéré exact et je ne vais sûrement pas douter un instant de ce que tu viens de me dire.

— Oh, Gaël ! Sois prudent. Téléphone-moi dès que tu le pourras.

— D'accord. Je te rappelle le plus tôt possible.

Gaël raccrocha et se dirigea vers le bureau de sa secrétaire.

— Rosemarie, lui dit-il, appelez le 911 et demandez une ambulance de toute urgence ainsi que les forces policières. Quelqu'un a été poignardé et se trouve possiblement dans un état grave.

Rosemarie acquiesça du regard. Le ton de la voix de son patron et l'anxiété dans son regard lui firent comprendre qu'il fallait obéir à cet ordre sur-le-champ.

— Où cela s'est-il passé ? lui demanda-t-elle.

— Au quatrième étage.

Gaël se tourna vers Laurie, qui avait tout entendu. Elle était restée figée comme une statue tellement elle était surprise.

— Laurie, rejoignez immédiatement l'agent de sécurité et demandez-lui de venir me retrouver près de l'ascenseur à l'instant.

Sa requête la dégela aussitôt. Elle se rua sur le téléphone, beaucoup plus rapidement que Rosemarie, qui commençait à peine à composer le 911. Gaël se dirigea rapidement vers l'ascenseur. Le temps lui parut une éternité avant que ne s'ouvrent les portes. L'agent de sécurité lui faisait face. Un grand gaillard d'un mètre quatre-vingt-quinze ; la même taille que Gaël, mais enveloppé dans un surplus de poids.

— Que puis-je faire pour vous, Monsieur Lauzié ? demanda l'agent.

— Venez avec moi, s'il vous plaît. J'ai reçu un appel me disant qu'un employé avait été poignardé. Nous devons vérifier si c'est vrai.

— C'est arrivé où ? demanda l'agent, surpris par les propos de Gaël.

— Je crois que c'est au quatrième étage. Si c'est le cas, nous devons être prudents, au cas où l'agresseur rôderait encore aux alentours.

— Suivez-moi, Monsieur. Prenons les escaliers, car s'il nous fait face en sortant de l'ascenseur et qu'il est armé, nous risquons d'être pris au piège.

— Vous avez raison, acquiesça Gaël en le suivant.

Tous deux prirent les escaliers au fond du corridor et se mirent à gravir les marches. Plus ils avançaient, plus Gaël ressentait les palpitations de son cœur.

« Il faut que je garde mon sang-froid », se dit-il.

Lorsqu'ils furent rendus au quatrième étage, Gaël commença à pousser lentement la porte, sans faire de bruit.

— Laissez-moi passer, Monsieur Lauzié. S'il est encore aux alentours, la vue d'un uniforme pourrait nous aider à le faire obéir.

Gaël n'eut pas le temps de répliquer, l'agent passa devant lui et pénétra prudemment dans le corridor. Tous ses sens aux aguets, il ne vit personne ni n'entendit le moindre son. Gaël le suivit aussitôt.

— Allons vers le local de l'entretien ménager, lui dit-il.

Ils se dirigèrent prudemment vers le local et, à la croisée du corridor, ils virent un individu étendu dans l'ouverture de la porte. Ils se regardèrent, les yeux agrandis par la surprise, et se précipitèrent vers lui. En arrivant tout près, ils le reconnurent aussitôt. C'était le chef du service d'entretien intérieur-extérieur. Il gisait inanimé. Une petite coulée de sang séché provenait de sa tempe. La pâleur de son teint leur fit craindre le pire.

« Oh ! J'espère qu'il n'est pas mort ! » s'inquiéta Gaël.

Il se pencha vers lui et l'interpella.

— Jacques ! Jacques !

— Est-ce qu'il est mort ? demanda l'agent, dont la voix tremblante trahissait une nervosité évidente.

Gaël tâta le pouls à la gorge et, avec un grand soulagement, il sentit la pulsion du cœur au bout de ses doigts.

— Non, il est toujours vivant ! Restez avec lui. Je vais aller voir s'il y a quelqu'un dans le local.

Gaël poussa la porte du local et la bloqua pour la maintenir grande ouverte. Il y pénétra et vit le jeune homme étendu par terre dans une flaque de sang. La vue de ce jeune homme recroquevillé le glaça d'effroi. Il se précipita vers lui. Le préposé leva péniblement la tête vers Gaël. Il fut soulagé de voir qu'il était toujours vivant. Sa respiration était bruyante et laborieuse. Les yeux de Gaël s'agrandirent de frayeur lorsqu'il vit le poignard qui était resté planté dans le thorax.

— Je... Je... Je..., dit Joshua avec difficulté.

— Ne parle pas, Joshua. Reste calme, les ambulanciers vont arriver d'un instant à l'autre. Ne bouge pas, je vais appeler pour leur dire que tu es ici.

Gaël se précipita vers le téléphone mural près de la porte.

— Comment va-t-il ? lui demanda l'agent de sécurité.

D'où il était, il pouvait voir le préposé baignant dans son sang. La scène n'en était que plus terrifiante.

— Pas très bien, répondit Gaël tout en composant le numéro.

— Ici le service de l'information, puis-je vous aider ?

— Une ambulance va arriver dans peu de temps, répliqua-t-il sans prendre la peine de s'identifier. Dites aux ambulanciers de se rendre immédiatement au quatrième étage. Il y a quelqu'un qui repose dans un état très grave ici.

— Très bien, Monsieur. Ils arrivent justement. Ce ne sera pas long. Voulez-vous que j'appelle à l'infirmerie et que je demande à l'infirmière qu'elle vienne vous rejoindre ?

— Oui. Immédiatement, s'il vous plaît, répondit-il avant de raccrocher.

Gaël, soulagé que les secours soient enfin arrivés, se tourna vers l'agent de sécurité. Celui-ci était toujours à genoux à côté de Jacques.

— Comment va-t-il ? demanda Gaël.

— Il est toujours inconscient. Sa respiration est régulière, ce qui me rassure.

— Bien. Les secouristes sont arrivés, ils vont être ici dans peu de temps.

— Pensez-vous que Jacques a poignardé le jeune ? demanda l'agent.

— Oh ! répondit Gaël, réalisant que l'agresseur pourrait bien être cet homme. Je ne sais pas. Je souhaite que non, dit-il en retournant auprès du préposé.

Gaël se mit à genoux près du préposé, faisant fi du sang qui tachait son veston et son pantalon. Il lui prit la main. Celui-ci ouvrit les yeux et essaya de lui parler. Aucun son ne sortit de sa bouche. Il n'avait plus la force de parler. Il était d'une pâleur extrême. Cependant, la blessure ne semblait plus saigner. Avec la quantité de sang répandue autour du jeune homme, Gaël devinait que sa situation était plus qu'urgente. Une intervention rapide des secouristes s'avérait nécessaire.

— Les secours sont arrivés. Ils seront ici dans quelques secondes, mon grand.

Il ferma les yeux. Gaël lui prit la main, craignant qu'il ne puisse tenir le coup.

— Courage, Joshua ! implora Gaël. Fais un effort ! Reste éveillé !

Joshua lui serra faiblement la main et acquiesça d'un léger mouvement de tête qui sembla l'exténuer. Il n'avait plus la force d'ouvrir les yeux. Il se sentait fatigué et vidé de ses forces.

— Ne bouge pas et ne dis plus rien. Je reste avec toi.

Il lui serra la main plus fort pour l'encourager. C'était la seule chose qu'il pouvait faire en ce moment. Tout à coup, Gaël entendit des bruits de pas qui venaient rapidement vers eux.

— Par ici ! cria-t-il. Dépêchez-vous !

Deux ambulancières arrivèrent en courant, l'une tirant une civière et la deuxième apportant une trousse de survie.

— Il est dans un état grave, dit Gaël à la première venue. Venez vite !

Elles enjambèrent le corps inanimé gisant à l'entrée du local, laissant la civière dans le corridor et apportant leur trousse. La première s'approcha du préposé tandis que la deuxième retourna s'occuper de l'homme étendu dans le couloir.

— Qu'est-ce qui s'est passé ? demanda-t-elle en se penchant rapidement sur le jeune homme.

L'image de tout ce sang et la position fœtale du jeune homme lui firent craindre le pire. Elle espéra qu'il ne soit pas trop tard pour lui sauver la vie.

— Il a été poignardé au thorax, répondit Gaël. Il est très faible et sa respiration est difficile. Il s'appelle Joshua.

L'ambulancière se pencha un peu plus sur le préposé. Elle remarqua sa pâleur et sa respiration difficile.

— Hé ! lui cria-t-elle. Joshua !

Joshua remua faiblement en gardant les yeux fermés.

— Est-ce que tu m'entends ?

Il fit un faible signe de la tête. Juste l'effort de bouger le fit grimacer de douleur.

— Nous allons te sortir de ce pétrin.

L'ambulancière se tourna vers Gaël.

— Il est toujours conscient. Il a perdu beaucoup de sang. Je dois faire vite. Alertez les policiers, s'il vous plaît, dit-elle.

— Ils ont déjà été prévenus. Ils devraient arriver sous peu.

— D'accord. Je vais commencer les premiers soins avant qu'il soit transporté.

Elle sortit un masque à oxygène et l'installa sur le visage de la victime. Elle en ajusta le débit. Les signes vitaux du jeune homme l'inquiétaient. Elle nota que sa tension artérielle était très basse et que son pouls était faible et rapide. Une jeune femme portant un sarrau blanc apparut. C'était l'infirmière. Elle fut stupéfiée par la scène. Elle réalisa immédiatement la gravité de la situation.

— Que puis-je faire pour vous aider ? demanda-t-elle en se ressaisissant rapidement.

Je suis infirmière.

— Il est en état de choc, lui répondit l'ambulancière. Je vais lui installer une intraveineuse. Il a besoin immédiatement de liquide pour remplacer temporairement le sang perdu. À première vue, il a un poumon de perforé et j'espère que l'artère sous-clavière n'a pas été touchée. Le couteau ne doit pas être enlevé, car cela pourrait provoquer une hémorragie et, dans la condition où il est présentement, ses chances de survie seraient minces. Venez ici et aidez-moi à installer le soluté, s'il vous plaît.

Gaël se sentait impuissant. Il pria pour que le préposé ait la chance de s'en sortir. L'ambulancière termina l'installation de l'intraveineuse.

— Comment va l'autre ? demanda l'ambulancière à sa coéquipière.

— Les signes vitaux sont stables et sa respiration est normale. Il est inconscient. D'après mon évaluation, il a reçu un sacré coup à la tête, et c'est probablement la raison de son inconscience. La lacération au crâne ne saigne plus.

Elle lui avait installé un collier cervical ainsi qu'un masque à oxygène. Elle s'apprêtait à installer une intraveineuse sur son avant-bras. L'autre ambulancière se dirigea hâtivement vers le téléphone mural et rejoignit la station d'ambulances.

— C'est Linda, pour l'ambulance 31-08. Veuillez envoyer immédiatement une deuxième ambulance. Nous avons deux victimes d'agression, dont l'une gravement atteinte et dont l'état est instable. La deuxième victime est dans un état stable.

Celle-ci raccrocha sans plus de formalités et composa aussitôt le service d'urgence du centre hospitalier.

— Ici Linda Robi, technicienne paramédicale. Je suis devant une personne qui a été poignardée. Mon évaluation démontre un pneumothorax gauche, avec possibilité d'une section partielle ou complète de l'artère sous-clavière. Je vais immobiliser le poignard qui est resté en place afin que l'hémorragie n'augmente pas. Veuillez faire préparer le service de chirurgie immédiatement. Je demande qu'une équipe de chirurgie soit prête et que le chirurgien cardiovasculaire soit là. La victime est dans un état instable.

Sur ces entrefaites, deux policiers apparurent. Le spectacle qui s'offrait à leurs yeux leur fit l'effet d'une douche froide.

— Que s'est-il passé ? demanda l'un.

— Celui-ci a été poignardé, répondit Gaël, toujours auprès du préposé. L'autre est inconscient. Je ne sais pas si c'est l'agresseur.

L'un des policiers examina brièvement les lieux. Gaël espérait que le chef de l'entretien ne soit pas l'agresseur. Si ce n'était pas lui, le coupable était peut-être encore dans l'établissement. Le policier devina ses pensées et prit l'émetteur radio attaché à sa veste.

— Ici l'inspecteur Gary Lang. Nous sommes arrivés sur les lieux de l'appel. Envoyez-moi immédiatement du renfort.

J'ai besoin d'une équipe pour ratisser la boîte. Nous avons des victimes d'agression armée. Faites encercler l'édifice. Et je veux aussi une deuxième équipe au quatrième étage.

L'inspecteur raccrocha et se tourna vers Gaël.

— Si cet homme gisant par terre n'est pas l'agresseur, dit le policier en pointant Jacques, je peux présumer que celui-ci rôde encore dans les parages. Nous devons faire vite pour le trouver, s'il n'est pas trop tard. Il a probablement eu le temps de s'enfuir.

L'ambulancière interrompit la conversation.

— Nous devons emmener celui-ci immédiatement à l'hôpital, lança-t-elle. Son état est critique.

Elle se dirigea vers la civière, suivie aussitôt de sa coéquipière. Elles apportèrent le brancard à l'intérieur du local. En passant tout près de la deuxième victime toujours inconsciente, l'ambulancière se tourna vers l'infirmière.

— Pouvez-vous vous occuper de lui ? Une deuxième ambulance est en route et nous ne pouvons pas attendre qu'elle arrive pour transporter celui-ci.

— D'accord, répondit-elle. Allez-y.

— Mon coéquipier va vous escorter jusqu'à la sortie, dit l'officier Lange.

— Joshua, dit l'ambulancière Robi, nous allons vous installer sur la civière et vous transporter à l'hôpital. Nous allons essayer de vous causer le moins de douleur possible.

Joshua fit un léger mouvement de tête. Les deux ambulancières immobilisèrent délicatement le jeune homme tout en prenant soin d'éviter un mouvement trop brusque pour ne pas déclencher une hémorragie. Après l'avoir installé sur le brancard, elles quittèrent rapidement les lieux, accompagnées du policier.

— Qui est le directeur de cet établissement? demanda l'inspecteur en se tournant vers Gaël.

— C'est moi, répondit-il.

— Et vous êtes Monsieur... ?

— Gaël Lauzié.

— Qui a découvert les victimes? poursuivit le policier.

— C'est l'agent de sécurité ici présent, ainsi que moi.

L'agent de sécurité, qui était toujours agenouillé près de Jacques, se leva, laissant l'infirmière s'occuper de lui.

— Je suis Yves Roy, Monsieur l'officier. J'ai été avisé par la secrétaire de l'administration que je devais rejoindre Monsieur Lauzié près de l'ascenseur, au deuxième étage.

— Ah oui? Et pourquoi? questionna le policier en se tournant vers Gaël.

— Parce que j'avais été avisé qu'une agression s'était produite, répondit celui-ci. Je voulais aller vérifier sur place et je ne voulais pas y aller seul, par mesure de sécurité.

— Vous avez été avisé? poursuivit l'officier. Par qui?

Gaël se sentit mal à l'aise. Cette interrogation le forçait à dévoiler les transes de son épouse. Et ensuite viendraient sûrement les explications qu'il devrait fournir à propos de tout ce que Jeanne avait vécu. Beaucoup de gens étaient sceptiques face aux phénomènes parapsychologiques. Mais il n'était pas dans une position pour essayer de cacher une information qui pourrait aider à retrouver l'agresseur. Mieux valait mettre les cartes sur table immédiatement.

L'officier s'aperçut de l'hésitation de Gaël. Son regard était soudainement devenu préoccupé.

« Il sait quelque chose, ce type-là », pensa le policier.

— Vous semblez hésiter à me répondre, Monsieur Lauzié.

— Je suis désolé. Je ne sais pas par où commencer.

— Alors, commencez par le commencement. Qui vous a avisé qu'il y avait eu une agression ?

— Mon épouse, lui répondit Gaël en le regardant droit dans les yeux.

Le policier le regarda à son tour, manifestant un intérêt soudain. L'agent de sécurité et l'infirmière, qui suivaient l'interrogatoire malgré eux, furent tout aussi surpris.

— C'est que mon épouse a un don de clairvoyance. Elle a eu une vision de la scène. Elle m'a téléphoné de la maison tantôt pour me prévenir d'aller vérifier.

Des pas résonnèrent dans le corridor, interrompant la discussion. Le policier sortit son revolver, se préparant à toute éventualité. Deux ambulanciers apparurent avec leur équipement.

— La deuxième équipe de secours, dit l'un d'eux. Nous avons déjà été avisés de son état, ajouta-t-il en désignant l'homme qui gisait par terre. Nous allons immédiatement le transporter au service d'urgence.

Le policier fit un signe d'acquiescement et remit son arme dans sa gaine. Tandis que l'infirmière rapportait aux ambulanciers l'état de la victime, le policier se tourna vers Gaël.

— Votre épouse est-elle à la maison présentement ?

— Oui. Elle y est.

L'émetteur radio de l'officier interrompit leur discussion.

— Officier Lange ? demanda une voix grésillante.

— Oui, répondit celui-ci en prenant son émetteur.

— Les effectifs sont arrivés et le périmètre de l'immeuble a été mis sous surveillance. Une autre équipe va arriver dans quelques secondes au quatrième étage.

— Merci.

Il remit son émetteur dans son étui et se tourna vers Gaël.

— Lorsque nous aurons terminé la fouille de l'édifice, j'apprécierais énormément et avec un grand intérêt m'entretenir avec vous et votre épouse.

— Vous pouvez compter sur nous. Nous vous offrons notre entière collaboration.

— Veuillez la contacter et lui demander de venir vous rejoindre dans les plus brefs délais.

— D'accord. Je vais la rejoindre.

Gaël jeta un coup d'œil vers l'endroit où était étendu le préposé quelques minutes plus tôt. Il ne savait plus quoi penser. Tant d'événements s'étaient produits depuis le matin. Trop d'incidents en si peu de temps. Tout cela l'étourdissait. Il scruta le plancher du regard, voyant tout ce sang que le préposé avait perdu. Tout à coup, il vit l'enveloppe.

Avec toute cette agitation, personne n'avait remarqué qu'elle gisait là par terre. C'était le même genre d'enveloppe que celle qu'il avait reçue à son bureau en matinée. Une bouffée d'inquiétude l'envahit.

Chapitre 9

L'INSPECTEUR LANG FIT DÉPÊCHER IMMÉDIATEMENT sur les lieux une autre équipe d'investigation pour examiner le local, à la recherche d'un indice quelconque. Ils recherchaient aussi des empreintes qui auraient pu être laissées par l'agresseur. L'enveloppe trouvée par Gaël fut soigneusement insérée dans un emballage de plastique pour une analyse future et fut envoyée immédiatement au laboratoire de criminologie.

La fouille de l'édifice pour retracer la présence de l'agresseur s'avéra négative. L'équipe qui se trouvait sur les lieux ne trouva aucune trace de l'individu recherché. Le bâtiment fut fouillé de fond en comble. Un barrage avait été érigé à chacune des entrées pour que personne ne pénètre dans l'établissement. Les gens sortant du Centre étaient interrogés et leur identification vérifiée par cette équipe. Quiconque en sortait ne pouvait plus y entrer. L'inquiétude du personnel et des étudiants fut facile à ressentir après ce chambardement. La nouvelle des deux agressions avait circulé dans tout l'édifice à la vitesse de l'éclair. Le va-et-vient des policiers qui effectuaient la fouille avait transformé l'atmosphère calme du Centre. Tout était devenu anormalement silencieux et tendu pour une institution d'enseignement.

Pendant ce temps, Gaël était retourné à son bureau. Il avait immédiatement rejoint son épouse et lui avait expliqué avec empressement tout ce qui s'était passé. Ses explications renversèrent son épouse de stupeur. Tout s'était réellement passé comme elle l'avait vu.

— L'inspecteur Lang va ouvrir une enquête, dit Gaël.

— Je m'en doutais.

— Il veut aussi nous interroger tous les deux.

— Pourquoi moi aussi ?

— J'ai vu son regard surpris lorsque je lui ai dit que c'était toi qui m'avais avisé de cette agression.

— Oh ! Je peux facilement imaginer sa réaction ! Mais j'espère qu'il ne va pas penser que je suis impliquée dans cette tentative de meurtre !

Gaël se rendit compte de l'état de panique dans lequel son épouse se trouvait tout à coup. Même s'il savait que son épouse était innocente, il allait falloir prouver au policier qu'elle n'avait rien à voir dans cette histoire. Il essaya de se faire rassurant du mieux qu'il put.

— L'inspecteur Lang m'a posé plusieurs questions. J'ai préféré lui dire immédiatement la vérité pour éviter de nous mettre dans un pétrin dont nous n'avions pas besoin.

— Absolument ! Tu as raison !

— Si je lui avais caché certains éléments, cela n'aurait fait que compliquer cette histoire et possiblement provoquer chez lui certains soupçons.

— Tu as bien fait. C'est déjà assez compliqué comme ça.

— Nous n'avons rien à nous reprocher. Il vaut mieux jouer franc-jeu, afin de l'aider dans son enquête.

Tous deux étaient mêlés bien malgré eux à une série d'événements hors de leur contrôle. Tout cela avait atteint des proportions gigantesques. De plus, Jeanne sentait que son époux était de plus en plus en danger. Il n'y avait aucun doute, c'était à lui que cet individu en voulait.

— Il y a eu une tentative de meurtre, dit Jeanne. Celui qui était inconscient, crois-tu qu'il soit en réalité l'agresseur plutôt qu'une victime ?

— Non, je ne le pense pas.

— Il pourrait t'en vouloir d'avoir obtenu ce poste.

— Jacques est un brave type. Je ne crois pas qu'il soit mêlé à tout ça. Selon moi, il ne désirait pas ce poste et il était même très content que je sois choisi.

— En es-tu certain ?

— Il m'a félicité chaleureusement la semaine dernière. Il n'avait pas l'attitude de quelqu'un qui aurait voulu se venger.

— Je te crois, puisque tu le dis.

— As-tu vu quelqu'un d'autre dans le local lorsque tu as eu cette transe ?

— Non.

— En es-tu sûre ?

— J'en suis certaine.

— Essaie de revoir mentalement ce qui s'est passé. Il doit être survenu quelque chose pour que Jacques y soit. Il a peut-être surpris l'agresseur.

Jeanne repassa mentalement la scène. De nouveaux frissons lui parcoururent le corps. C'était difficile pour elle de revivre ce qui s'était passé et surtout, de revoir mentalement le jeune homme se faire poignarder, revoir l'enveloppe que l'agresseur avait jetée sur lui et son brusque départ. Son départ…

— Oh, Gaël! Il me revient quelque chose! s'exclama-t-elle.

— Reste calme, prends le temps d'y penser.

— Lorsqu'il est ressorti du local, j'ai eu l'impression qu'il s'était frappé contre quelque chose, ou peut-être contre quelqu'un.

— C'est possible.

— Si c'est Jacques l'agresseur, il s'est peut-être frappé contre le cadre de la porte.

— J'ai de la difficulté à croire que ça pourrait être lui.

— Attends! Quelque chose me revient!

— Quoi?

— Oui! L'individu courait vers la sortie, je m'en rappelle. Au moment où il s'apprêtait à sortir du local, j'ai cru voir l'ombre d'une personne.

— C'était peut-être Jacques!

— Possiblement. C'est comme si cet individu s'était jeté sur quelqu'un qui entrait dans le local.

— C'est sûrement une explication logique à sa présence! Il a dû être projeté sur le cadre de la porte et ça l'a assommé.

— Tout s'est mis brusquement à tourner tout autour. Tout est devenu noir par la suite.

— C'est Jacques! répéta Gaël. Tu n'as pas juste cru voir l'ombre d'une personne, Jeanne. C'est Jacques que tu as entrevu. Comme il s'apprêtait à entrer dans le local, l'agresseur ne l'a pas vu et il l'a percuté.

— En y repensant, c'est logique.

— L'inspecteur Lang a dit qu'il était difficile de croire qu'avec l'éclairage à l'intérieur du local, Jacques n'ait pas pu voir le cadre de la porte. Ceci expliquerait sa présence dans l'entrée.

— Évidemment! Voilà qui expliquerait tout. Nous en reparlerons avec lui.

— Gaël...

— Oui.

— Qu'y avait-il d'écrit sur la lettre dans l'enveloppe?

— Je ne le sais pas.

— Comment ça?

— L'officier a préféré faire relever les empreintes avant de l'ouvrir.

— Ah bon. Il ne reste qu'à attendre, je suppose.

— Oui, il faut attendre.

— As-tu des nouvelles de Joshua et de Jacques?

— Non. Je vais joindre tantôt le service des urgences pour m'informer de leur état.

— Ça me fait de la peine pour eux.

— Je m'inquiète surtout pour Joshua. Il était presque inconscient lorsque les ambulancières l'ont emmené au centre hospitalier. Il bougeait à peine, le pauvre, tellement il était faible.

— Ses parents doivent être rongés par l'inquiétude.

— Tu aurais dû voir la réaction de son père. C'est moi qui suis allé l'avertir de cette tragédie. Ce fut un terrible choc pour lui. Le policier l'a fait conduire à l'hôpital après qu'il ait prévenu son épouse. Quant à Jacques, c'est l'inspecteur Lang qui s'est chargé de prévenir son épouse.

— Les pauvres…, répondit Jeanne en sanglotant.

— Ça va aller, Jeanne. Ils vont se tirer d'affaire. Il faut garder confiance.

— Je le souhaite de tout mon cœur.

— Est-ce que les enfants sont de retour de l'école ?

— Ils sont ici, je les entends discuter dans la chambre de Mya.

— Demande à Madame Richardson si elle est disponible pour venir garder les enfants.

— Maintenant ?

— Oui. Tu dois venir me rejoindre ici au bureau le plus tôt possible pour répondre aux questions du policier.

— D'accord. Je vais l'appeler tout de suite. Madame Richardson va sûrement accepter de venir.

— Ah oui, Jeanne… J'aimerais bien si tu pouvais m'apporter un complet, s'il te plaît. J'ai quelques taches de sang sur mon veston et mon pantalon.

— Oh, mon doux ! Toute cette histoire va finir par me rendre folle...

Juste à penser à ces taches de sang sur les vêtements de son époux, sa tension, déjà très élevée, augmenta d'un cran.

— C'est une journée très difficile pour toi, mon amour..., lui dit-il.

— C'est une journée difficile pour nous deux, lui répondit-elle.

— Difficile pour d'autres personnes aussi, continua-t-il en pensant aux deux victimes innocentes... Je t'attends.

— À tantôt. Je t'aime.

— Je t'aime aussi.

Jeanne téléphona à sa voisine sans plus tarder. À son grand soulagement, elle répondit au deuxième timbre.

— Oh, Madame Richardson ! Je suis contente que vous soyez là !

— Que puis-je faire pour vous, Madame Lauzié ?

— Pensez-vous avoir le temps de venir garder les enfants pour une heure, deux tout au plus ?

— Mais bien sûr, Madame Lauzié. Quand voulez-vous que je vienne ?

— Le plus vite possible. J'ai une urgence et je dois partir au plus tôt.

— Pas de problème, je serai là dans quelques minutes.

— Oh ! Merci beaucoup !

— Donnez-moi juste le temps de me préparer et j'arrive.

— Je ne pourrai jamais assez vous remercier.

— Je vous en prie, ça me fait tellement plaisir. C'est un passe-temps très agréable. Vos enfants sont tellement charmants.

Émilienne Richardson était une gentille dame rondouillarde âgée de soixante ans. Veuve depuis quatre ans, elle s'était proposée comme femme de ménage et aussi pour garder les enfants afin d'arrondir ses fins de mois. Depuis le décès de son mari, un petit revenu supplémentaire lui permettait de se gâter à l'occasion. Lorsque Jeanne avait ouvert une boutique de matériel d'art dans le centre-ville, Émilienne lui avait été d'une aide précieuse pour s'occuper de la maison et des enfants. Le commerce de Jeanne la tenait occupée tous les jours de la semaine et la disponibilité de Madame Richardson la soulageait de ne pas pouvoir être à la maison quand les enfants arrivaient de l'école. Au bout de quelques mois, le commerce roulait bien et la routine était bien installée. Jeanne avait alors engagé une assistante et ne passait maintenant que quelques avant-midi par semaine à la boutique, laissant son employée s'occuper des affaires courantes.

Jeanne rejoignit les enfants dans la chambre de Mya. Une dizaine de bouquins traînaient déjà éparpillés sur le lit. Mya et Phélix-Olivier, assis l'un contre l'autre, regardaient les images d'un livre. Cette image attendrit le cœur de leur mère.

— Bonjour, mes amours !

— Bonjour, maman ! répondirent-ils en chœur.

— Viens nous aider, maman ! dit le frérot. Je veux savoir s'il y avait des hommes « prisse-toriques » quand les dinosaures vivaient.

— Ah. Mon chéri, il n'y en avait pas. Je peux te l'assurer.

— C'est ce que je lui dis, maman, reprit Mya.

— Quand papa sera ici plus tard, nous t'aiderons, lui et moi, à trouver les preuves, dit Jeanne, le sourire aux lèvres. Je dois aller retrouver votre père au bureau. Nous serons de retour ici tantôt.

— Est-ce qu'on peut y aller ? dit Phélix-Olivier en sautant en bas du lit.

— Pas cette fois, mon grand. Madame Émilienne va venir s'occuper de vous.

— Oh non ! dirent en chœur les enfants, visiblement déçus.

— Nous voulons y aller ! dit l'aînée. Papa a dit qu'il avait un nouveau bureau très beau et qu'il nous le montrerait.

— Ce sera pour bientôt, c'est promis. Cette fois-ci, je dois rejoindre papa pour une affaire importante.

— Mais maman ! Nous voulons y aller aujourd'hui !

— Il n'aura pas le temps de vous montrer son bureau.

— Ça ne prendra pas beaucoup de temps ! dit Phélix-Olivier.

Ce refus peina les enfants et Jeanne fut attristée de ne pouvoir les emmener. Ce n'était pas le moment, étant donné la gravité de la situation.

— Ce sera pour bientôt, leur promit-elle.

— D'accord, répondirent les enfants, résignés.

— J'aimerais que vous fassiez vos devoirs avec Madame Émilienne. Si nous prenons plus de temps que prévu, elle vous servira le repas en attendant que nous arrivions.

— À tantôt, dit Mya.

— À tantôt, dit Phélix-Olivier.

— À tantôt, termina Jeanne. Je vous aime beaucoup, beaucoup, beaucoup !

— Moi aussi ! dirent en chœur les enfants, qui pouffèrent de rire en réalisant qu'ils avaient répondu tous les deux en même temps.

Jeanne les embrassa et les laissa parmi leurs livres. Elle se dirigea vers la chambre des maîtres et choisit un costume pour son époux. De retour au rez-de-chaussée, elle n'eut pas à attendre longtemps. Le carillon musical de l'entrée retentit et elle se pressa d'aller ouvrir.

— Bonjour, Madame Lauzié.

— Bonjour, Madame Richardson. Merci d'être venue aussi rapidement.

— Je vous en prie, vous pouvez partir sans inquiétude. Je vais bien m'occuper d'eux.

— C'est tellement apprécié. Vous êtes une vraie perle.

Le sourire chaleureux d'Émilienne apaisa Jeanne. Elle réalisait la chance qu'elle avait d'avoir tout près d'elle une aide aussi précieuse.

— Pourriez-vous superviser leurs devoirs ? Je n'ai pas eu le temps d'y voir.

— Bien sûr. Aucun problème.

— Je prévois revenir dans une heure ou deux, précisa-t-elle. J'ai déjà préparé le repas. Il y a une soupe à la crème de maïs. Il y a aussi une lasagne végétarienne toute prête dans le four. Pourriez-vous démarrer la cuisson dans trente minutes ?

— Je m'en occuperai.

— Si les enfants ne veulent pas attendre notre retour, vous pourrez leur servir la soupe. Et servez-vous aussi.

— D'accord.

— Alors, à tantôt.

Jeanne sortit de la résidence et se dirigea vers sa voiture. Elle se retourna et regarda la maison. Une magnifique demeure de banlieue de style moderne avec de belles grandes fenêtres au rez-de-chaussée ainsi qu'au deuxième étage, permettant à la lumière du jour d'y pénétrer à flots. Un grand garage à double porte était greffé à la maison. Une très grande demeure entourée d'arbustes, d'arbrisseaux, de plantes et de fleurs multicolores. La décoration extérieure donnait sa juste mesure à la beauté ordonnée du domicile.

En s'assoyant dans la voiture, elle eut tout à coup une perception bizarre. Une impression étrange, qui provoqua en elle une vive angoisse. En regardant sa maison à nouveau, ce malaise augmenta. Un malaise familier. Le genre de pressentiment qu'elle avait lorsque quelque chose allait arriver.

« Je n'aime pas ça... Je n'aime vraiment pas ça... »

Elle ne réussit pas à éliminer cette étrange impression. Elle prit la route en direction du Centre, morte d'inquiétude à propos de ce pressentiment familier qu'elle avait déjà vécu à maintes reprises dans le passé. Le véhicule disparut au tournant de la rue.

❧

— Mya! Phélix-Olivier! Je suis arrivée, mes chérubins! Votre maman m'a demandé que vous vous mettiez à vos devoirs. Alors venez vous installer à la table tous les deux.

Ils arrivèrent en courant, tout excités de voir leur gardienne. Ils exprimaient toujours une très grande joie lorsqu'elle venait les garder. Émilienne était toujours prête à jouer avec eux. Elle adorait l'attachement et l'affection que ces enfants lui offraient. Dans son cœur, rien ne pouvait être comparé à l'affection reçue d'un enfant.

— Je n'ai pas de devoirs! annonça le benjamin, tout souriant. À la maternelle, on n'a pas souvent des devoirs à faire car on ne sait pas encore lire.

— Oh! Petit chanceux! répondit la gardienne, toute souriante.

— Est-ce que je peux aller faire mes devoirs dans ma chambre, s'il vous plaît? demanda l'aînée.

— Bien sûr, ma grande. J'aimerais cependant vérifier s'ils sont bien faits lorsque tu les auras terminés.

— D'accord. Merci. J'ai juste un peu de français et de mathématiques à terminer. Rien de compliqué.

— Parfait alors. À tantôt. Voulez-vous attendre vos parents pour le souper?

— Non, répondirent-ils en chœur. On a faim !

— Pas de problème. Je vous prépare ça.

Sur ce, Mya se rendit dans sa chambre faire ses devoirs scolaires. Phélix-Olivier alla regarder la télévision.

❧

L'ombre d'une personne apparut derrière un buisson non loin de la demeure… Celle-ci se déplaça lentement et disparut derrière la maison…

Chapitre 10

GAËL APPELA LE SERVICE DES URGENCES du centre hospitalier où Joshua et Jacques avaient été conduits. Il ne put recevoir aucune information sur l'état des deux victimes. L'infirmière de garde fut catégorique.

— Je suis désolée, Monsieur, répondit celle-ci, nous ne pouvons vous transmettre aucune information concernant leur état de santé. Ceci relève de la confidentialité en milieu hospitalier. Je vous recommande de joindre leur famille si vous désirez absolument avoir de leurs nouvelles.

— Je sais que les membres de leur famille sont avec eux en ce moment. Je suis le directeur de l'établissement où ils travaillent. C'est moi qui les ai trouvés, Madame. Auriez-vous l'amabilité de demander au père de Joshua de me joindre au Centre quand il le pourra, s'il vous plaît ?

— Je peux lui transmettre ce message.

— Prenez en note mon numéro d'accès direct à mon bureau. Dites-lui que je m'inquiète pour Joshua et Jacques.

— Ce sera fait, Monsieur.

— Merci. J'apprécie beaucoup, Madame.

Gaël lui donna son numéro et il raccrocha. Il se cala dans sa chaise en fixant le téléphone. Il ne pouvait qu'attendre.

Attendre des nouvelles de ses deux employés. Attendre que Jeanne arrive. Attendre aussi que l'inspecteur l'interroge avec son épouse. Des attentes qui l'angoissaient. Des attentes qui lui laissèrent beaucoup de temps pour se questionner sur tout ce qui se passait depuis peu. Qui donc pouvait lui en vouloir autant ? Était-ce un membre de son personnel ou quelqu'un de l'extérieur ? Il avait beau se creuser la tête, il ne pouvait soupçonner quiconque de son entourage.

« Il faut que cette histoire cesse absolument ! se dit-il. Ce fou est bien capable de tuer la prochaine fois ! Et la prochaine victime risque d'être un autre membre du personnel ou possiblement moi... »

En pensant à la possibilité qu'il y ait une autre victime innocente, son inquiétude augmenta. Et penser que ce serait peut-être à lui que l'agresseur s'en prendrait la prochaine fois amena son angoisse à son paroxysme.

« Il faut que ça cesse avant que tout cela me rende complètement fou ! »

Quelqu'un frappa à la porte.

— Veuillez entrer, s'il vous plaît.

La porte s'ouvrit lentement, laissant entrevoir Rosemarie.

— Puis-je me permettre de vous déranger, Monsieur Lauzié ?

— Vous ne me dérangez pas du tout, Rosemarie. Veuillez entrer. Que puis-je faire pour vous ?

Celle-ci referma la porte après avoir pénétré dans le bureau. Elle s'avança vers son patron. Gaël remarqua son regard légèrement adouci.

— Pour moi, rien du tout, répondit-elle. C'est plutôt à moi de vous demander si je peux faire quelque chose pour vous. Cette première journée aura été assez particulière. Toute cette histoire doit vous avoir ébranlé.

Rosemarie surprit énormément Gaël par son attitude quelque peu inhabituelle. Généralement imbue d'elle-même, elle démontrait visiblement une inquiétude pour lui. Son regard plus tendre adoucissait un peu les formes sévères de son visage. Gaël ne sut quoi répondre sur le moment.

— Je m'inquiète pour vous, continua-t-elle. Vous avez les traits du visage étirés. Vous êtes visiblement épuisé par tout ce qui se passe, ça se voit.

— Merci de vous inquiéter à mon sujet. J'apprécie beaucoup votre délicate attention. Je n'ai besoin de rien pour le moment. J'attends mon épouse, elle va m'apporter un autre complet. Il y a quelques taches de sang sur celui-ci.

— Laissez-le-moi, je m'occuperai tantôt de l'apporter en ville chez le nettoyeur. Cela me fera plaisir de vous rendre ce service.

— Merci beaucoup.

On frappa à nouveau à la porte. Gaël n'eut pas le temps de réagir que sa sœur entra en coup de vent, faisant sursauter la secrétaire.

— Gaël ! Il faut que tu interviennes ! Tout le monde ici est en pleine panique ! Il y a un tueur dans l'établissement et il faut faire fermer le Centre !

— Voyons, Solaine ! Si tous te voient réagir ainsi, il y a de quoi les faire paniquer. Il y a des policiers un peu partout dans le Centre. J'attends le retour de l'inspecteur pour prendre une décision. Nous ne mettrons pas en danger la vie d'autrui si nous avons le moindre doute.

— Je vous laisse ensemble, interrompit Rosemarie. N'hésitez pas à me contacter si vous désirez quoi que ce soit, Monsieur Lauzié.

— Merci encore, Madame Landrie.

— Je vous en prie.

Elle avait repris son regard austère. Elle se dirigea vers son bureau sans prendre la peine de regarder Solaine. La sœur de Gaël ignora totalement l'attitude de la secrétaire. Elle se pencha vers son frère.

— Comment vas-tu ? demanda-t-elle en remarquant le regard tendu de son frère.

— Un peu ébranlé, avoua-t-il.

— Sûrement. À ce qu'on dit, il y avait du sang partout.

Elle s'approcha de son frère. Ses yeux s'agrandirent lorsqu'elle vit les taches de sang sur le veston de Gaël.

— As-tu été blessé toi aussi ? demanda-t-elle, le regard aussitôt inquiet.

— Non, ces quelques taches sont du sang de Joshua. Il en a perdu une quantité considérable.

— Mais peux-tu m'expliquer ce qui se passe ?

— Il s'est passé beaucoup de choses dernièrement. J'ai la nette conviction que quelqu'un m'en veut d'avoir accepté le poste de PDG. J'ai reçu une lettre anonyme ce matin. Elle contenait des menaces à mon égard.

— As-tu alerté les policiers ?

— Non, pas sur le coup. Je pensais que c'était l'œuvre d'un farceur, mais avec les deux employés qui se sont fait agresser, ça devient plus sérieux.

— Tu dois parler de tout ceci aux policiers, Gaël.

— Je sais. Je vais en discuter avec l'inspecteur tantôt. Il sera là sous peu afin de poursuivre son enquête.

— Mais quelle histoire ! On dirait que nous sommes dans un film d'horreur ! dit-elle en frissonnant.

Solaine était visiblement dans tous ses états. Son regard et ses gestes trahissaient une vive inquiétude. L'idée qu'il aurait pu être victime de cet agresseur lui avait fait réaliser brusquement que son unique frère aurait pu y laisser sa peau.

— Parfois, dit-elle en le fixant intensément, lorsqu'on réalise qu'on peut perdre quelqu'un de précieux, nos priorités dans la vie changent.

— Que veux-tu dire au juste ? lui demanda-t-il.

— Je n'ai que toi et maman…

Elle ne put terminer sa phrase. Gaël comprit ce qu'elle sous-entendait. Il lui prit les mains et les serra dans les siennes. Ce simple geste affectueux renforça leur lien fraternel. Il n'était pas nécessaire d'en dire plus. Tous les deux avaient compris l'importance de se soutenir et de s'apprécier.

— Je ne peux pas croire que ça arrive ici, poursuivit-elle en secouant la tête. Une institution d'enseignement si réputée. Ça va ternir l'image du Centre.

— Nous n'avons aucun contrôle sur tout ça, Solaine. Le plus important, c'est de ne pas déformer l'histoire de ces agressions et de ne pas alimenter les rumeurs qui vont sûrement circuler.

Solaine acquiesça du regard. Elle voyait bien que la situation était déjà suffisamment angoissante et qu'il était important de ne pas créer un vent de panique parmi le personnel et les étudiants.

— Dis-moi, demanda-t-elle. J'aimerais bien que tu me racontes comment tu as découvert les blessés.

Gaël relata brièvement la découverte des deux victimes. Il préféra ne pas entrer dans les détails. C'était déjà très pénible d'en parler et de revoir mentalement la scène, Jacques inconscient et la détresse de Joshua. Il jugea qu'il n'était pas nécessaire de lui dresser un portrait complet des incidents, pour éviter que sa sœur n'interprète ses dires à sa façon. Surtout en ce qui avait trait aux transes de son épouse. Elle n'était pas au courant de ce don. Il aurait été difficile de prédire la réaction de Solaine.

— J'ai des haut-le-cœur juste à imaginer le sang partout, dit-elle en regardant les taches séchées sur le veston de son frère.

— Dans une situation comme celle-là, on n'y pense pas. On agit du mieux qu'on peut. Je souhaite juste qu'ils s'en sortent tous les deux sans séquelles physiques ou psychologiques... Mais je préfère demeurer optimiste. Ils vont s'en sortir.

— Je le souhaite aussi..., dit-elle pensivement. Je dois y aller, Gaël. Appelle-moi si tu as besoin de moi.

— Entendu. Merci.

Solaine quitta le bureau. Gaël se leva lentement de sa chaise. Il avait l'impression de porter un poids sur ses épaules. Il se tourna vers la baie vitrée et s'en approcha. La lumière du soleil toujours aussi radieux traversait la vitre de sa douce chaleur enivrante. Il ferma les yeux. Cette sensation de tiédeur sur son visage apaisa un peu la tension accumulée depuis le matin. Il savoura quelques minutes ce court moment de répit, sachant très bien que la journée était loin d'être terminée.

Une ombre noire atteignit discrètement la remise derrière la demeure de Gaël. L'individu s'accroupit sous une fenêtre. Il sortit de sa poche un instrument. Toujours gantée de noir, une main fit glisser lentement l'outil sur un carreau de la fenêtre. Il traça délicatement un carré assez grand pour y faufiler une main. Ainsi découpé, le carré n'offrit aucune résistance à la pression de la main. Le morceau de vitre alla choir à l'intérieur sur une dalle du plancher, se brisant en morceaux. L'inconnu glissa délicatement un bras dans l'ouverture et déverrouilla la fenêtre. En quelques secondes, l'ombre avait rapidement disparu à l'intérieur de la remise.

❧

— Mya ! appela Phélix-Olivier en entrant en trombe dans la chambre de sa sœur. Je m'ennuie. Quand vas-tu finir tes devoirs ?

— J'ai presque terminé. Je n'en ai plus pour très longtemps. Encore dix minutes et Madame Émilienne pourra venir vérifier si mes additions et mes soustractions sont bonnes.

— Madame Émilienne prépare le repas. Toi, tu fais tes devoirs. Moi, je n'en ai pas et je ne sais pas quoi faire en attendant.

— Je n'en ai plus pour très longtemps, répéta-t-elle. Va regarder la télévision, j'irai te rejoindre tantôt.

— Tantôt, tantôt et encore tantôt ! s'indigna-t-il. Madame Émilienne me dit tantôt. Toi, tu me dis tantôt. Alors, je vais aller jouer à cache-cache avec « TANTÔT » !

Le petit frère tourna les talons avec un regard boudeur qui fit pouffer Mya. Elle se remit à ses devoirs. Au bout de quelques minutes, un étrange malaise l'envahit. Elle ressentit tout à coup une étrange impression. Elle eut la sensation que quelqu'un l'épiait. Elle leva les yeux vers la fenêtre. Elle ne vit personne.

« Eh bien ! se dit-elle. Comme si quelqu'un avait pu grimper sur le mur de la maison et apparaître à ma fenêtre ! »

Cette pensée la fit sourire. Néanmoins, cette étrange sensation ne la quitta pas. Elle tourna son regard vers la porte de sa chambre.

— Phélix-Olivier ! Je n'aime pas ça du tout que tu m'espionnes ! Arrête ça tout de suite !

Elle se dirigea rapidement vers la porte et jeta un coup d'œil dans le corridor. À sa grande surprise, il n'y avait personne. Elle tourna à nouveau les yeux vers la fenêtre. Elle s'y sentit attirée malgré elle. Elle s'avança lentement. Ces sensations inhabituelles lui faisaient peur. Malgré tout, elle s'approcha de la fenêtre. Celle-ci donnait sur l'arrière de la demeure. Elle scruta la cour, le terrain de jeux, le grand patio, la piscine et finalement la remise. Elle ne vit personne, rien de suspect à ses yeux. Sa tension diminua. Cette étrange sensation qu'elle ressentait depuis quelques minutes disparut d'un coup. Elle eut une bouffée de soulagement.

« Tu as trop d'imagination, aurait dit maman, pensa-t-elle. Je pense que je lis trop d'histoires de la collection *Daniella la petite détective*. »

Elle retourna terminer ses devoirs et oublia cette étrange impression…

❧

L'inconnu dans la remise aperçut la fillette à sa fenêtre. Il se baissa aussitôt sous le châssis pour ne pas être vu par celle-ci. Caché dans un coin, il y resta dissimulé. Il scruta l'intérieur. Son regard se posa sur la tondeuse à gazon. Il remarqua un gros bidon en plastique rouge juste à côté…

Chapitre 11

GAËL ESSAYAIT TANT BIEN QUE MAL d'examiner et de comprendre les colonnes de chiffres relatifs au budget du Centre. Ses pensées déviaient constamment vers les derniers événements. On frappa à la porte.

— Veuillez entrer, s'il vous plaît.

Jeanne apparut et referma la porte derrière elle. Elle s'avança vers son époux, avec le complet qu'il avait demandé. Lorsqu'elle fut près de lui, elle remarqua son air las.

— Visiblement, tu es exténué, mon chéri. Beaucoup d'épreuves en si peu de temps ont sûrement de quoi fatiguer n'importe qui.

Gaël acquiesça du regard, avec un léger sourire. La présence de son épouse apaisait déjà sa tension. Il se leva et la rejoignit. Il prit ses deux mains et les serra dans les siennes.

— Ça va aller, lui répondit-il. Je ne crois pas que cela ait été plus facile pour toi.

Leur regard intense leur redonna du courage à chacun. Un support inconditionnel l'un pour l'autre, quoi qu'il arrive.

— Je dois me changer avant que l'inspecteur ne revienne. Madame Landrie va s'occuper d'envoyer mon habit chez le nettoyeur.

— D'accord, lui répondit-elle en regardant les taches de sang sur sa veste. Je vais aller m'asseoir en t'attendant.

Gaël prit le complet. À ce moment, le téléphone sonna.

— Ici Gaël Lauzié.

Son visage devint songeur. Jeanne le fixa attentivement, observant sa réaction. Un court silence suivit.

— Merci beaucoup de votre appel, Daniel. Je l'apprécie énormément. Et comment va Joshua maintenant ?

Gaël écouta silencieusement son interlocuteur, le père de Joshua. Il regarda son épouse sans mot dire pendant un court moment. Jeanne ne put lire dans ses yeux tellement il était attentif aux propos de Daniel.

— Joshua est entre bonnes mains, répondit-il. Il faut garder confiance. Il est jeune et il va s'en sortir. Si vous avez besoin de quoi que ce soit, n'hésitez pas et appelez-moi... Non, l'agresseur n'a pas été retrouvé. Les fouilles se poursuivent toujours à l'intérieur et à l'extérieur du Centre... D'accord... Merci encore de m'avoir appelé, Daniel.

Il raccrocha et regarda son épouse, qui attendait impatiemment qu'il lui communique les dernières informations.

— C'était le père de Joshua. Le petit est présentement en salle de chirurgie. Il a un poumon perforé et une artère partiellement sectionnée. Il a perdu beaucoup de sang.

— Va-t-il s'en sortir ? demanda Jeanne avec une vive inquiétude.

— Pour le moment, son état est toujours instable, selon les propos de son père. Il a reçu plusieurs transfusions de sang. Daniel m'a dit que, selon le médecin, si le poignard avait sectionné complètement l'artère, il serait mort à l'heure actuelle.

Ils étaient effarés devant cet incident tellement ahurissant à leurs yeux. Le préposé était toujours dans une condition précaire, ce qui ajoutait à leur inquiétude.

— Quel choc pour les parents…, déplora Jeanne.

— Daniel m'a aussi donné des nouvelles de Jacques. Il a parlé avec son épouse tantôt. Jacques a repris conscience et sa condition est stable. J'en ferai part à l'inspecteur lorsqu'il sera ici.

— Au moins une nouvelle un peu plus encourageante…

— Oui ! Et j'ai bien hâte de connaître sa version des faits. Cela pourrait confirmer ce que tu as vu.

Le téléphone sonna à nouveau.

— Ici Gaël Lauzié… Bien. Faites-le entrer, Madame. Merci.

L'inspecteur Lang apparut aussitôt dans son bureau.

— Bonjour, Monsieur Lauzié. Puis-je prendre de votre temps afin de poursuivre mon enquête ?

— Oui, bien sûr, monsieur l'Inspecteur. Je vous présente mon épouse, Jeanne Savoit. Nous sommes prêts.

L'inspecteur s'avança vers elle. Elle se leva aussitôt et serra la main tendue par le policier.

— Bonjour, Madame Savoit. Je vous remercie d'être venue aussi rapidement.

— Si je peux vous aider, j'en serai bien contente.

— Avant tout, interrompit Gaël, permettez-moi, inspecteur, de vous laisser seul quelques minutes avec mon épouse. Je me sentirais plus à l'aise si je pouvais me changer d'habit. Mon épouse m'en a apporté un autre.

— Je vous en prie, je vais vous attendre ici. Si Madame n'a pas d'objection…, poursuivit-il en regardant Jeanne.

— Bien sûr que non, répondit-elle simplement.

— Ah oui, dit Gaël. Il y a du nouveau au sujet des victimes. Je viens tout juste de parler avec le père de Joshua. Son fils est en salle d'opération et Jacques a repris conscience, selon les dernières nouvelles. J'ai hâte de connaître la version des faits de Jacques.

— Dès que je vous aurai interrogés, je vais me rendre à l'hôpital pour le questionner.

— Je vous laisse, je reviens tout de suite.

— D'accord, répondit le policier.

Gaël sortit du bureau et se dirigea vers la salle de bain. L'inspecteur observa silencieusement pendant un court moment la décoration des lieux. Il se tourna vers Jeanne.

— Votre époux a un bureau splendide.

— Oui, se contenta-t-elle de répondre.

— Madame Lauzié… Depuis combien de temps votre époux occupe-t-il ce poste ?

Jeanne regarda l'officier. Un moment de silence suivit. L'agent devina la raison de ce silence.

— Oh ! Ne vous inquiétez pas, Madame Lauzié ! Ce n'est pas relié au processus de l'enquête ! Je veux juste meubler le silence. J'attendrai votre époux pour commencer officiellement l'interrogatoire.

— Il est certain que je serai plus à l'aise en présence de mon époux, répondit-elle. Cependant, ce n'est pas une question indiscrète que vous me posez. Je me sens bien à l'aise de vous répondre.

L'officier lui rendit son sourire. Il remarqua la particularité de son regard. Un regard à la fois analytique et pénétrant. Un regard qui inspirait des sentiments partagés et qui donnait l'impression qu'elle pouvait lire dans les pensées des autres.

« J'ai l'impression qu'elle peut voir l'âme des gens, pensa-t-il. Si elle a vécu des expériences parapsychologiques, je n'en doute pas ».

Son flair de détective lui disait déjà qu'elle n'avait rien à voir avec les agressions. Il se sentait en confiance avec elle. Elle pourrait même lui être d'une grande utilité en lui décrivant les transes qu'elle avait vécues, selon son époux.

— En réalité, Monsieur Lang, dit Jeanne, interrompant le policier dans ses réflexions, mon époux n'occupe ce bureau que depuis ce matin. Il a été nommé à ce poste il y a trois semaines seulement. L'ancien PDG est décédé à la suite d'un infarctus.

— Oh ! Je vois. C'est un début assez brutal pour votre époux.

— Brutal, difficile et effroyable selon moi.

— En effet.

L'inspecteur tourna son regard vers la baie vitrée. Il s'en approcha et admira le panorama qui s'offrait à ses yeux.

— Quelle vue magnifique !

— Gaël m'avait dit un jour, commenta-t-elle, qu'il avait toujours aimé ce bureau pour la beauté de ce paysage qui s'offrait à ses yeux. Un panorama très apaisant.

— Surtout en ce début de ce printemps. Un vrai délice visuel !

Gaël fit alors son entrée dans le bureau. Il avait déjà meilleure mine et se sentait plus confortable dans un complet frais. Il désigna la table de travail pour inviter l'inspecteur et son épouse à s'y asseoir.

— Nous serons plus à l'aise pour discuter, expliqua-t-il.

Tous s'y installèrent. L'inspecteur sortit de sa pochette de chemise un carnet et un stylo.

— Je crois que nous sommes prêts, dit-il. Permettez-moi de prendre quelques notes au fur et à mesure que se déroulera notre entretien.

— Vous pouvez y aller, répondit Gaël.

— Commençons d'abord au tout début. Il est évident que quelqu'un essaie de vous intimider, Monsieur Lauzié. Voire même de menacer votre vie. Avant d'obtenir ce poste, avez-vous déjà reçu une quelconque menace dans le passé ?

— Non, je n'ai reçu aucune menace, ni écrite ni verbale, de qui que ce soit.

— Parmi le personnel de cet établissement, étiez-vous le seul à poser votre candidature pour ce poste de PDG ?

— Je ne sais pas s'il y avait beaucoup de candidats pour ce poste. Monsieur Édouard Baske pourrait vous en informer, c'est le président du conseil d'administration du Centre. Si vous le désirez, ma secrétaire pourra vous donner ses coordonnées afin que vous puissiez le contacter.

— Bien… Comme ça, personne, dites-vous…

— Je n'ai pas dit ça. Je ne sais pas s'il y avait beaucoup de candidats. Néanmoins, je sais qu'un confrère de travail avait posé sa candidature. C'est le seul que je connaisse.

— Donnez-moi son nom, s'il vous plaît.

— Il s'appelle Phylippe Goudaist. C'est le directeur de la faculté de droit. Je sais qu'il était très déçu de ne pas avoir obtenu le poste. Ce qui est tout à fait normal. J'aurais été déçu moi aussi si je ne l'avais pas obtenu.

— Alors, aucune menace écrite ou verbale… Avez-vous déjà eu des conflits avec certains membres du personnel ?

— Des conflits… Plus ou moins… Rien d'anormal. J'étais précédemment directeur de la faculté des sciences administratives, avant d'obtenir le poste de PDG. On ne peut pas plaire à tout le monde, vous savez. Qu'il s'agisse des employés, des autres directeurs ou chefs de service. On me dit très exigeant. J'aime que tout soit bien fait.

— Et avec ce Monsieur Phylippe Goudaist ?

— Nous avons souvent eu des différends dans le passé mais rien, je pense, qui pourrait en faire un suspect selon moi.

— Laissez-moi décider qui doit être ou pas sur ma liste des suspects, Monsieur Lauzié. Je dois l'interroger le plus tôt possible.

— Comme vous le voulez, inspecteur.

L'inspecteur griffonna quelques notes dans son carnet.

— Avez-vous des doutes au sujet de certains membres du personnel ? Des indices qui vous permettraient de penser que quelqu'un parmi eux pourrait vous en vouloir ?

— Non. Absolument pas. Pas à ce point.

— Prenez le temps d'y repenser plus tard. On ne sait jamais.

— D'accord.

— Une agression quelconque dans le passé ?

— Pardon ? répliqua Gaël, surpris par cette question inattendue.

— Avez-vous subi une agression quelconque dans le passé ? reprit le policier.

Un silence suivit. Gaël regarda subrepticement son épouse qui ne dit mot.

— Je n'ai jamais été agressé par un employé du Centre.

Le bref regard de Gaël à son épouse n'avait pas échappé au policier expérimenté.

— Pas par un employé du Centre, poursuivit le policier. Mais par qui ?

— Rien ne vous échappe à ce que je vois, dit Gaël.

— Non, Monsieur Lauzié. J'ai vingt ans d'expérience en criminologie. J'ai appris à lire la moindre émotion chez autrui. Le moindre silence et le moindre regard de quiconque avec qui je m'entretiens m'en disent beaucoup.

— En effet… J'ai subi une agression par le passé. Cela date d'il y a très longtemps. Mais cela n'a rien à voir avec ma vie professionnelle. Il y a de cela si longtemps…

L'inspecteur nota une vive émotion dans les propos de Gaël.

— Je suis désolé que cela vous soit pénible. Cependant, je dois savoir malgré tout, Monsieur Lauzié.

Jeanne posa sa main sur le bras de son époux. Celui-ci inspira profondément avant de poursuivre. Il regarda l'inspecteur dans les yeux.

— J'avais neuf ans lorsque ma sœur Émilie est décédée accidentellement. Elle s'est noyée dans la rivière qui passe derrière la maison de mes parents. Elle avait alors sept ans.

— Je suis désolé, répondit l'officier, attristé.

— Ce fut une épreuve très lourde pour toute la famille. Mon père n'a jamais pu s'en remettre. Il n'a pas pu accepter cette perte. Il est devenu dépressif. Il avait souvent des sautes d'humeur.

Gaël regarda son épouse. Elle le regarda avec tendresse. Sa présence lui donnait du courage pour continuer.

— Ce jour-là, ma mère était partie en ville. Il a eu un accès de rage tout à coup devant ma sœur et moi. Il est subitement devenu comme fou. Il nous a attrapés tous les deux. Il s'est jeté sur nous en nous frappant avec tout ce qui lui tombait sous la main.

— Cela a dû être pénible, commenta le policier.

— Très pénible, en effet. Il n'avait plus sa tête. Il ne nous reconnaissait même plus. Il nous accusait d'avoir tué Émilie. Il était devenu irrationnel. Je me souviens encore de son regard. C'était celui d'un aliéné. Il nous a rués de coups. Plus on criait, plus il se déchaînait.

Un silence suivit. La suite était encore plus difficile à raconter pour Gaël.

— Prenez votre temps, Monsieur Lauzié. Je sais que ce n'est jamais facile de raconter ce genre de tragédie.

— J'ai vu ma sœur Solaine perdre conscience, poursuivit Gaël. Il a continué à me frapper en criant. Je me suis aussi évanoui.

— Quelle épreuve…, dit l'agent.

— Oui. Mon père est alors allé chercher son fusil de chasse et il l'a retourné contre lui.

— Il s'est suicidé ?

— Il n'a pas réussi son coup. Lorsque ma mère est revenue à la maison, ce fut un choc pour elle de voir ce carnage. Elle a pensé que nous avions été attaqués tous les trois.

— Je peux imaginer le choc de votre mère.

— Imaginez alors le choc lorsqu'elle a su que c'était mon père le responsable.

— En effet, répondit l'agent.

— Ma sœur et moi, nous avons repris conscience à l'hôpital. Mon père a été conduit à la salle d'opération car il avait perdu beaucoup de sang. La balle avait frôlé son cœur et elle s'était logée dans un poumon. Il a perdu la mémoire de ce qui s'était passé. Il a perdu la mémoire de tout, il est devenu amnésique. Il ne nous a jamais reconnus par la suite. Il est resté psychotique et agressif.

— Est-il encore vivant ? demanda le policier.

— Oui, mais il est interné depuis. Il a reçu des séries d'électrochocs et a été traité à l'aide de médicaments. Rien n'a réussi à la faire sortir de son état. Le psychiatre nous a dit qu'il ne sortirait jamais de sa psychose.

— Il y est depuis combien de temps ?

— Cela fait trente-trois ans qu'il vit dans cet asile. Nous avons fini par rompre tout contact avec lui. Nous avons tous préféré oublier.

— Quel drame…, dit l'officier. Je suis désolé.

L'inspecteur Lang ne jugea pas nécessaire de prendre des notes concernant cette malheureuse histoire. L'émetteur radio grésilla et une voix appela son nom. Il sortit l'émetteur de son étui.

— Ici l'inspecteur Lang.

— Nous avons terminé l'analyse de la lettre, répondit la voix dans l'émetteur. Un de nos policiers est en route vers le Centre pour vous la rapporter.

— Merci, répondit-il.

Il remit l'émetteur dans son étui et se tourna vers Gaël.

— Nous étudierons le contenu de cette lettre avec vous tantôt.

— D'accord, se contenta-t-il de répondre.

L'officier se tourna cette fois vers Jeanne.

— Madame Lauzié, puis-je poursuivre avec vous ?

— Allez-y.

— Votre époux m'a dit que vous aviez vécu des expériences parapsychologiques. Êtes-vous médium ?

— Je ne pense pas… Je ne sais pas… J'ai toujours eu des espèces de prémonitions ou, plutôt, je savais que des événements allaient survenir, mais jamais rien de précis.

— Et les transes que vous avez vécues ?

— C'est tout nouveau. Je n'avais jamais éprouvé ce genre d'expérience. Cela m'effraie au plus haut point.

L'officier pouvait remarquer cette anxiété dans ses gestes et dans le ton de sa voix. Il ne douta pas de sa sincérité.

— J'aimerais que vous me racontiez depuis le tout début les expériences que vous avez vécues. Prenez votre temps pour m'expliquer.

Jeanne commença alors avec la scène où elle avait vu l'inconnu qui ramassait des mèches de cheveux. Ensuite, la prise de l'empreinte de la clé, puis la vision concernant les deux lettres. L'officier l'interrompit à ce moment.

— Deux lettres ? demanda-t-il.

— J'en ai reçu une ce matin dans le courrier de la journée, dit Gaël. Attendez, je vais aller la chercher, je l'ai conservée dans le tiroir de mon bureau.

Gaël se leva et se dirigea vers son bureau. Il alla la chercher et la remit à l'inspecteur qui en fit la lecture.

— Je vais la conserver, Monsieur Lauzié. Nous pourrons la comparer avec l'autre lorsque je l'aurai reçue.

— Pas de problème. Vous pouvez la garder.

— Vous pouvez continuer, Madame Lauzié, poursuivit-il.

Jeanne continua son récit en racontant la scène où l'inconnu avait éparpillé les mèches de cheveux sur le bureau de Gaël. Celui-ci remit au policier le sac qui contenait les mèches.

— Je les ai trouvées sur mon bureau lorsque je suis revenu d'une réunion, précisa Gaël. J'avais pourtant pris bien soin de fermer à clé les portes de mon bureau avant de sortir.

— C'est invraisemblable, commenta le policier. Il a dû utiliser le double de la clé qu'il s'est fait faire.

Jeanne poursuivit. Elle raconta comment elle avait vu l'agression de Joshua se produire dans le local de l'entretien et son impression que l'individu avait heurté quelqu'un en sortant du local.

— Quelle histoire, Madame Lauzié ! dit l'agent Lang. Tout cela a dû être pénible pour vous, d'assister à ces scènes sans pouvoir réagir.

— Pénible, c'est peu dire…, répondit-elle. Ce qui m'inquiète le plus, c'est que je ne sais pas d'avance quand une transe va se produire. Cela peut arriver à tout moment. C'est une source d'angoisse continuelle.

— J'apprécierais que vous me teniez au courant si vous revivez une autre transe. Je vous laisse mes coordonnées. Voici ma carte professionnelle. Je vous en donne une à vous aussi, Monsieur Lauzié. Vous pouvez me rejoindre sur mon téléavertisseur au besoin. Vous n'avez qu'à laisser le numéro de téléphone où je peux vous rejoindre et je vous rappelle dans les plus brefs délais.

Il leur tendit à chacun une carte. Gaël alla la déposer sur son bureau et Jeanne rangea la sienne dans son sac à main. On frappa à la porte. Gaël alla ouvrir. Il fit un signe de tête et recula. Un policier entra. L'inspecteur Lang se leva aussitôt et se dirigea vers l'agent de la paix.

— Je dois vous remettre cette enveloppe, dit celui-ci.

— Y a-t-il autre chose ?

— Non, Monsieur.

— Merci. Vous pouvez y aller.

Le policier salua l'inspecteur et repartit illico.

— Voyons maintenant ce qui est écrit dans cette lettre…, dit l'officier.

Il ouvrit l'enveloppe et en retira une enveloppe plus petite. Gaël reconnut celle qui se trouvait sur le plancher du local où avaient eu lieu les agressions. L'inspecteur en sortit une lettre. Il la déplia et la parcourut des yeux pour ensuite la remettre à Gaël et Jeanne. Ils en firent la lecture à leur tour.

Cher PDG,

Quel plaisir de t'écrire à nouveau !

Je n'aurai de répit que lorsque ma vengeance sera accomplie…

Ton enfer ne fait que continuer…

La calligraphie était la même que dans le premier message. Des lettres à demi formées, à peine lisibles par endroits et encore une fois toutes penchées vers la gauche. Un stylo de couleur rouge avait de nouveau été utilisé.

Gaël regarda l'inspecteur, ne sachant plus quoi dire.

— Cela provient du même individu, commenta le policier en comparant les deux missives.

— Mais que peut-on faire ? questionna Gaël. Cet individu peut recommencer à tout moment. J'ai peur qu'il y ait d'autres victimes.

— Nous allons devoir surveiller le Centre pendant quelque temps. Il nous faut retrouver ce désaxé avant qu'une autre attaque ait lieu. J'ai bien peur qu'il ne s'arrête pas avant qu'on ne l'attrape.

Gaël et Jeanne se regardèrent. Ils étaient visiblement inquiets. Le policier pouvait lire dans leurs regards toute l'inquiétude qu'ils ressentaient.

— Nous ferons tout ce qui est en notre pouvoir pour retracer cet énergumène, dit le policier.

❧

L'individu qui se terrait dans la remise bougea. Il se déplaça lentement vers la tondeuse à gazon. Il attrapa le contenant rouge et en dévissa le couvercle. Il vérifia son contenu. Il était encore plein d'essence.

❧

L'agent se préparait à sortir lorsque Jeanne se mit à crier.

— Non !! Ça revient !! Il revient !!

Le policier et Gaël se retournèrent aussitôt vers elle. Celle-ci, toujours assise à la table, se figea. Ses yeux se fermèrent. Gaël accourut vers son épouse.

— Jeanne! Jeanne!

Celle-ci ne répondit pas à son appel. Sa respiration devint plus rapide. Ses yeux restèrent fermés. Il était évident qu'elle allait subir une autre transe. Gaël se sentait impuissant. Il prit place à côté d'elle et appuya sa tête sur son épaule. L'inspecteur s'installa à côté d'eux, tout aussi impuissant que Gaël devant la situation. Ils ne pouvaient tous les deux qu'attendre qu'elle reprenne conscience. Une attente qui allait probablement s'avérer interminable, poussant ainsi à son paroxysme l'inquiétude que Gaël ressentait pour son épouse.

— Il est sûrement dans les parages, dit Gaël en fixant le policier. Je n'en serais pas surpris. Jeanne doit voir ce qu'il a l'intention de faire.

— Je vais alerter l'escouade et leur demander de redoubler de vigilance. Je vais aussi faire placer quelques policiers aux environs de votre bureau. Je reviens dans quelques minutes.

— D'accord, ne put que répondre Gaël.

L'agent se leva et sortit rapidement. Gaël ne pouvait que rester auprès de son épouse. Celle-ci était toujours immobile, les yeux fermés. Sa respiration était plus régulière. Il espéra qu'il n'y ait pas de victime cette fois-ci.

— Le repas est prêt, les enfants, cria Madame Émilienne. Venez vite avant que ça refroidisse !

Ceux-ci accoururent à l'instant. Ils avaient tous les deux très faim.

— Merci, Madame Émilienne, dirent en chœur les enfants en s'installant à la table.

— De rien, mes amours, répondit celle-ci.

L'inconnu sortit avec précaution de la remise. Il s'avança prudemment vers la maison, le bidon d'essence dans une main…

Chapitre 12

LORSQUE JEANNE PUT ENFIN DISCERNER le lieu où elle se trouvait à travers le brouillard qui se dissipait lentement, elle fut estomaquée de reconnaître l'endroit. Elle refusa de croire ce que ses yeux lui faisaient voir.

« Non ! Ce n'est pas vrai ! s'écria-t-elle, sidérée. Ça ne se peut pas ! Il est chez moi, dans la cour arrière ! »

Jeanne se vit avancer lentement vers le patio rattaché à la maison. Son regard scrutait les fenêtres à chacun de ses pas. Aucun mouvement n'était visible parmi les membres de la maisonnée. Jeanne pouvait sentir les palpitations de son cœur tellement son angoisse était forte. Lorsque l'inconnu fut arrivé près du patio, il resta accroupi. Le patio était surélevé d'un mètre. Il était facile pour lui de rester invisible aux yeux d'une personne regardant de la maison. En se relevant juste un peu, il pouvait facilement surveiller discrètement les fenêtres. Après une attente qui lui parut interminable, l'individu souleva un contenant. Jeanne fut horrifiée en voyant le bidon d'essence. Elle le reconnut aussitôt.

« Non ! Pas ça ! Mes enfants ! »

Jeanne crut défaillir en voyant les jets d'essence voler ici et là sur le plancher du patio. Elle eut beau essayer de se débattre autant qu'elle le pouvait, rien ne lui permit de se libérer de son emprise. Tout comme lors de ses dernières transes, elle demeurait toujours et encore prisonnière de ce corps. Son anxiété s'éleva à un niveau disproportionné.

« Ma vie en échange pour sauver mes enfants ! s'écria-t-elle dans un douloureux hoquet de sanglots. »

✿

Gaël vit son épouse bouger un peu la tête de gauche à droite. Il crut pendant un court moment qu'elle sortait de sa transe, mais ce ne fut pas le cas. Il posa avec précaution une main sur la sienne. Il ne pouvait rien faire de plus. Il se sentait tellement impuissant. Jeanne grimaça vaguement, ses yeux se plissèrent légèrement.

« Il se passe à coup sûr quelque chose de grave, se dit Gaël. J'en suis persuadé. Et c'est sûrement quelque chose de pénible pour qu'elle remue de cette façon. »

✿

— C'est délicieux, Madame Émilienne, dit Mya.

— C'est votre maman qui a tout préparé. Je n'ai pas de mérite, répondit celle-ci avec sa tendresse habituelle.

— Merci quand même, commenta Phélix-Olivier entre deux bouchées.

La gardienne sourit aux deux enfants. Le repas se poursuivit tranquillement. Tout à coup, Mya ressentit à nouveau l'impression qu'elle avait perçue plus tôt lorsqu'elle terminait ses devoirs dans sa chambre. Elle s'arrêta brusquement de manger et déposa sa cuillère sur la table. La gardienne la remarqua. Mya la regardait avec un regard étrange.

— Qu'est-ce qu'il y a qui ne va pas ? demanda Émilienne.

— Je ne sais pas, répondit péniblement la fillette. J'ai comme l'impression que quelque chose va arriver.

— Comment ça ? demanda la gardienne, perplexe.

— Je ne sais pas…, répondit-elle de nouveau. C'est bizarre ce que je ressens… Je ne peux pas vous le décrire.

Cette impression tout à fait nouvelle pour elle la rendait nerveuse. Elle ne comprenait pas pourquoi elle ressentait, ou plutôt, percevait qu'il allait arriver quelque chose. Tout à coup, une odeur de fumée pénétra dans ses narines.

— Ça sent la fumée ! s'écria-t-elle en se levant subitement de table.

La gardienne et Phélix-Olivier furent surpris par sa soudaine réaction. Le frérot alla se blottir contre sa gardienne sur le coup.

— Mais non, Mya, répondit-elle calmement à l'aînée. Je ne sens rien.

— Moi non plus, répondit Phélix-Olivier, le regard inquiet, tout en restant collé contre celle-ci.

— Non ! dit Mya avec vigueur. Ça sent de plus en plus la fumée !

Mya se rendit à la cuisinette pour vérifier si la fumée provenait d'une casserole laissée inopinément sur le feu. Rien ne traînait sur la cuisinière. Aucune fumée n'était visible autour d'elle. Néanmoins, elle sentait de plus en plus cette odeur. La gardienne arriva près d'elle, suivie du frérot. Elle remarqua l'état de panique de Mya. La réaction de celle-ci était tout à fait inhabituelle. Émilienne dut faire un effort pour ne pas laisser paraître devant les enfants une inquiétude grandissante.

— Du calme, voyons, ma belle. Ça ne sent pas la fumée. Rien ne brûle.

— Ce n'est pas normal, répondit-elle nerveusement. Ça me fait peur.

Tout à coup, elle se sentit attirée vers la pièce d'à côté, la salle de bain, construite expressément pour se rendre à la piscine extérieure, à proximité du patio. Elle fixa la pièce et s'y dirigea lentement. La gardienne, surprise du comportement inhabituel de la fillette, la suivit sans mot dire, escortée par Phélix-Olivier, tout apeuré. Mya pénétra dans la pièce et alla vers la porte vitrée coulissante qui ouvrait sur le patio. Un étrange sentiment envahit la gardienne, qui la surveillait. Sa conduite aviva encore plus son inquiétude face à cette situation tout à fait inhabituelle. Le regard de Mya fixait la porte vitrée. Elle était persuadée qu'il se passait quelque chose d'anormal à l'extérieur. Elle le ressentait puissamment dans son for intérieur. Lorsqu'elle s'approcha de la porte vitrée, elle le vit. Un individu tout de noir vêtu, penché devant le patio, achevant d'en asperger le seuil avec de l'essence. Il s'arrêta brusquement en voyant la fillette suivie aussitôt de la gardienne et du petit frère.

Tous les trois, figés sur le coup, prirent quelques interminables secondes à réagir. Ce n'est que lorsque l'individu bougea qu'ils prirent conscience de ce qui allait se produire.

— Venez avec moi, les enfants! appela Émilienne en les prenant par la main. Il faut aller appeler les policiers immédiatement!

Tous les trois, la peur dans l'âme, se précipitèrent dans la cuisinette. Madame Émilienne se rua sur le téléphone et composa nerveusement le 911.

— Ici le service 911, répondit une voix féminine. Comment puis-je vous aider?

— Faites venir les policiers immédiatement! Il y a quelqu'un qui asperge d'essence le perron derrière la maison!

Tout à coup, la gardienne vit par la fenêtre une flamme qui montait. L'individu avait mis le feu au patio. Elle entrevit une ombre noire qui prenait la fuite par la cour arrière.

— Le patio est en feu! s'écria-t-elle. Faites venir les pompiers!

— Sortez immédiatement de la maison, ordonna la voix. Les secours arrivent.

— Je suis la gardienne. Nous allons nous rendre chez moi. J'habite en face.

— Sortez de la maison, ordonna la voix.

Phélix-Olivier se mit à pleurer, ne sachant plus ce qui se passait autour de lui. Mya, encore sous le choc d'avoir vu cet inconnu tout de noir vêtu, ne savait plus, elle non plus, comment réagir.

— Venez avec moi, mes amours. Sortons de la maison immédiatement.

Elle les prit par la main et les dirigea prestement vers le vestibule afin de prendre leur manteau dans la penderie. Elle attrapa en même temps le petit carnet d'adresses qui reposait sur le secrétaire. Tout en enfilant leurs vêtements, ils sortirent prestement de la maison et se dirigèrent d'un pas rapide vers l'autre côté de la rue.

— Je veux maman, dit Phélix-Olivier en pleurant.

— Nous allons appeler ton papa et ta maman, répondit Madame Émilienne. Rendons-nous chez moi pour les rejoindre.

Tout en traversant la rue, elle prit soin de bien regarder autour d'eux afin de vérifier si l'inconnu aperçu plus tôt derrière la demeure rôdait encore dans les environs. La rue était très calme. Aucun mouvement suspect. La demeure d'Émilienne était presque en face de celle des Lauzié. En un instant, ils furent arrivés. Elle glissa la clé rapidement dans la serrure et ouvrit la porte sans tarder. Tous se précipitèrent à l'intérieur. De peur que l'inconnu l'ait surveillée et ait l'intention de pénétrer chez elle, elle prit soin de refermer la porte sur-le-champ et de la barrer à double tour.

— J'ai peur… Je veux ma maman, dit encore le benjamin en pleurant.

Il tremblait de tous ses membres. Mya le serra contre elle instinctivement. Elle réalisa qu'elle tremblait autant que son petit frère. La dame put lire l'affolement dans leurs yeux.

— N'ayez plus peur, mes amours, vous êtes en sécurité ici avec moi. Les policiers et les pompiers arrivent. J'appelle tout de suite vos parents. Ils vont être ici dans peu de temps.

Elle les serra tous les deux dans ses bras pour les rassurer et leur donner du courage. Elle les relâcha pour prendre le petit carnet d'adresses qu'elle avait glissé dans la poche de son manteau. Elle trouva le numéro de Gaël à son bureau. Elle le composa et perçut le timbre sonore au bout du fil. Elle jeta un coup d'œil en même temps par la fenêtre adjacente à la porte d'entrée et vit une fumée dense s'élever derrière la maison qu'ils venaient de quitter. Au même instant, la sirène du camion de pompier se fit entendre, suivie presque aussitôt de celle de la voiture des policiers, à son grand soulagement.

✿

Jeanne, toujours sous l'emprise de son état cataleptique, avait vu elle aussi ses enfants et Madame Émilienne muets de stupeur devant la porte vitrée.

« Allez-vous-en… ! implora-t-elle. Je vous en prie ! Sauvez-vous ! »

Elle les vit avec un grand soulagement disparaître et se sauver précipitamment. L'inconnu continua d'asperger le patio et le contenant rouge vola sur les marches dès qu'il fut vidé de son contenu. Une boîte d'allumettes apparut dans ses mains. Le patio s'enflamma peu après. Aussitôt, la flamme émit une lumière éblouissante. Autour de Jeanne, tout s'assombrit graduellement, laissant place peu à peu à une noirceur totale.

Jeanne réagit brusquement en se projetant vers l'avant dans un hoquet de frayeur. Gaël, assis tout près d'elle, sursauta violemment.

— Jeanne ! Jeanne ! appela-t-il.

Il fallut un moment avant qu'elle puisse se retrouver dans le lieu et le temps présents. Dès qu'elle eut repris ses sens, elle se tourna brusquement vers son époux. Son regard affolé inquiéta vivement Gaël.

— Qu'est-ce qui se...

— Oh, Gaël ! interrompit Jeanne. Il est chez nous ! Il a mis le feu ! Il faut y aller !

Elle se leva précipitamment. Gaël l'imita et ils se dirigèrent vers la porte. Aussitôt celle-ci ouverte, ils sursautèrent en apercevant l'inspecteur Lang qui leur faisait face.

— Qu'y a-t-il ? leur demanda-t-il en les voyant tous les deux affolés.

— L'individu qu'on recherche est chez nous, répondit Gaël. Il a mis le feu à la maison. Il faut y aller, nos enfants sont là avec la gardienne !

— Venez avec moi, répondit le policier. Je vais vous y conduire. Nous arriverons plus rapidement.

— Je vais demander à Rosemarie d'appeler le 911 pour les secours.

Il n'y avait personne au secrétariat. Gaël se rua sur le téléphone de Rosemarie et composa le 911. Il donna avec empressement les coordonnées pour faire acheminer du secours.

— Nous avons déjà reçu un appel de votre demeure, Monsieur. Je vois que les pompiers et les forces policières sont déjà en route.

— Ça doit être la gardienne qui a fait l'appel, répondit Gaël. Je m'y rends sur-le-champ. Merci.

Il raccrocha prestement. Sans mot dire, ils se dirigèrent tous à la hâte vers l'extérieur du Centre. Le téléphone au bureau de Gaël se mit à sonner. C'était l'appel de Madame Émilienne. Il n'y avait personne pour lui répondre, personne non plus dans l'aire administrative.

***

Émilienne raccrocha à contrecœur. Elle se tourna vers les enfants.

— Votre papa ne répond pas. Je vais essayer de nouveau dans quelques minutes.

Elle se pencha vers eux et les prit dans ses bras. Elle sentit leurs petits corps qui tremblaient toujours. Elle se voulut rassurante.

— Vous êtes en sécurité ici avec moi, mes amours. Personne ne vous fera de mal.

❦

L'inspecteur Lang, Jeanne et Gaël sortirent en courant du Centre et se précipitèrent vers la voiture du policier. Ils prirent la route en vitesse, les gyrophares allumés. La circulation était fluide en cette fin d'après-midi, ce qui facilita la tâche du policier et leur permit d'arriver dans le quartier où ils résidaient en peu de temps. Malgré tout, le trajet parut interminable à Jeanne et Gaël. Au détour de la rue menant à leur domicile, ils virent le camion de pompier et la voiture de police en face de leur demeure. Une fumée légère flottait au ras du sol autour de la maison, atteignant celles des voisins et se répandant même jusque dans les rues avoisinantes. Leur voiture était à peine arrêtée que Gaël et Jeanne avaient déjà ouvert leur portière de chaque côté du véhicule. Ils sortirent de l'auto en trombe et se précipitèrent vers leur résidence. Deux policiers qui faisaient circuler les passants et les curieux les empêchèrent d'aller plus loin.

— Mes enfants ! Où sont-ils ? cria Gaël presque à tue-tête. Nous sommes leurs parents !

— Ils sont en sécurité, Monsieur. Ils sont chez votre voisine d'en face.

Oubliant leur demeure, ils abandonnèrent les policiers et s'empressèrent d'aller chez leur voisine. La vie de leurs enfants leur importait plus que toute autre chose au monde. Ils entrèrent en coup de vent dans la maison.

— Mya ! Phélix-Olivier ! cria leur mère avec force.

Les enfants reconnurent immédiatement la voix de leur mère. Ils quittèrent sur le coup leur gardienne et se précipitèrent vers l'entrée de la maison.

— Maman ! Papa ! dirent-ils en chœur en voyant leurs parents.

Ils se précipitèrent dans leurs bras. Tous les quatre étaient soulagés d'être enfin réunis. Jeanne et Gaël remercièrent le destin d'avoir préservé leurs enfants. Maintenant que leurs parents étaient enfin présents, leur peur s'était subitement envolée. Emportés dans un élan de surexcitation, Mya et Phélix-Olivier décrivirent l'individu vêtu de noir qu'ils avaient vu derrière la maison. Les parents eurent de la difficulté à les comprendre et à les suivre dans leurs explications tellement ils parlaient vite et en même temps. Ils se contentèrent de les écouter, tout émus de les avoir tout près d'eux sains et saufs.

Madame Émilienne, qui était restée en retrait, fut émue de les voir réunis. Gaël remarqua la présence de la dame et lui sourit.

— Merci beaucoup, Madame Richardson, lui dit-il, reconnaissant. Merci de les avoir protégés.

— Je vous en prie. Je les ai rassurés du mieux que j'ai pu.

Au même instant, le son du carillon retentit. Madame Émilienne se dirigea vers la porte d'entrée et l'ouvrit, laissant apparaître l'inspecteur Lang.

— Bonjour, Madame. Je suis l'inspecteur Gary Lang. Puis-je entrer ?

La dame acquiesça du regard. Elle recula pour le laisser entrer. Jeanne et Gaël se retournèrent vers le policier qui s'avança vers eux.

— Le feu a été circonscrit. Grâce à la rapidité de leur réponse, les pompiers ont pu arriver à temps et éteindre le feu avant qu'il ait atteint l'intérieur des murs de la maison.

— Quel soulagement ! répondit Gaël.

— Les dommages ne sont qu'extérieurs, poursuivit le policier. Cependant, je dois vous dire que le patio est complètement détruit et que le mur extérieur de ce côté est en piteux état.

— Est-ce que l'intérieur de la maison sent la fumée ? demanda Jeanne.

— Non, Madame. Les pompiers ont fait une vérification intérieure et vous pouvez reprendre votre demeure sans problème.

— Maman…, dit Mya. J'avais senti de la fumée dans la maison avant de voir le monsieur devant le patio. Madame Émilienne et Phélix-Olivier ne l'avaient même pas sentie.

— Comment cela ? demanda Jeanne, perplexe.

— Et même, j'ai eu l'impression que quelqu'un dehors nous avait surveillés, ajouta la fillette.

Ne comprenant pas les propos de leur fille, Gaël et Jeanne se tournèrent vers Madame Émilienne.

— Je ne sais quoi vous répondre, dit-elle. Elle a senti de la fumée lorsque nous étions à table. Pourtant, je ne sentais rien du tout et elle a persisté à dire qu'elle la sentait. Et tout à coup, elle s'est levée pour aller à la cuisine et ensuite vers la porte menant au patio. Sa réaction était très singulière et étrange. Cela m'a fort surprise.

Gaël et Jeanne se tournèrent vers leur fille et lui demandèrent de mieux expliquer ce qu'elle venait de leur dire. Mya leur raconta alors l'étrange impression qu'elle avait ressentie lorsqu'elle faisait ses devoirs dans sa chambre. Et lors du repas, la fumée qu'elle avait soudainement sentie. Et, finalement, cette attirance vers la porte qui donnait sur le patio, pour découvrir l'individu qui l'aspergeait d'essence. Jeanne et Gaël étaient de plus en plus abasourdis au fur et à mesure que leur fille expliquait tout cela. Ils se regardèrent, incrédules et muets de stupeur. Ils tournèrent leur regard vers le policier, qui avait compris lui aussi ce qui s'était passé.

— Je vois que votre fille a hérité de votre don, Madame.

Elle ne sut quoi répondre, tellement elle était surprise par ce que sa fille venait de lui décrire. Elle s'approcha d'elle et la prit dans ses bras. Elle ne put s'empêcher de verser une larme.

— Est-ce que tu as vécu quelque chose de semblable avant, ma chouette ? demanda-t-elle.

— Non, maman. C'est la première fois. J'ai pas aimé ça du tout.

— Je te comprends, ma belle. Je t'expliquerai plus tard ce que c'est, ce genre d'impression. Ça m'arrive parfois à moi aussi.

— Moi, j'ai pas senti de fumée, dit Phélix-Olivier. Mais j'ai vu le monsieur en noir. Il était effrayant !

— Il est parti bien loin, mon grand, répondit Gaël en le serrant contre lui. C'est un vilain joueur de tours.

— Les policiers ont fait une recherche autour de la maison, interrompit l'agent Lang. Aucune trace de l'individu. Il n'est plus dans les parages.

— Il n'y est pas pour le moment, commenta Gaël. Mais je sais qu'il peut sûrement revenir.

— Je vais poster quelques policiers pour surveiller votre demeure et les alentours. Ce sera plus prudent. Mieux vaut ne prendre aucun risque et maintenir une surveillance tant que nous n'aurons pas attrapé cet agresseur. Cela devient de plus en plus sérieux.

— Merci, répondit Gaël, reconnaissant.

Chapitre 13

Deux voitures de police furent rapidement postées près de la maison pour effectuer une surveillance étroite des alentours. De temps à autre, les agents de sécurité se rendaient derrière la maison afin de vérifier l'intérieur de la remise et les parties sombres de la cour pour s'assurer que l'agresseur n'y était pas. Gaël se sentit moins inquiet de quitter sa petite famille pour se rendre au Centre avec l'inspecteur. Gaël avait demandé à y retourner afin de prendre contact avec son supérieur. Des décisions devaient être prises au plus tôt pour assurer la sécurité des étudiants et du personnel.

— Je serai de retour dans une heure ou deux, dit Gaël à son épouse. Je dois rejoindre le président du conseil d'administration pour discuter des procédures à suivre à la suite de ces incidents.

— Je comprends, lui répondit-elle. Avec le périmètre de sécurité, je me sens en confiance. Je n'ai rien à craindre.

— Je suis persuadé que vous serez en sécurité, ajouta l'inspecteur Lang. Néanmoins, je vous recommande de rester vigilante. Si vous observez quoi que ce soit de suspect, contactez aussitôt les patrouilleurs. Je vous laisse le numéro où les joindre au moindre doute.

Jeanne prit en note le numéro que lui donna le policier. Elle se tourna vers son époux et celui-ci la serra dans ses bras quelques instants avant de partir.

— À tantôt, lui dit-elle.

— À tantôt.

Sur ce, l'inspecteur et Gaël se dirigèrent vers la voiture de police et prirent la direction du Centre. Jeanne alla retrouver les enfants dans la salle de séjour. Ils regardaient la télévision. Mya se retourna et sourit à sa mère. Jeanne nota tout à coup un subtil changement dans le regard de sa fille. Quelque chose de nouveau. Elle découvrit ses yeux si pénétrants. Elle réalisa que sa fille avait maintenant le même regard qu'elle.

« Ma douce enfant, se dit-elle. Je me rends compte que tu as hérité de mon sixième sens et ça m'a tout l'air que tu commences tout juste à le percevoir. »

Elle continua à la regarder et lui rendit son sourire. Elle espéra que le sixième sens de sa fille ne soit pas aussi développé que le sien.

De retour au Centre, Gaël ne put rejoindre sa secrétaire, qui semblait s'être volatilisée. Il laissa une note sur son bureau lui demandant de venir le voir dès son retour. Entre-temps, l'inspecteur Lang se rendit dans le secteur de la faculté de droit pour rencontrer Phylippe Goudaist et l'interroger. Peu de temps après, le téléphone sonna dans le bureau de Gaël. Il s'empressa de répondre.

— Ici Gaël Lauzié.

— Que puis-je faire pour vous, Monsieur Lauzié ? demanda Rosemarie.

— Ah ! Vous voilà ! Venez dans mon bureau, s'il vous plaît. J'ai à vous parler.

— D'accord, lui répondit-elle.

Elle raccrocha, et quelques secondes plus tard elle frappait à la porte. Elle l'ouvrit sans que Gaël ait eu le temps de répondre et elle se dirigea prestement vers son bureau. Elle le regarda sans mot dire, le regard inexpressif, comme d'habitude, attendant de savoir ce que son patron lui voulait.

— Je vous cherchais tantôt, Madame Landrie.

— J'étais chez le nettoyeur, lui répondit-elle du tac au tac sans broncher. Je suis allée porter votre complet.

— Ah oui, le complet. Je n'y pensais plus.

— À l'heure où je vais terminer ce soir, je n'aurais pas pu y arriver avant la fermeture.

— Et Laurie ?

— Elle avait rendez-vous chez le dentiste cet après-midi.

— Je n'étais pas au courant de ce rendez-vous.

— C'est un imprévu, poursuivit-elle. Elle s'est brisé une dent en mangeant des noix lors de sa pause cet après-midi. Elle voulait aller la faire réparer immédiatement. Je n'ai pas jugé nécessaire de vous en avertir. Avec tout ce qui vous arrive en ce moment, vous en aviez assez sur les bras.

— Merci beaucoup. J'apprécie. Je vous ai convoquée à mon bureau pour vous demander de joindre Monsieur Baske.

J'ai besoin de savoir ce qu'il pense de tous ces incidents et de la façon dont nous devons y réagir.

— J'en conviens, Monsieur Lauzié. Les journalistes vont sûrement avoir vent de cette histoire. C'est une question de temps. J'ai bien peur qu'ils arrivent ici en cohorte et que ça fasse rapidement la une de tous les médias. Monsieur Baske doit être tenu au courant dans les plus brefs délais avant que cette histoire ne s'ébruite.

— Vous avez raison, Madame Landrie. Je ne pensais pas aux médias. Joignez-le immédiatement de toute urgence, s'il vous plaît.

— Bien, Monsieur. Je vous passe l'appel dès que je l'aurai rejoint.

— Merci.

— Autre chose, Monsieur Lauzié ?

— Non. Pas pour le moment.

Rosemarie quitta le bureau sans autre commentaire. Peu de temps après, le téléphone sonna.

— Ici Gaël Lauzié.

— J'ai Monsieur Baske en ligne. Je vous le passe à l'instant.

— Bien. J'attends.

Le déclic de la ligne téléphonique se fit entendre, permettant ainsi l'entrée de l'autre appel.

— Ici Gaël Lauzié, redit celui-ci.

— Bonjour, Monsieur Lauzié. Ici Édouard Baske. Que puis-je pour vous ?

— Nous avons vécu quelques incidents fâcheux dont j'aimerais vous faire part. J'ai jugé qu'il était important que vous soyez mis au courant immédiatement avant que le tout ne s'ébruite.

— Je vous écoute.

Gaël expliqua les incidents survenus au Centre ainsi que chez lui, et la présence de l'inspecteur et de l'escouade policière dans l'établissement. Édouard Baske fut abasourdi.

— Cela prend des proportions gigantesques, dit le président. Je dois demander une réunion d'urgence immédiatement avec le conseil d'administration, étant donné la gravité de la situation. La sécurité des étudiants et du personnel est une priorité.

— Je suis d'accord avec vous. La tension est plus que palpable dans tout le Centre. Il y a une dizaine de voitures de police autour de l'établissement, sans compter la présence de beaucoup de policiers à l'intérieur et à l'extérieur de l'édifice. Les médias ne vont pas tarder à arriver, une nouvelle de ce genre va se répandre dans la ville comme une traînée de poudre.

— D'où l'urgence de prendre des décisions dans les plus brefs délais. Vous m'avez parlé d'un inspecteur. Je désire m'entretenir avec lui. Pourriez-vous, s'il vous plaît, me mettre en contact avec lui le plus rapidement possible ?

— D'accord.

— J'aimerais discuter avec lui et avec vous d'une éventuelle fermeture du Centre avant de rencontrer le Conseil et de prendre les décisions qui s'imposent.

— Monsieur Lang est toujours à l'intérieur du Centre, il poursuit son enquête. Je vais le faire venir ici.

— Comment vont les deux victimes ?

— Aux dernières nouvelles, Jacques a repris conscience. L'inspecteur doit aller le voir pour recueillir sa version des faits. Pour Joshua, il était en salle d'opération et je n'en sais pas plus.

— Je m'inquiète sérieusement pour votre sécurité. Cet agresseur est dangereux et il semble vous en vouloir personnellement.

— J'en suis très conscient. Je suis inquiet aussi pour mon épouse et mes enfants. L'inspecteur Lang a établi un périmètre de sécurité ici, au Centre, et aussi autour de ma demeure. Deux patrouilleurs sont postés tout près de ma maison et veillent à la sécurité des miens.

— Si c'est un membre du personnel ou un étudiant, cette sécurité n'est que provisoire. Je dois vous aviser que je songe sérieusement à faire fermer le Centre. Je convoque immédiatement une réunion avec le Conseil. Entre-temps, rejoignez-moi dès que vous aurez l'inspecteur dans votre bureau.

— D'accord.

Ils raccrochèrent sur ces derniers mots. Gaël se sentait dépassé par les événements.

« Fermer le Centre…, se dit-il. Je ne sais plus quoi penser. C'est trop pour moi en si peu de temps. »

Il sentit un énorme poids sur ses épaules. Les derniers événements étaient lourds à porter. Il dut faire de grands efforts pour se reprendre en main.

« Ce n'est pas le temps de m'apitoyer. Je dois rester maître de mes émotions, et surtout de la situation. »

Il se leva et se dirigea vers le bureau de sa secrétaire. Celle-ci leva lentement son regard vers lui lorsqu'il fut devant elle.

— Donnez-moi le numéro de téléphone de Monsieur Édouard Baske, s'il vous plaît. Je dois le rappeler dans quelques minutes.

Rosemarie prit son carnet d'adresses et retrouva le numéro demandé. Elle le nota sur un bout de papier et le lui tendit. Au même moment, l'inspecteur Lang apparut. Il se dirigea vers Gaël.

— Monsieur Goudaist est absent, dit-il. Il semble être parti cet après-midi pour faire quelques courses, selon la dame auprès de qui je me suis informé.

Gaël fronça les sourcils et quelques plis apparurent sur son front. Le policier nota son inquiétude.

— Tout le monde peut être suspect, Monsieur Lauzié. D'ailleurs, deux de mes policiers se sont mis à sa recherche.

— D'accord, put simplement dire Gaël.

Les deux hommes se regardèrent brièvement sans mot dire.

— Venez dans mon bureau, s'il vous plaît, dit Gaël. J'ai à vous parler.

Il ouvrit la porte au policier et l'invita à s'avancer. Aussitôt la porte refermée, il se tourna vers lui.

— J'ai pris contact avec mon supérieur pour le tenir au courant de ce qui se passe ici et aussi chez moi. Monsieur Édouard Baske est le président du conseil d'administration du Centre. Il vit dans la capitale.

— Que pense-t-il de tout cela ?

— Eh bien… Comme de raison, il en était stupéfait. Il convoque en ce moment une réunion avec tout le conseil d'administration pour analyser la situation. Monsieur Baske désire vous parler avant de commencer la réunion.

— Je suis d'accord pour lui parler, mais rejoignez-le immédiatement. J'ai l'intention d'aller au centre hospitalier, question de recueillir des indices à la suite du témoignage de Jacques. Le temps presse, l'agresseur circule toujours et Dieu sait ce qu'il a l'intention de faire. Je ne crois pas qu'il s'arrêtera avant un autre coup d'éclat.

Gaël acquiesça. Il alla s'installer à son bureau. D'un signe de la main, il invita l'inspecteur à prendre une des chaises en face de lui. Il prit la note que lui avait donnée sa secrétaire, décrocha le téléphone et composa le numéro d'Édouard Baske. Celui-ci décrocha aussitôt.

— Ici Édouard Baske.

— Gaël Lauzié. Monsieur l'inspecteur est ici avec moi.

— Mettez l'appareil en mode conférence, s'il vous plaît. Nous pourrons ainsi discuter tous les trois plus aisément.

— D'accord, répondit-il tout en appuyant sur le bouton approprié.

— Monsieur Baske, ici Gary Lang. Je suis l'inspecteur en charge de cette affaire.

— Et quelle affaire ! s'exclama celui-ci. Vous en avez toute une sur les bras, monsieur l'Inspecteur. Je vous remercie d'avoir accepté aussi rapidement de me parler. Je suis Édouard Baske, président du conseil d'administration du Centre de formation internationale. J'ai convoqué une réunion d'urgence avec les membres de mon conseil étant donné la gravité de la situation. Je dois savoir si les étudiants et le personnel sont présentement en danger dans l'établissement.

— Je ne peux pas nier la gravité de la situation, Monsieur Baske, répondit l'inspecteur. Il y a eu tentative de meurtre sur un membre de votre personnel et aussi un incendie criminel à la demeure de Monsieur Lauzié. De plus, celui-ci a reçu deux lettres de menaces. Je peux vous confirmer avec certitude que tous ces crimes sont reliés au même individu, que nous n'avons pas encore réussi à identifier. Tant que nous ne pourrons pas mettre la main sur cet agresseur, il y a un danger évident.

— Alors, je me vois dans l'obligation de faire fermer le Centre pour la sécurité de tous. M'appuyez-vous dans cette décision, inspecteur ?

— Absolument, Monsieur Baske.

— Alors, faites le nécessaire à cet effet, Monsieur Lauzié.

— Je le ferai, dit Gaël.

— Veillez à ce que tout se fasse calmement afin de ne pas créer un sentiment de panique dans l'établissement.

— Absolument. Déjà que l'atmosphère est tendue, je veillerai à ce que l'évacuation se fasse dans le calme et dans l'ordre. Nous sommes en ce moment à la fin du dernier cours de la journée. J'annoncerai le fermeture du Centre en utilisant l'interphone de la réception. J'ai quinze minutes pour préparer un discours rassurant.

— Je vous fais confiance.

— Très bien.

— Puisque les médias ne tarderont pas à apparaître, poursuivit Édouard Baske, je veux que vous avertissiez le personnel et les étudiants de n'émettre aucun commentaire et que vous seul et l'inspecteur ayez la permission de leur parler. Êtes-vous d'accord, monsieur l'Inspecteur ?

— Entièrement d'accord. Nous pourrons ainsi mieux contrôler l'information, répondit-il.

— Je maintiendrai une communication étroite avec Monsieur Lauzié pour suivre le déroulement de cette histoire. Nous aurons probablement à discuter avec vous s'il y a d'autres décisions à prendre.

— Je n'y vois pas d'inconvénient.

— Merci pour cet entretien, Monsieur Lang.

— Je vous en prie.

— Monsieur Lauzié, je vous reparle plus tard, après la réunion du Conseil.

— À plus tard, conclut Gaël en raccrochant le combiné.

Un court silence se fit. Gaël se tourna vers l'inspecteur. Celui-ci se leva.

— Je dois vous quitter pour retourner au quatrième étage afin de vérifier si mes assistants ont trouvé quelque indice ou pièce à conviction.

— Faites. Entre-temps je vais préparer un bref discours pour cette annonce que je dois faire dans quelques minutes.

L'inspecteur se dirigea vers la sortie sans rien ajouter.

Chapitre 14

Gaël se rendit au service de l'information. La standardiste était encore bouleversée de tout le va-et-vient des policiers et des ambulancières, qui avaient chambardé sa petite routine. Et de plus, il n'y avait rien eu de rassurant à voir ressortir d'urgence les deux victimes sur des civières. Victimes qui semblaient, de surcroît, être des employés de l'établissement.

— Qu'est-ce qui se passe, Monsieur Lauzié ? lui demanda-t-elle lorsqu'il pénétra dans son bureau.

— Il y a eu des incidents fâcheux et je dois immédiatement faire une annonce très importante dans tout le Centre en utilisant l'interphone.

— D'accord, lui répondit-elle. Prenez place ici, vous n'avez qu'à appuyer sur ce bouton et à faire votre annonce.

Il s'installa à côté d'elle. Il prit une grande respiration avant de demander l'attention de tout le personnel et de tous les étudiants présents dans l'établissement.

Gaël trouva les mots nécessaires pour annoncer la fermeture immédiate et temporaire du Centre pour faire évacuer l'établissement sans provoquer une vague de panique. Il ne dit rien au sujet des agressions survenues plus tôt. Il préféra rester vague quant au motif de la fermeture. Il expliqua que, pour une meilleure gestion de la sécurité générale, tous les cours sans exception seraient suspendus, jusqu'à avis contraire. L'annonce de la réouverture du Centre se ferait par l'entremise des médias. Il en profita pour prévenir les étudiants et le personnel que les journalistes allaient sûrement chercher à interviewer certains d'entre eux au sujet de cette fermeture. Gaël leur demanda de ne faire aucun commentaire ni spéculation. Il termina son intervention en demandant à tout le personnel sans exception de se rendre au gymnase pour une courte réunion prévue dans trente minutes afin de discuter de la reprise des cours suspendus. Cela laissait amplement le temps aux étudiants de quitter l'établissement.

« Bon, voilà ! Le message est passé », se dit-il.

Il se leva et remercia la standardiste. Il ne voulut pas attendre qu'elle émette un quelconque commentaire et prit sans plus tarder la direction du gymnase. Certains membres du personnel qu'il croisa voulurent lui demander ce qui se passait. Il se contenta de leur dire qu'il préférait en aviser tout le monde en même temps. Attendre seul au gymnase lui parut interminable. Rosemarie arriva la première et se dirigea immédiatement vers lui, droite comme une tige de fer.

— Dois-je prendre des notes, Monsieur ?

— Non, ce ne sera pas nécessaire.

Elle demeura à ses côtés sans rien demander d'autre. Les gens commencèrent à entrer peu à peu. Lorsque Gaël pensa que le personnel était au complet, il prit la parole.

— Je crois que tout le personnel est arrivé. Avant de commencer, est-ce que vous pensez qu'il manque quelqu'un ?

Tout le monde se regarda et il jeta un regard furtif dans la salle. Personne n'émit de commentaire. Gaël raconta alors les événements du matin, et ce qui était arrivé aux deux victimes du quatrième étage. À voir les yeux et l'expression de plusieurs, il devina que la nouvelle avait déjà fait le tour de l'établissement. Il n'entra pas dans les détails, préférant s'en tenir à l'essentiel. Malgré tout, il nota une vague d'inquiétude dans le regard de tous. Des murmures ici et là parvenaient vaguement à ses oreilles.

— Il ne faut pas s'inquiéter outre mesure. Comme vous l'avez évidemment remarqué, il y a des policiers un peu partout dans le Centre. Je peux vous assurer que vous êtes en sécurité. Cependant, pour ne prendre aucun risque pour vous et pour les étudiants, le Centre doit fermer ses portes immédiatement. Cela permettra aussi de mieux faire progresser l'enquête.

— Et quand les cours vont-ils reprendre ? demanda une voix dans la salle.

— Au sujet de la reprise de la session, je crois que tout sera suspendu pour une courte période. Probablement quelques jours.

— Question ici, dit un enseignant.

— Oui, répondit-il.

— Comment vont Jacques et Joshua ?

— Je me suis informé à leur sujet tantôt et leur condition est stable. Ils ne sont pas dans un état critique.

— A-t-on retrouvé l'agresseur ? poursuivit l'enseignant.

— Non. Les policiers sont présentement en train d'analyser le site où cela s'est produit. J'espère qu'ils pourront trouver des indices ou des empreintes qui les mettront sur une piste.

— Question ici, annonça une autre voix.

— Oui, répondit-il à nouveau.

— Les examens de fin de trimestre ont lieu dans deux semaines. Est-ce que la fermeture aura un impact sur les dates prévues pour ces examens ?

— Je ne crois pas. Je suis persuadé que nous allons reprendre nos activités normales dans deux ou trois jours tout au plus. Et avec un peu de chance, peut-être avant.

— Et si ça dure plus longtemps ? demanda une autre voix.

— Si la fermeture se prolonge, je ferai une réunion du personnel la veille de l'ouverture et nous verrons à tout cela. Nous prendrons une décision éclairée tous ensemble pour le bien des étudiants.

Gaël fit une pause et jeta un coup d'œil aux gens dans l'assistance. Il était évident qu'il les laissait tous dans l'inquiétude. Il ne pouvait guère faire mieux pour le moment. Il attendit d'éventuelles questions quelques secondes de plus. Personne ne réclama d'autres éclaircissements.

— J'ai partagé avec vous tout ce que je savais jusqu'à présent. Sur ce, je vais mettre fin à notre rencontre. Je vous prie de quitter l'établissement sans plus attendre. Le Centre va fermer ses portes dans quinze minutes. Vous serez tous avisés lorsque le Centre réouvrira. Vous recevrez à ce moment-là les directives à suivre. Je vous remercie beaucoup de votre habituelle coopération.

Tout le monde quitta lentement le gymnase dans le plus grand silence. Un silence très lourd. Gaël attendit que tous soient partis pour retourner à son bureau. En sortant de la salle, il remarqua son ami Robert qui l'attendait.

— Est-ce que je peux faire quelque chose pour toi, Gaël ?

— Non, rien pour le moment. Merci.

— Tu m'as l'air exténué, mon cher.

— La journée est longue et elle n'est pas encore finie. Elle commence à être lourde sur mes épaules.

— Quel casse-tête.

— En effet.

— Je serai chez moi. N'hésite surtout pas à me rejoindre si tu as besoin de quoi que ce soit.

— Je te remercie.

Chacun se dirigea de son côté. Lorsque Gaël revint dans son bureau, il se dirigea vers son pupitre. Il remarqua aussitôt le bouton rouge qui clignotait sur son appareil téléphonique. Il saisit le combiné et prit le message en attente.

« Gaël ! C'est ta mère qui parle ! Mais où es-tu ? Je n'arrive pas à vous joindre, ni toi ni ta sœur ! Je dois vous parler à tous les deux. C'est urgent ! Je veux que tu me téléphones immédiatement ! »

Gaël nota une très grande nervosité dans le ton de la voix de sa mère. Ce qui était inhabituel chez elle, vu son tempérament assez fort, capable de résister contre vents et marées. Cela l'inquiéta aussitôt. Il prit le combiné pour composer le numéro de sa sœur, mais on frappa à la porte. Il dut se lever pour aller ouvrir. Mais, avant qu'il n'ait le temps d'y arriver, la porte s'ouvrit brusquement. Solaine apparut et referma rapidement la porte derrière elle.

— Gaël ! Maman a laissé un message dans ma boîte vocale me demandant de l'appeler immédiatement. Elle était dans tous ses états, elle était en état de panique au téléphone.

— Elle m'a aussi laissé un message semblable. Je viens tout juste de le prendre. Je m'apprêtais à t'appeler pour que tu viennes me rejoindre. Puisque tu es là, appelons-la tout de suite.

Sans plus tarder, Gaël composa le numéro de sa mère. Il appuya sur le bouton du mode conférence. Lorsque sa mère décrocha, il prit la parole.

— Maman, c'est Gaël. Solaine est avec moi en ce moment. Que se passe-t-il ?

— C'est très grave ! Le directeur de l'institut psychiatrique m'a appelée il y a une heure. Votre père n'y est plus.

— Comment ça ? ! répondirent en même temps Solaine et Gaël.

— Votre père manque à l'appel depuis ce matin.

— Je ne comprends pas, dit Gaël. Nous aurions dû être avisés ce matin, aussitôt que son absence a été remarquée. Pourquoi avoir tant attendu ?

— J'ai été très surprise aussi, poursuivit sa mère. Le directeur m'a répondu que pour effectuer une recherche dans ce grand établissement et aux alentours, il faut parfois quelques heures.

— Je ne comprends pas qu'il ait réussi à sortir de cet établissement, dit Gaël.

— En fait… Il se peut qu'il n'y soit plus depuis hier soir…

— Quoi ?! s'exclamèrent les deux enfants d'une seule voix. Depuis hier soir ?

— Votre père a été transféré dans une unité intermédiaire la semaine dernière. Il était plus calme et coopératif depuis quelques mois. Le directeur m'a dit que la surveillance y est moins sévère la nuit, du fait que les patients dans ce secteur sont des cas moins lourds.

— Moins lourds ! Ils ont manqué de jugement ! C'est inacceptable ! s'indigna Solaine.

— Il y a des protocoles à suivre, commenta son frère. Rien ne peut être fait ou changé sans une évaluation préalable. Nous rencontrerons le directeur et nous lui demanderons de plus amples explications.

— Va savoir où il est en ce moment…, dit sa mère.

Solaine et Gaël se regardèrent. Leurs pensées se croisèrent, reflétant tout à coup la même inquiétude au sujet de leur père.

— Maman…, dit Gaël. Crois-tu que papa cherche à nous retrouver pour nous agresser ?

Cette inquiétude les ramena dans le passé. Des souvenirs pénibles, loin d'être oubliés. L'évasion de leur père décupla leur angoisse à tous deux.

— Je ne sais quoi vous répondre, répondit leur mère. Le directeur m'a dit avoir avisé la police, étant donné ses agressions passées. Un avis de recherche a été émis avec mon accord.

— Gaël, demanda sa sœur, ne devrions-nous pas aviser la police ici aussi ?

— Cela a été fait, répondit sa mère. J'ai demandé au directeur de l'institut de faire les démarches.

— Maman, dit Solaine, tu dois absolument sortir de la maison au plus vite. Papa cherche peut-être à y revenir. On ne sait pas ce qu'il peut penser ou faire.

— Prépare ce dont tu auras le plus besoin comme vêtements et effets personnels, poursuivit Gaël. Un policier va venir te chercher dans peu de temps et te conduire chez moi.

— D'accord, je vais aller me préparer immédiatement. Je me sentirai effectivement plus en sécurité chez toi.

— Maman…, dit Gaël en hésitant. Il y a eu quelques incidents aujourd'hui. Jeanne t'expliquera tout quand tu seras chez nous.

— Quel genre d'incidents ? demanda-t-elle avec une inquiétude évidente dans le ton de sa voix. Pourquoi dois-je attendre que Jeanne m'explique tout ?

— C'est préférable, coupa Solaine. C'est trop long à expliquer au téléphone. De toute façon, on nous demande tous les deux, mentit-elle.

— Ne perds pas de temps, maman, poursuivit Gaël. Il faut sortir au plus vite de chez toi.

— D'accord, consentit la mère à contrecœur. On se voit tantôt ?

— Dès que je pourrai me libérer, répondit-il.

Gaël mit fin à la discussion et raccrocha. Le frère et la sœur se regardèrent un moment, ne sachant quoi dire. Malgré leurs efforts, et malgré le fait qu'ils étaient devenus des adultes, ils ne pouvaient empêcher leurs peurs d'enfance de refaire surface. Ils n'avaient pas oublié, loin de là, cette peur incommensurable.

— Inutile d'en discuter, dit Solaine, devinant que leurs pensées à tous deux étaient les mêmes.

— C'est déjà assez éprouvant juste d'y repenser, admit Gaël.

Solaine tendit lentement la main vers son frère. Celui-ci la prit dans la sienne. Ce geste les réconforta. Malgré leurs différends depuis leur plus tendre enfance, il n'en restait pas moins qu'ils étaient frère et sœur, et ce lien qui les unissait était ce qu'il leur restait de plus précieux depuis la mort de leur sœur. Avec le temps, ils avaient appris à s'apprécier mutuellement malgré tout.

— Je vais contacter l'inspecteur Lang et lui expliquer ce que nous venons d'apprendre. Il va sûrement accepter qu'un policier aille chercher maman.

— Je n'en doute pas.

— Solaine…

— Oui ? répondit-elle en le regardant.

— Maman va sûrement poser beaucoup de questions à Jeanne. Elle ne lui laissera peut-être d'autre choix que de lui expliquer tout ce qui se passe.

— Possible.

— Je me demande si je fais bien de laisser à Jeanne le soin d'expliquer à maman ce qui est arrivé ici et à la maison… J'aimerais bien que tu puisses aller la retrouver. Vous ne serez pas trop de deux pour lui expliquer les derniers incidents.

— Tu ne retournes pas chez toi ? demanda Solaine.

— Non. C'est impossible dans l'immédiat. L'inspecteur veut discuter avec moi avant que je quitte l'édifice. Il sera ici sous peu. De toute façon, je considère que je suis comme le capitaine d'un bateau. Je le quitterai lorsque tout mon équipage aura été évacué.

— Je comprends. Je ne vois pas d'inconvénient à aller retrouver Jeanne. Je vais immédiatement me rendre chez maman et nous attendrons l'escorte policière pour nous rendre chez toi.

— Je t'en remercie beaucoup.

— Dans les circonstances que nous vivons, s'épauler va de soi. J'attendrai que tu arrives avant de retourner chez moi.

— Bien. J'y serai dans peu de temps.

— Sois prudent, s'il te plaît.

Gaël lui sourit en acquiesçant du regard. Tenant toujours la main de sa sœur, il la recouvrit avec son autre main. Ce simple geste fut comme un baume apaisant pour tous les deux. Solaine lui rendit son sourire. Ils n'avaient pas seulement appris à s'apprécier mutuellement au fil des années ; l'amour fraternel, plus ou moins existant durant leur enfance, était sans équivoque visiblement présent aujourd'hui. Cet amour affermissait le soutien qu'ils s'apportaient l'un et l'autre en ce moment. Leurs gestes et leurs regards parlaient d'eux-mêmes.

— Je vais aller rejoindre Jeanne immédiatement.

Solaine se dégagea doucement et à regret de cette étreinte fraternelle. Elle se leva et se dirigea vers la sortie. Juste avant de franchir la porte, elle se tourna vers son frère.

— Je t'apprécie beaucoup, Gaël. Sois prudent, répéta-t-elle. Je ne veux pas te perdre. Je ne pourrais pas le supporter si ça arrivait…

— Ne t'inquiète pas. Je serai très prudent. Promis. Je t'apprécie aussi, Solaine.

Chapitre 15

Que d'émotions depuis le matin pour Gaël. Il était bouleversé, ne savait plus comment réagir face aux incidents qui se bousculaient. Ses pensées s'enchevêtraient, le rendant quasiment confus. Il n'avait eu aucun répit depuis son arrivée au Centre. Son premier jour au boulot lui laissait l'impression d'avoir vécu une très longue journée, interminable, à la fois pénible et stressante.

« Mais qui peut bien être cet agresseur ? » se demanda-t-il.

Il eut beau réfléchir et se creuser les méninges, personne en particulier ne lui venait à l'esprit.

« Serait-ce possible que ce soit un membre du personnel ? Ou peut-être papa ? »

L'idée que cet inconnu puisse être son père lui glaça le sang.

« Ma famille est en danger… Et je suis en danger pareillement. J'ai les mains liées, je ne peux rien faire. Il faut absolument démasquer cet infâme individu. Si on ne découvre pas bientôt qui il est, je vais devenir paranoïaque à force de soupçonner tout le monde. »

Gaël prit le combiné téléphonique et composa le numéro du téléavertisseur laissé par l'inspecteur Lang. Il
laissa ensuite le sien au moyen des boutons-poussoirs sur
le clavier de l'appareil et raccrocha aussitôt. Peu de temps
après, le policier rappela.

— Ici Gaël Lauzié.

— Inspecteur Lang, répondit la voix au bout du fil.

— Je dois vous faire part d'un nouvel événement d'une importance capitale. J'ai jugé bon de vous en faire part car cela
pourrait avoir un impact sur vos investigations.

— Dites.

Gaël prit une grande respiration pour se donner du courage. L'idée que l'individu recherché puisse être son père
était difficile à imaginer, et surtout à accepter. Il lui raconta
sa disparition de l'institut psychiatrique.

— Toute une nouvelle ! répondit l'inspecteur.

— Sans aucun doute.

— Je dois vous dire que votre père est maintenant le suspect numéro un, étant donné l'incident relié à votre enfance. Nous ne pouvons pas négliger cet élément. Jusqu'à
preuve du contraire, nous ne pouvons pas ignorer qu'il est
peut-être la personne que nous recherchons.

— J'en suis conscient.

— Je vais joindre le poste de contrôle au quartier général
afin de lancer quelques agents sur cette nouvelle piste. Il ne
faut absolument pas négliger le fait qu'il puisse se trouver
non loin d'ici.

— Le directeur de l'institut a déjà contacté le poste de police de notre région pour qu'il émette un avis de recherche.

— Très bien. Je vais m'assurer de poursuivre le processus enclenché en y ajoutant les effectifs nécessaires. Je vais devoir discuter avec mon supérieur, car j'ai bien peur que nous manquions de policiers. J'ai épuisé presque toutes les ressources disponibles. Nous devrons probablement faire appel aux localités environnantes pour avoir de l'aide.

— Il y a autre chose, monsieur l'Inspecteur.

— Quoi d'autre ?

— Je crains que ma mère ne soit en danger. Si mon père est dans les alentours, il cherchera peut-être à retourner à la résidence familiale.

— Tant qu'à utiliser des effectifs, je vais demander à deux autres agents de surveiller la demeure de votre mère. Donnez-moi ses coordonnées.

Gaël les lui donna. Il eut peur tout à coup que son père soit déjà tout près de chez elle.

— J'aurais un grand service à vous demander.

— Dites.

— J'ai peur que mon père soit déjà aux alentours de la maison. Serait-il possible qu'un de vos policiers reconduise ma mère chez moi ? Je serais moins inquiet si elle quittait la maison avec une escorte policière.

— Je n'y vois aucun inconvénient. Ce serait même préférable. Je vais faire le nécessaire immédiatement.

— Je vous en remercie beaucoup.

— Je suis en ce moment au centre hospitalier. Le jeune homme est sorti de la salle d'opération. Il va s'en remettre. Pour le moment, il est à la salle de réveil et je ne pourrai converser avec lui que dans quelques heures.

— Je suis très content qu'il soit hors de danger, dit Gaël avec un grand soulagement.

— Quant à Jacques, j'ai discuté avec lui tantôt. Il dit ne pas avoir eu le temps de réagir. Tout s'est passé trop rapidement. En entrant dans le local, il s'est senti soudainement projeté de manière violente contre le cadre de la porte. Le choc lui a fait perdre conscience sur le coup. Il dit avoir juste eu le temps de voir une ombre noire jaillir vers lui.

— Cela ne nous en dit pas plus sur cet inconnu. C'est frustrant de ne pas pouvoir mettre la main au collet de ce fou furieux.

— En effet ! Sachez que nous faisons tout notre possible pour faire avancer cette enquête.

— Je vous crois sur parole. Je n'ai pas pensé un seul instant que vous laissiez traîner cette histoire.

— Nous allons continuer les investigations. Je vous demande de rester dans votre bureau pour le moment. Je désire vous parler avant que vous ne quittiez les lieux.

— Aucun problème. Je vous attendrai.

— Il ne me reste que quelques menus détails à vérifier ici, quelques appels à faire et je vous rejoins ensuite. Je ne vais pas attendre que le jeune homme se réveille pour le questionner. Il ne sera pas en état de répondre à mon interrogatoire avant quelques heures. De toute façon, le médecin exigera que sa condition soit plus stable avant de me permettre de le rencontrer.

Aussitôt la discussion terminée, Gaël s'empressa de téléphoner à son épouse. Il devait lui faire part le plus tôt possible des derniers événements. Il était surtout préférable de lui annoncer préalablement l'arrivée de sa mère, avant qu'elle n'ait la surprise de la voir sur le seuil de la porte.

— Allô ?

— Jeanne ? C'est Gaël. Comment vas-tu ?

— Je vais bien. Je me sens encore un peu secouée par les événements, mais je vais tenir le coup.

— Et les enfants ?

— Ils vont bien aussi. Ils regardent la télévision en ce moment. Je les sens encore nerveux, mais ma présence les rassure. Dès que tu seras avec nous, nous serons tous les trois encore plus rassurés.

— Je tâcherai d'être à la maison dès que je le pourrai. C'est promis.

— Très bien.

— Jeanne...

— Oui ?

— J'aimerais te dire une petite chose...

— Oui ?

— Je veux t'annoncer que maman va bientôt arriver à la maison.

— Ah oui ? répliqua Jeanne, surprise.

— Je n'ai pas eu le temps de te consulter. Les circonstances ne m'ont pas permis de le faire avant. Pardonne-moi, s'il te plaît.

— Je n'ai pas à te pardonner. C'est ta mère...

— C'est qu'elle sera bientôt chez nous pour quelques jours...

— Comment ça ?

— Je vais t'expliquer...

Gaël lui résuma la conversation téléphonique qu'il avait eue plus tôt avec sa mère. Jeanne fut complètement stupéfaite d'apprendre l'évasion de son beau-père.

— Tu as bien fait. Ta mère sera plus en sécurité ici avec nous, j'en suis persuadée. Je tâcherai d'être plus indulgente envers elle, étant donné les circonstances.

— Je t'en remercie chaleureusement. Cela m'enlève un énorme poids. Tu es merveilleuse, comme toujours.

— Je t'en prie, mon amour, c'est la moindre des choses. Mais ne me laisse pas seule trop longtemps avec elle. J'ai beau être très patiente avec ta mère, je ne suis pas sûre de pouvoir tenir le coup si elle me met à trop rude épreuve.

— Dès que je me serai assuré que tout le personnel est sorti de l'édifice et que j'aurai parlé à l'inspecteur Lang, je m'efforcerai d'arriver le plus rapidement possible.

— Merci.

— Ah oui ! Solaine était avec moi tantôt. Je lui ai demandé de se rendre chez maman et de l'accompagner. J'avais déjà pensé qu'elle pourrait te servir de renfort au cas où.

— Très bien, répondit Jeanne, visiblement soulagée. Je t'en suis très reconnaissante. Solaine s'est beaucoup adoucie depuis qu'elle est la marraine de nos enfants. L'atmosphère sera plus agréable... Ce sera effectivement moins pénible pour moi.

— En effet.

— Oh ! mais Gaël ! Ta mère n'est pas au courant des incidents survenus au Centre, et surtout ici !

— Ne t'inquiète pas, l'interrompit Gaël. C'est aussi pour cela que j'ai demandé à Solaine de l'accompagner chez nous. Elle va tout lui expliquer. Maman doit être tenue au courant et il vaut mieux qu'elle en soit avisée par ma sœur. Et ce sera moins pénible pour toi.

— Tu m'évites une situation difficile. Merci d'être aussi attentionné. Tu es merveilleux toi aussi.

— On se revoit tantôt.

— D'accord.

— Je t'aime.

— Je t'aime.

Sur ce, ils raccrochèrent. Gaël alla voir sa secrétaire afin de vérifier si l'évacuation du Centre était terminée. Il remarqua la présence d'un policier posté à l'entrée de l'aire administrative.

— Il y a toujours quelques policiers ici et là dans l'établissement. Ils surveillent, expliqua Rosemarie sans manifester la moindre émotion. Il ne reste plus aucun membre du personnel sauf vous et moi, Monsieur. Ce policier nous attend pour nous escorter à l'extérieur.

— Très bien. Vous pouvez y aller maintenant, Rosemarie. Je n'ai plus besoin de vous. Je partirai plus tard.

— Je préfère vous attendre. Nous pourrons partir ensemble.

— L'inspecteur Lang veut absolument me voir. Il est d'ailleurs en route vers le Centre. Je ne sais pas combien de temps je devrai rester ici avec lui. Je préfère vous voir sortir d'ici. Je quitterai l'édifice avec ce policier.

— En êtes-vous certain ?

— Bien sûr, ne vous inquiétez pas. Vous pouvez partir sans crainte. Avec la quantité de policiers dans l'édifice, je me sens parfaitement en sécurité. Je peux vous l'assurer.

— Personne n'est en sécurité dans cet établissement, Monsieur Lauzié... Croyez-moi. Ne tenez rien pour acquis ici...

Gaël regarda Rosemarie dans les yeux. Il ne put y lire la moindre émotion. Un éternel regard inexpressif.

« Je ne peux même pas savoir s'il y a des sous-entendus dans ses paroles tant ses propos sont évasifs. »

— Je tâcherai de bien m'en souvenir. Vous pouvez vous en aller maintenant, Madame Landrie, dit-il avec un soupçon de lassitude dans la voix. Puis-je vous rejoindre si j'ai besoin de vous ?

— Je serai chez moi.

— Merci. Prenez congé, s'il vous plaît.

— Puisque vous le désirez, je vais partir, répondit Rosemarie.

Elle se leva et alla chercher son manteau et son sac à main. En passant devant lui, elle lui adressa un léger signe de tête sans esquisser le moindre sourire. Elle se dirigea vers le policier. Gaël les suivit du regard. Ils disparurent dans l'ascenseur.

L'absence du va-et-vient du personnel et des étudiants se fit soudainement sentir. Cette impression de vide immense dans l'établissement créa un vif sentiment de solitude chez Gaël. Il retourna dans son bureau et se dirigea vers la baie vitrée. Le soleil encore parfait de cette fin d'après-midi projetait toujours la même chaleur d'une douceur ineffable. Gaël ferma les yeux pour bien s'imprégner de cette sensation réconfortante.

La sonnerie du téléphone le tira brusquement de cette torpeur.

— Ici Gaël Lauzié.

Gaël n'eut pour toute réponse qu'un silence.

— Allô ? dit-il.

— Monsieur Lauzié ? répondit une voix rauque et difficilement audible.

— Oui ? répondit Gaël en fronçant les sourcils.

— Comment allez-vous ?

— Qui est à l'appareil ?

Gaël sentit un frisson lui courir le long des bras. Cette voix n'avait rien de naturel. Une voix camouflée et impossible à identifier. À tel point qu'il n'aurait pu dire si elle appartenait à un homme ou à une femme.

— Qui est à l'appareil ? répéta-t-il.

— Qu'importe qui est à l'appareil, Monsieur le PDG, je vous demande si vous allez bien.

Abasourdi par cet appel inattendu, Gaël fut aussitôt persuadé que cet inconnu était l'agresseur tant recherché. Il en eut la profonde conviction. Sous l'effet de la stupeur, il commença à avoir des palpitations, qui s'accentuèrent et lui résonnèrent dans le crâne jusqu'aux tempes. Il dut s'asseoir promptement, pris d'un soudain vertige.

— Je sais que vous êtes l'agresseur.

— Ah oui ?

— Vous avez blessé deux de mes employés et vous avez tenté d'incendier ma demeure.

L'inconnu se mit à ricaner au bout du fil. Gaël jeta un coup d'œil sur l'afficheur numérique de son téléphone afin de voir d'où provenait l'appel. L'afficheur indiquait « appelant confidentiel ».

« Impossible de savoir d'où cet appel peut provenir… », se dit-il, déçu.

Cette constatation le frustra au plus haut point.

— Vous m'impressionnez énormément, Monsieur le PDG, répondit sarcastiquement la voix inconnue. Vous avez bel et bien raison, mon cher. C'est effectivement moi l'auteur de ces petits gestes. Vous allez sûrement conserver de magnifiques souvenirs de ces… disons… de ces petites surprises que je vous ai offertes jusqu'à maintenant.

Gaël éprouva un immense élan de colère envers cet inconnu. Discuter avec lui était bien la dernière chose qu'il aurait osé imaginer. Il eut de la difficulté à se contenir.

— Sachez que vos soi-disant « petits » gestes, Monsieur, sont de nature criminelle ! Et les conséquences de vos actes sont extrêmement graves, répondit Gaël d'un ton grave. Les deux personnes que vous avez attaquées ici sont en ce moment hospitalisées.

— Vous m'en voyez sincèrement désolé…, répondit ironiquement la voix.

— Pourquoi m'en voulez-vous ? Que me voulez-vous au juste ?

La voix de l'inconnu se durcit. Il prenait un malin plaisir à le harceler.

— Du calme, le PDG ! C'est moi qui suis le Maître du jeu. Je choisis les cartes de mon jeu selon mes préférences. Et c'est maintenant à votre tour de jouer les vôtres.

— Que voulez-vous dire ?

— C'est maintenant à votre tour d'entrer dans le jeu.

— Je ne comprends pas.

— Je veux vous rencontrer et discuter avec vous.

— Ici ?

— Non, à un endroit que je vais vous indiquer.

« Et si c'est pour me tuer…, se dit Gaël. Il est capable de n'importe quoi après tout ce qu'il a fait jusqu'à présent. »

Gaël ne répondit rien. L'inconnu devina cependant ses pensées.

— N'ayez crainte, mon cher, votre vie ne sera pas en danger. Du moins, pas cette fois-ci. J'aime faire durer le plaisir.

— Avec tout ce que vous avez fait jusqu'à maintenant, il m'est très difficile de vous croire.

L'inconnu ricana à nouveau. Un rire qui ne fit qu'accroître la frustration de Gaël. L'esprit des propos de cet inconnu le révulsait.

— Vous avez deux choix, Monsieur le PDG. Ou bien vous acceptez… ou bien vous refusez.

— Et si je refuse ?

— J'ai déjà fait mes preuves dans votre établissement, sans oublier votre résidence. Il me sera facile de frapper votre famille à nouveau malgré la présence de policiers qui rôdent autour de votre maison. Sachez que j'ai plus d'une carte dans mon jeu, et qui sait ce que je pourrais faire une fois entré chez vous… Je ne serai certainement pas très gentil.

Les propos menaçants de son interlocuteur lui firent penser aux pires choses qui pourraient arriver à sa famille. Il était hors de question de mettre celle-ci en danger.

— Vous êtes abominable !

— Quel vilain mot ! Vous avez intérêt à vous soumettre à ma demande, mon cher. Je vous le recommande fortement.

— Comment puis-je faire autrement ! J'accepte de vous rencontrer, malgré le danger auquel je m'expose.

— Vous ne serez pas en danger cette fois-ci, je vous l'ai dit. J'ai pris goût à m'amuser et il est trop tôt pour terminer la partie. J'ai d'autres cartes intéressantes dans mon jeu.

— Je n'ai guère le choix.

— Avant tout, je désire vous mettre en garde : ne prévenez pas les policiers. Si je flaire la présence de l'un d'eux autour de l'endroit dont nous conviendrons, je peux vous garantir que vous allez le payer très cher, ou plutôt, qu'un membre de votre famille va le payer très cher. Vous le regretterez amèrement.

— J'ai bien compris. Je n'ai pas intérêt à mettre ma famille en danger. Je n'aviserai pas les policiers. Je ne veux prendre aucun risque de mettre les miens en péril. Ce sera une affaire entre vous et moi.

— C'est très bien. J'aime bien quand on obéit à mes règles. Ce sera à votre avantage.

— Où et quand ? se contenta de demander Gaël.

— Nous allons nous rencontrer à l'extérieur de la ville. Prenez le chemin qui mène à l'ancienne gare. Ce lieu abandonné est idéal pour un premier contact. C'est un endroit désert et personne ne viendra nous déranger. Vous y serez dans quarante minutes précises. Soyez ponctuel, mon cher.

— D'accord, j'y serai.

— Je vous attendrai à l'intérieur. Garez-vous devant la bâtisse. Veuillez utiliser la porte de l'entrée principale. De l'endroit où je serai, je vous verrai arriver de loin. Il me sera aussi très facile de voir si des policiers oseraient par hasard rôder aux alentours.

— Je vous ai dit que j'avais compris, je serai seul.

— Un colis vous attendra à l'intérieur. Disons plutôt… une sorte de colis. Il vous sera très facile de le repérer.

L'inconnu raccrocha aussitôt. Gaël resta figé un court instant avant de penser à remettre le combiné sur son socle.

« Je n'ai d'autre choix que de m'y rendre, se dit-il. Il est hors de question qu'il s'attaque à nouveau à ma famille. Avec le genre de conversation que je viens d'avoir avec lui, je peux m'attendre à n'importe quoi de sa part. »

Il se leva et se dirigea lentement vers la porte. Il se retourna et parcourut des yeux son vaste bureau.

« J'ai beau avoir obtenu le poste de mes rêves, il y a certes un prix à payer pour faire marcher cette institution, pensa-t-il. Mais ce n'est pas vrai que ce désaxé va tout bousiller : ma carrière, ma vie et ma famille. »

Un élan de colère monta en lui. Une colère envers cet individu qu'il ne réussissait pas à identifier. Une frustration encore plus grande à l'idée d'obéir aux diktats et aux exigences de l'inconnu, qui ne lui laissait guère d'autre choix que d'accepter s'il voulait éviter un autre incident pénible.

« Je dois admettre qu'il est le plus fort pour le moment. Cette sale brute veut avoir une conversation avec moi, aussi bien y aller ! J'en aurai le cœur net et je pourrai finalement le démasquer, du moins je l'espère... »

Il ferma la porte de son bureau d'un coup sec et se dirigea hâtivement vers l'aire administrative pour y retrouver le policier revenu à son poste de guet. Il s'avança vers lui d'un pas alerte et pressé. Le policier le regarda arriver sans broncher, le regard impassible.

— Bonjour, Monsieur. Est-ce que vous êtes prêt à quitter l'établissement ? demanda tout simplement le policier.

— Oui, je suis prêt. J'ai parlé tantôt à l'inspecteur Lang et il m'a dit qu'il allait passer par ici dans peu de temps. Est-ce que vous pourriez lui dire que j'ai dû quitter le bureau ?

— Oui, Monsieur.

— Je vous remercie, Monsieur le policier.

Sur ce, Gaël suivit le policier. Ils prirent le corridor et se rendirent à l'ascenseur.

Chapitre 16

JEANNE PRIT SOIN DE BIEN VÉRIFIER que tout était en ordre dans la maison. Les yeux scrutateurs de Madame Lauzié mère pouvaient détecter le moindre désordre et ce n'était pas le moment approprié pour créer de la bisbille. En un tournemain, le peu de désordre qu'il y avait fut bien rangé. Il était tout près de seize heures trente et le souper était presque prêt. Il ne restait que le dessert à terminer, un renversé aux ananas nappé d'un sirop de fruits exotiques. Jeanne en profita aussi pour ajouter deux autres couverts, pour sa belle-mère et sa belle-sœur. Les festivités prévues avaient pris une toute autre allure. Fêter la première journée des nouvelles fonctions de son époux ne semblait plus approprié.

« Moi qui ai fait tant d'efforts pour que ce magnifique repas ait une allure de fête ! fulmina-t-elle en pensant à l'agresseur.

Elle jeta un coup d'œil à tous les plats qu'elle avait préparés longuement.

« Ce désaxé a même réussi à saboter ce beau repas. »

Elle préféra aller voir les enfants pour ne plus y penser et pour leur annoncer qui venait les visiter.

« Ils vont certainement sauter de joie », se dit-elle.

Elle se dirigea vers la salle de séjour et y découvrit les enfants dormant l'un à côté de l'autre sur le futon. La télévision était allumée, diffusant un dessin animé. L'image de ses deux enfants endormis l'un contre l'autre l'attendrit. Elle ne se lassa pas de les regarder.

« Mes chers enfants…, pensa-t-elle en les regardant tendrement. Tous ces événements que vous avez vécus vous ont épuisés. Je vais vous laisser dormir encore un petit moment. Cela vous fera du bien. »

Elle s'approcha d'eux sur la pointe des pieds et embrassa sur le front Phélix-Olivier, qui ne broncha pas d'un seul millimètre. En déposant un second baiser sur le front de Mya, Jeanne remarqua le visage de sa fille qui grimaçait un peu. Elle bougea un peu, ce qui l'inquiéta. Sa fille avait toujours l'habitude de dormir paisiblement, même lorsqu'elle faisait une sieste.

« J'espère qu'elle ne fait pas un cauchemar à cause de ce qu'elle a vécu, la pauvre petite. Il ne manquerait plus que ça. »

Jeanne préféra ne pas s'éloigner de ses enfants. Elle décida de veiller surtout sur sa fille, au cas où celle-ci se réveillerait subitement, en proie à la peur. Elle s'installa dans la chaise capitaine, prit la télécommande et choisit une chaîne de nouvelles. Elle ne put cependant regarder que distraitement le présentateur de la météo, car son regard se tournait constamment vers sa fille, qui bougeait un peu de temps à autre. Tout à coup, elle eut le pressentiment que quelque chose allait se passer. Cette soudaine sensation était accompagnée d'étourdissements. Elle sentit son sang se glacer dans ses veines.

« Oh non ! Pas encore ! Je ne veux pas replonger encore dans cet état second ! Je ne veux pas ! »

Prise de panique, elle essaya de contrôler sa respiration. Cette impression qu'elle allait replonger à nouveau dans une transe déclencha en elle une vive inquiétude. Cet état de stress augmentait de plus en plus. Elle essaya de bouger la tête de gauche à droite, ce qu'elle fit avec une grande difficulté.

« Il ne faut pas ! Il ne faut pas que cela m'envahisse à nouveau ! »

Jeanne s'efforça autant qu'elle put de maintenir une respiration régulière. Le rythme de son cœur s'accéléra encore et se mit à battre la chamaille. Elle ressentait les répercussions de cette tachycardie dans tout son corps. Elle se mit à trembler de tout son être.

« Il faut que je me calme absolument ! Je dois me concentrer et rester consciente coûte que coûte ! »

Elle ferma les yeux et essaya de se calmer. Graduellement, son corps se mit à trembler de moins en moins et elle put finalement sentir sa pulsation cardiaque ralentir. Elle s'appliqua de plus belle à contrôler sa respiration, heureuse et soulagée d'avoir pu éviter une autre transe. Puis elle commença à ressentir un léger mouvement de son bras droit. Elle eut l'impression que quelqu'un bougeait son bras. Elle ouvrit lentement les yeux et, dans un sursaut, elle aperçut sa fille Mya tout près d'elle, sa main posée sur son bras.

— Maman, réveille-toi, s'il te plaît.

— Qu'est-ce qu'il y a, ma chérie ? lui demanda-t-elle en se sentant encore un peu engourdie.

— J'ai peur, maman.

— Tu as peur ?

— Oui, j'ai fait un mauvais rêve. J'aime pas ça. C'était horrible. Le méchant monsieur était dans mon rêve.

— Ça va aller, mon amour. Approche-toi de moi, Mya. Je vais te prendre dans mes bras et te serrer très fort contre mon cœur.

Mya ne se fit pas prier. Elle se réfugia dans les bras de sa mère et s'y blottit. Jeanne remarqua qu'elle tremblait.

— C'est fini, ma grande. C'est fini. Ce n'était qu'un mauvais rêve. On appelle ça un cauchemar. C'est une vilaine histoire que notre imagination nous fait voir en rêve.

— Mais mon rêve avait tellement l'air d'être vrai, maman ! C'était comme si j'y étais et j'ai tout vu !

— Un mauvais rêve n'est jamais vrai. Comme je viens de te le dire, ma belle, c'est ton imagination qui te le fait vivre. Et toi, ma grande fille, tu as beaucoup, beaucoup d'imagination !

Toutes deux se regardèrent et se mirent à sourire. Mya, soulagée d'être dans les bras de sa mère ; Jeanne, soulagée d'avoir pu éviter une transe.

— Je veux te raconter mon rêve, maman.

— D'accord, raconte-moi.

— J'ai rêvé au méchant monsieur.

— Quel méchant monsieur ?

— Celui qui a mis le feu ici.

— Ah oui ? répondit-elle, ressentant malgré elle une légère inquiétude.

— Oui, il était encore tout habillé en noir et il a attaqué une madame.

Son intérêt pour les propos de sa fille décupla aussitôt qu'elle lui parla de cet inconnu.

— Qu'a-t-il fait ensuite ?

— Il a frappé la madame à la tête avec un gros bâton et elle est tombée par terre. Elle ne bougeait plus.

— Pauvre madame…, ne put que répondre sa mère.

Au fur et à mesure que sa fille décrivait son rêve et y ajoutait des détails, Jeanne ressentait une anxiété croissante. Mya le lui raconta avec tant de conviction que cela lui sembla bien plus qu'un simple rêve. Elle eut l'impression que cette description relevait plutôt d'une situation qui s'était réellement produite.

— Est-ce que tu connais la dame ? demanda-t-elle.

— Non, répondit Mya.

— Peut-être que tu ne l'as pas assez bien vue pour la reconnaître.

— Non, maman ! C'était comme si j'étais vraiment là ! J'ai bien vu la madame. J'ai vu son visage, elle avait de longs cheveux.

— Tu ne te souviens pas de l'avoir vue quelque part ?

— Non, pas du tout.

— Et le monsieur ? As-tu pu voir son visage ?

— Non, il avait quelque chose de noir sur son visage. Mais c'est le même monsieur qui était ici et qui a allumé le feu. Il était habillé pareil !

— Ah bon, répondit Jeanne en s'efforçant de rester calme.

Son anxiété grandissait au fur et à mesure que sa fille décrivait ce qu'elle avait vu. À un tel point que, par moments, elle devait faire de grands efforts pour ne pas laisser paraître cette nervosité grandissante devant Mya.

— Raconte-moi la suite, s'il te plaît, se contenta-t-elle de dire.

— Le monsieur l'a attachée avec une corde et il lui a mis un foulard sur les yeux et la bouche.

— Oh là là ! Quel mauvais rêve ! Que s'est-il passé ensuite ? demanda Jeanne avec une légère nervosité dans le ton de sa voix.

— Je ne sais pas. J'ai eu tellement peur que j'ai crié. Tout est devenu noir autour de moi et j'ai comme senti que je volais. Je me suis réveillée tout d'un coup. M'as-tu entendue crier, maman ?

— Non, mon ange. Je m'étais endormie moi aussi, mentit-elle. Je me suis réveillée seulement lorsque tu m'as pris le bras.

— Je ne veux plus faire de mauvais rêves ! Ça me fait peur !

— Un cauchemar n'est jamais agréable. Il faut juste espérer que tu n'en feras pas d'autres bientôt.

— Je t'aime, maman, dit Mya en se blottissant contre elle.

— Je t'aime moi aussi, mon amour, répondit-elle en la serrant contre elle tout en songeant au rêve que l'enfant venait de faire...

Beaucoup de questions s'enchevêtraient dans ses pensées. Une multitude de questions, qui s'avéraient autant d'énigmes puisqu'elle n'avait de réponse à aucune d'entre elles. Cela raviva ses inquiétudes à propos de son propre état, son malaise étant survenu en même temps que le cauchemar de sa fille.

Était-ce seulement une prémonition qu'elle avait ressentie plus tôt, ou une quasi-transe ? Toutes les transes précédentes qu'elle avait expérimentées, elle n'avait pas pu les contrôler et elle les avait vécues jusqu'au bout, bien malgré elle. Alors, pourquoi aurait-elle pu l'éviter cette fois-ci ?

Et Mya ? Était-ce une transe ou un cauchemar qu'elle avait vécu ? L'enfant ne pouvait sûrement pas faire la différence, étant donné son jeune âge et surtout, le fait que c'était la première fois que cela lui arrivait. Et puis, elle avait raconté qu'elle avait senti la présence de l'étranger à l'extérieur de la maison lorsqu'il était venu mettre le feu.

« J'ai la profonde certitude, dans mon for intérieur, que j'ai eu une prémonition et que Mya a expérimenté une transe... Ça ne peut être autre chose. »

Soudain, Jeanne réalisa que si l'incident décrit par Mya s'était réellement produit, ce dont elle était maintenant convaincue, quelqu'un était probablement en danger en ce moment précis. Une vague de panique monta en elle.

« Je dois rejoindre Gaël immédiatement ! » se dit-elle.

— Je dois aller appeler papa, ma grande. Ensuite, nous réveillerons Phélix-Olivier.

— D'accord. Puis-je regarder la télé encore ?

— Bien sûr. À tantôt.

Mya se dégagea de l'étreinte de sa mère pour aller s'installer sur le futon à côté de son frère, qui dormait à poings fermés. Jeanne remit la télévision à la chaîne précédente. Le dessin animé n'était pas terminé, à la grande joie de Mya, qui oublia aussitôt son cauchemar pour replonger dans l'histoire en cours.

— Maman ? demanda la fillette.

— Oui ? répondit sa mère en se tournant vers elle.

— Puis-je réveiller Phélix-Olivier ? S'il te plaît ! Il sera déçu s'il ne voit pas la fin de l'histoire.

— Bien sûr. Comme tu veux. Mais réveille-le doucement.

— Merci !

Jeanne les quitta et se dirigea rapidement vers le vestibule pour appeler son époux. Elle préférait que Mya ne puisse pas entendre leur conversation afin de ne pas l'inquiéter. À la quatrième sonnerie, la boîte vocale de Gaël se mit en marche. Déçue, Jeanne raccrocha le combiné.

« Il doit être en route vers la maison. S'il peut arriver avant sa mère. Je pourrai lui faire part de mes inquiétudes concernant ce que Mya m'a dit. »

Le son du carillon musical de l'entrée retentit dans toute la maison. Jeanne se dirigea vers la porte et jeta un regard à travers l'œil magique. Elle ouvrit en dissimulant sa déception. Sur le pas de la porte, la mère de Gaël se tenait bien droite. À ses côtés, Solaine portait la valise de celle-ci.

— Bonjour, Jeanne. J'aurais préféré rester chez moi, mais les circonstances font qu'il vaut mieux, selon mes enfants, que je demeure chez vous pour quelques jours.

À ce moment, le téléphone se mit à sonner. Jeanne se tourna vers le combiné. Elle sut immédiatement que cet appel était différent des autres. Une soudaine prémonition l'envahit, le pressentiment que la nouvelle qui l'attendait au bout du fil était étroitement reliée à certains événements des dernières heures.

— Entrez ! Je vais répondre et je vous reviens aussitôt.

— Faites donc, répondit simplement sa belle-mère.

Elle pénétra dans le vestibule, suivie de sa fille qui déposa la valise près du vestiaire.

— Donnez-moi votre pèlerine, maman, je vais la suspendre.

Entre-temps, Jeanne alla répondre.

— Allô ? dit-elle.

Jeanne écouta la personne au bout du fil sans dire un mot. Son regard se tourna vers sa belle-mère.

— Je comprends que vous n'ayez pas pu joindre Madame Lauzié, elle est ici en ce moment. Je vous la passe immédiatement.

Jeanne tendit le combiné à sa belle-mère, dont le regard exprima la surprise de recevoir un appel chez son fils.

— C'est le directeur de l'institut psychiatrique, dit Jeanne. Il veut absolument vous parler.

La belle-mère s'approcha et prit le combiné que sa bru lui tendait. D'une main ferme, elle le porta à son oreille.

— Allô ? Ici Madame Lauzié.

Jeanne se tourna vers Solaine, lui indiquant d'un geste qu'elle ne connaissait pas la raison de cet appel. Elles se regardèrent, muettes, puis leurs regards se tournèrent vers Madame Lauzié. Celle-ci écoutait les propos de son interlocuteur sans broncher. Elle se tourna vers Solaine et Jeanne et les regarda sans mot dire.

Tout à coup, Jeanne commença à ressentir un léger engourdissement qui augmenta rapidement et se propagea en un rien de temps dans tout son corps. Son rythme cardiaque s'accéléra à un tel point qu'elle en ressentit des palpitations. Ces signes avant-coureurs lui étaient familiers maintenant. Prise par surprise, elle eut un élan de panique.

« Oh non ! Ce n'est pas le moment ni l'endroit pour avoir une transe ! Je ne veux à aucun prix me donner en spectacle. Elles vont sûrement paniquer en me voyant dans un tel état ! »

— Je dois aller à la salle de bain, dit-elle à Solaine d'une voix tremblante.

Celle-ci remarqua l'état de nervosité de sa belle-sœur. Elle s'approcha d'elle et lui prit le bras.

— Est-ce que ça va ? Tu es toute pâle.

— Ça va aller, répondit-elle. Je vais aller à la salle de bain me rafraîchir et je reviens. Entre-temps, faites comme chez vous.

Jeanne se dirigea rapidement vers la salle de bain. Prise de légers étourdissements, elle crut ne pas pouvoir s'y rendre. En pénétrant dans la petite pièce, elle s'appuya au comptoir pour ne pas perdre l'équilibre.

❧

Une sensation inhabituelle envahit soudain l'enfant. Un engourdissement qui se propagea rapidement dans tout son petit corps.

« Mais que se passe-t-il ? » se dit-elle, toute surprise.

Cette étrange sensation la rendit nerveuse. Sa respiration accélérait à mesure que l'engourdissement l'envahissait. Son cœur se mit à palpiter. Elle sentit son être se détacher lentement de son corps et s'en éloigner.

« Je vole ! C'est encore un mauvais rêve. Un autre cauchemar. »

Mya se sentit planer dans la pièce. Elle n'eut pas le temps de distinguer quoi que ce soit autour d'elle. L'endroit s'assombrit rapidement. Elle eut l'impression qu'elle se déplaçait. Elle s'éloigna de son corps, de l'endroit où elle était. Elle avançait droit devant elle, passant à travers un brouillard dense et qui semblait ne pas avoir de fin.

« Quelle sensation bizarre... Quel étrange rêve... »

Elle se sentit partagée entre la peur de cette expérience nouvelle et inconnue et l'excitation de vivre une forme de rêve inhabituelle.

« C'est tout un rêve que je fais ! » se dit-elle.

Graduellement, le brouillard autour d'elle s'estompa, et elle put distinguer peu à peu l'endroit où elle était. La pièce était sombre, à demi éclairée. Cette lumière tamisée lui permettait de voir des chaises en rangées. Elle voulut voir d'où la lumière provenait. Elle essaya de bouger mais elle ne put le faire. Elle essaya de regarder autour d'elle mais elle ne réussit guère mieux.

« J'ai l'impression que je regarde avec les yeux de quelqu'un d'autre. »

Tout à coup, la lumière se fit plus forte au bout de la pièce. Elle vit un peu plus loin une plus grande pièce, mieux éclairée. Il y avait un présentoir au centre et de grands panneaux sur le mur. Au-dessus des panneaux était inscrit : GARE CENTRALE. Quelqu'un pénétra dans cette pièce. Elle distingua l'ombre d'une personne qui s'avançait lentement. Lorsque l'individu se tourna vers elle, elle le reconnut aussitôt.

« Papa ? Mais oui, c'est papa ! »

Elle eut beau essayer de l'appeler, aucun son ne se fit entendre. Elle se sentit prisonnière dans un corps inconnu, ce qui déclencha automatiquement chez elle une très grande nervosité.

« C'est trop vrai pour n'être qu'un rêve ! Qu'est-ce qui se passe ? »

Elle ne pouvait rien dire, ni rien faire. Elle ne pouvait que voir ce qui allait se passer...

Jeanne ouvrit le robinet et s'aspergea le visage d'eau froide. La sensation de fraîcheur lui fit grand bien et elle se sentit mieux. L'engourdissement et les palpitations diminuèrent peu à peu. Elle réalisa qu'elle était restée consciente.

« Bizarre..., se dit-elle. C'est aberrant... Ça m'a tout l'air que je ne ferai pas de petit voyage cette fois-ci ! Mais qu'est-ce que tout cela peut bien vouloir dire ? »

Tout à coup, Jeanne entendit des pas de course dans le corridor.

— Maman ! Maman ! Maman ! cria à tue-tête Phélix-Olivier.

— Je suis dans la salle de bain, lui répondit-elle.

Elle entendit les pas de son fils qui s'approchait à fond de train. Il apparut en un clin d'œil dans le cadre de la porte. Il perdit presque l'équilibre en voulant freiner son élan.

— Maman ! lui cria-t-il avec une expression de panique.

— Oui, Phélix-Olivier ? demanda-t-elle avec une pointe d'inquiétude dans la voix.

Jeanne eut de la difficulté à comprendre ce que son fils lui disait tellement il était nerveux et il butait sur certains mots.

— C'est Mya ! Elle ne va pas bien ! Elle... Elle... Elle... Je pense qu'elle fait un mauvais rêve, maman. Viens la réveiller ! Elle... Elle... Elle bouge tout le temps avec les yeux fermés. J'aime pas ça. Viens tout de suite !

Phélix-Olivier lui prit la main et la tira de force vers le corridor. Jeanne, toujours sous l'effet de son malaise, se sentait confuse et désorientée et mit quelques secondes à comprendre le propos de son fils.

« Oh non ! se dit-elle en réalisant que sa fille subissait probablement une autre transe. Cela se produit à nouveau chez elle ! Ce n'est pas moi, mais Mya, qui va vivre encore tout cela ! »

Toujours entraînée par son fils, elle essaya d'accélérer le pas vers la salle de séjour.

— Maman ! Plus vite ! Je t'en prie !

— Oui, répondit-elle. Allons plus vite !

Madame Lauzié et Solaine apparurent dans le corridor. Toutes les deux avaient une expression de surprise.

— Mais qu'est-ce que tous ces cris ? demanda Madame Lauzié, inquiète. Qu'est-ce qui se passe ici ?

— Mya ne va pas bien, répondit aussitôt Phélix-Olivier. Il faut aller l'aider.

Jeanne et son fils continuèrent leur course vers la salle de séjour, talonnés par Madame Lauzié et Solaine. Quand Jeanne arriva près du futon, elle sut immédiatement que sa fille était bel et bien en transe. Elle était étendue sur le sofa, les yeux fermés. Son visage était tendu, elle grimaçait par moments. Son corps fit un mouvement brusque et elle bougea un peu la tête de gauche à droite.

— J'ai dû coucher Mya, dit le garçon, toujours apeuré. Elle était assise et elle avait la tête penchée sur le côté. J'avais peur qu'elle tombe.

— Tu as très bien fait, mon grand.

— Je l'ai appelée et elle ne m'a pas répondu.

— Mya va bien, elle fait juste un cauchemar. Ne t'inquiète pas. Je vais rester auprès d'elle et elle va se réveiller bientôt.

Elle lut un grand soulagement dans le regard de son fils. Néanmoins, ses paroles ne rassurèrent en rien la belle-mère.

— Il ne faut pas la laisser dans cet état, s'écria-t-elle. Réveillez-la !

— Absolument pas ! Elle est dans un état de transe et en aucun cas, il ne faut la réveiller !

— Un état de quoi ? répondirent en même temps Madame Lauzié et Solaine.

— Je sais dans quel état elle est. Faites-moi confiance. Elle vit en ce moment une transe et c'est très important qu'elle ne soit pas réveillée. Je dois absolument savoir ce qu'elle aura vu.

Madame Lauzié et Solaine se regardèrent sans rien comprendre. L'état de Mya avait de quoi les inquiéter au plus haut point.

— Faites-moi confiance, répéta Jeanne. Je sais de quoi je parle. Elle va revenir à elle dans quelques minutes.

Toutes les trois attendirent le réveil de Mya. Jeanne lui prit la main et la caressa doucement sous les regards inquiets de sa belle-mère et de sa belle-sœur. Phélix-Olivier se colla contre sa mère.

— Mya va bien, mon grand, lui dit-elle à nouveau en le serrant tout contre elle de son autre bras. Je t'assure. Elle va se réveiller bientôt. Je te le promets.

L'attente leur parut interminable.

Chapitre 17

En route vers l'ancienne gare, Gaël ressentait une très grande nervosité. Quelques gouttes de sueur apparurent sur son front et ses mains devinrent moites. Il eut soudainement peur d'avoir pris la mauvaise décision en acceptant ce rendez-vous.

« Il est trop tard pour faire marche arrière, se dit-il. Je dois m'y rendre malgré tout et espérer que ce ne soit pas une erreur de ma part d'avoir accepté cette rencontre. »

Gaël arriva au chemin de l'ancienne gare. Il s'y engagea et conduisit lentement. Il regardait attentivement à gauche et à droite, scrutant la bordure de la route ainsi que le boisé qui longeait le chemin, essayant d'apercevoir quelque ombre suspecte. Il ne vit rien d'anormal. La vieille gare apparut à l'orée de la route, grandissant au fur et à mesure qu'il s'en approchait. La bâtisse était dans un état voisin du délabrement et visiblement abandonnée. Toutes les fenêtres étaient obstruées par de grands panneaux de bois. Les alentours n'avaient guère mieux à offrir. La végétation poussait librement ici et là autour du bâtiment. On pouvait à peine voir les rails du chemin de fer tellement la verdure s'y était imposée en roi et maître.

Gaël avait entendu des rumeurs selon lesquelles la ville projetait de tout rénover et d'en faire un musée de la civilisation relatant l'histoire de la locomotive depuis ses débuts jusqu'à aujourd'hui. Une vieille locomotive avec des wagons pour les voyageurs, et des wagons de marchandises auraient été prévus. Ce vieux train serait fonctionnel afin de transporter les touristes. Une tournée de quelques kilomètres offrant aux visiteurs des vues splendides de la ville et de la nature avoisinante.

Gaël ne perçut aucun signe de vie autour de la vieille gare. Il s'en approcha lentement et gara sa voiture dans l'ancienne aire de stationnement en face de la bâtisse. Il éteignit le moteur de son véhicule. Tout était calme... Trop calme. Il ne perçut aucun bruit anormal. Le silence alourdissait lugubrement l'atmosphère déjà lourde.

« Tout m'a l'air tellement sinistre, constata-t-il. J'ai l'impression d'être dans un film d'horreur et de m'apprêter à entrer dans l'antre du Diable. Et ce serait malheureusement moi l'acteur principal... Et possiblement la victime principale, si les choses prennent une tournure imprévue... »

Gaël ouvrit lentement la porte de la voiture et sortit prudemment. Tous ses sens étaient aux aguets, surveillant le moindre petit son, le moindre mouvement anormal autour de lui. Les quelques gouttes de sueur qui perlaient sur son front se multiplièrent et se frayèrent un chemin jusqu'à ses tempes. Il prit un mouchoir dans la pochette intérieure de son veston et s'essuya le front ainsi que le visage. Il enleva ensuite son veston et le lança dans l'auto avec le mouchoir mouillé.

« Aussi bien enlever ma cravate et desserrer le collet de ma chemise. J'ai l'impression d'étouffer. »

Il jeta sa cravate dans l'auto et referma la porte précautionneusement en évitant de faire du bruit. D'un pas indécis, il s'avança vers le portique. La porte était légèrement entrouverte. Il s'en approcha lentement et s'arrêta sur le seuil. L'examen de la porte ne laissait aucun doute, celle-ci avait été enfoncée. Des traces de coups étaient visibles autour de la serrure et sur le cadre.

« Cette porte a visiblement été forcée. Par conséquent, l'inconnu doit sûrement se trouver à l'intérieur. Je dois faire preuve d'une grande prudence. »

Il prit une grande respiration pour se donner du courage avant de se décider à tirer la porte. Celle-ci ne résista pas et s'ouvrit progressivement au fur et à mesure qu'il la tirait. Son cœur palpitait tellement dans sa poitrine qu'il sentait chaque battement résonner dans tout son corps.

« Du calme, se dit-il. Je dois rester en contrôle afin de demeurer rationnel. »

Gaël avança lentement et franchit l'entrée. Tout était sombre à l'intérieur. Un puits de lumière constitué d'une petite tour vitrée lui permit de distinguer vaguement le centre de la pièce. Il ouvrit toute grande la porte pour permettre à la lumière du jour de pénétrer à l'intérieur le plus possible. Il bloqua la porte avec un bout de planche qui traînait par terre. Lorsqu'il fut à l'intérieur de la pièce, il lui fut plus facile de distinguer l'aire d'accueil des passagers. Il s'avança vers l'ancien poste d'accueil mais s'arrêta à mi-chemin. À la droite du poste, un mur vitré lui permit d'entrevoir vaguement la salle d'attente des passagers. Ce mur était percé en son centre d'une grande ouverture permettant aux passagers d'y entrer afin d'aller s'asseoir dans la salle d'attente. Il ne put distinguer que les premières banquettes. Les rangées, en s'éloignant, devenaient de plus en plus floues dans la noirceur.

« Avec cette zone de lumière, je suis une proie facile. Si cet individu est caché quelque part dans cette salle, il peut sûrement me voir facilement, sans que je puisse même l'entrevoir. »

Graduellement, la vision de Gaël s'adapta à la légère pénombre des lieux et il put mieux distinguer la pièce autour de lui. À la gauche du poste d'accueil, il examina le mur où étaient suspendus de grands panneaux. C'étaient des enseignes où devaient être affichées les destinations et les heures d'arrivée et de départ. Au-dessus de ces panneaux était inscrit : GARE CENTRALE. Au bout, vers la droite, il remarqua une grande porte. Elle était entrouverte. Il ne sut quoi faire sur le moment. Devait-il aller y jeter un coup d'œil ?

« Est-ce un piège ? Ou est-ce un hasard que cette porte ne soit pas fermée ? Il vaut mieux vérifier les alentours avant de s'y aventurer… »

Il se retourna lentement sur lui-même tout en surveillant le moindre son ou le moindre mouvement. Il eut beau scruter la pièce et le peu qu'il pouvait apercevoir de la salle d'attente, il ne vit rien.

« Il m'avait parlé d'un colis. Je ne vois rien nulle part. Il est fort possible que ça n'ait été qu'un simple prétexte pour me faire venir ici. »

Le silence était très difficile à supporter. Tout était trop calme et silencieux. Cette absence de stimuli était extrêmement pénible.

« Il est ici, j'en suis persuadé. Je le sens près de moi. Il croit sûrement que ce silence va me déstabiliser. Je dois rester calme. »

Il décida finalement d'aller vérifier ce qu'il y avait ou ce qui se cachait derrière cette porte entrouverte. Il se dirigea lentement dans sa direction, la fixant intensément, guettant le moindre petit mouvement de celle-ci. Au fur et à mesure qu'il s'en approchait, les palpitations de son cœur s'accéléraient et résonnaient dans tout son corps tel un écho puissant et incessant en provenance d'un lieu inconnu. Lorsqu'il fut tout près, il mit sa main légèrement tremblante sur la poignée et la tira précautionneusement vers lui. Les palpitations de son cœur étaient presque intolérables tellement il les ressentait fortement.

« Prudence, se dit-il. Je n'ai rien pour me protéger s'il jaillit devant moi. »

Lorsque la porte fut entièrement ouverte, Gaël fut soulagé de n'avoir pas été attaqué. Il put inspecter visuellement l'intérieur malgré la demi-obscurité. Le puits de lumière de la grande salle lui permettait d'examiner la pièce. Il faisait face à une petite salle exiguë. C'était une salle de rangement avec, sur le mur de gauche, des étagères vides. Au fond de la pièce, il y avait un grand sac noir informe.

« Probablement un sac de détritus qui a été abandonné, se dit-il. Mais voyons donc! sursauta-t-il. C'est quoi ce sac? »

Les yeux de Gaël s'agrandirent de surprise. Le sac semblait avoir bougé. Est-ce que ses nerfs lui jouaient des tours?

« Mais oui! Ça bouge encore! Il y a quelque chose là-dedans! »

Il y eut un autre léger mouvement, assez évident cette fois pour laisser deviner qu'il y avait sûrement une quelconque forme vivante à l'intérieur de ce sac.

« Cette poche est trop grosse pour qu'il s'agisse d'un animal. Est-ce possible qu'il y ait quelqu'un là-dedans? »

Il ne sut quoi faire sur le moment, se demandant si ce n'était pas un piège de l'inconnu. Quel tourment douloureux pour lui. Devait-il aller vérifier ce que c'était au juste?

« Ce n'est sûrement pas lui qui s'est inséré à l'intérieur! C'est assurément une personne, sûrement une victime de ce crapuleux individu. Je dois aller la délivrer. Elle va finir par étouffer dans ce sac! »

Gaël s'avança avec toutes les précautions du monde. Plus il s'approchait, plus les formes qui ondulaient à l'intérieur du sac prenaient la forme d'un être humain. Il se pencha et avança la main. Le contact lui permit de confirmer qu'il s'agissait bel et bien d'une personne. Celle-ci eut un sursaut et chercha à s'éloigner de sa main. Un son plaintif se fit entendre. Gaël enleva rapidement la corde qui nouait partiellement le sac et dégagea la tête de la victime. Il la reconnut immédiatement et demeura bouche bée pendant quelques secondes, n'osant croire ce qu'il voyait.

— Laurie! dit-il finalement dans un souffle.

Les yeux de Laurie exprimaient une peur indescriptible. Un large sparadrap lui bâillonnait la bouche.

— Ça va aller, Laurie. Je vais vous délivrer immédiatement.

Laurie ne put retenir ses larmes. Gaël lui enleva délicatement le diachylon qui lui scellait la bouche.

— Monsieur Lauzié! l'implora-t-elle entre deux sanglots. Sortez-moi d'ici, je vous en supplie!

— N'ayez crainte, je vais vous sortir de ce pétrin. Calmezvous. Nous allons partir d'ici sans plus tarder.

Gaël enleva le sac qui l'emprisonnait. Ses mains et ses jambes étaient attachées. Il les dénoua doucement pour ne pas lui faire mal. Il la prit sans tarder dans ses bras pour la réconforter. Les bras musclés de Gaël lui firent le plus grand bien. Elle se laissa réconforter et se calma peu à peu, rassurée et soulagée d'être enfin délivrée de cet enfer.

— Pouvez-vous me décrire celui qui vous a fait cela?

— Non, je n'ai pas eu le temps de le voir. Cela s'est fait si vite. Je ne m'y attendais pas du tout.

— Où étiez-vous?

— J'étais à peine sortie du bureau du dentiste et je me dirigeais vers le stationnement lorsque j'ai ressenti un violent coup à la tête. J'ai dû perdre connaissance aussitôt car je ne me souviens plus de rien.

— Où avez-vous repris connaissance?

— J'étais ici, dans ce sac. J'ai cru défaillir quand j'ai réalisé que j'étais bâillonnée et ligotée. J'ai eu beau essayer de me libérer, je n'ai pas pu. J'étais persuadée que j'allais me faire assassiner.

— Je peux facilement imaginer tout le stress que vous avez vécu, ma pauvre enfant.

— J'ai cru que j'allais mourir lorsque j'ai entendu la porte s'ouvrir. Je pensais que ce fou était revenu pour me tuer.

— Je peux imaginer la peur que vous avez ressentie.

Laurie se remit à pleurer de plus belle. Gaël la serra dans ses bras à nouveau pour la rassurer et lui donner tout le réconfort dont elle avait besoin.

— Nous allons sortir d'ici, Laurie. C'est terminé.

❧

L'inconnu était resté immobile lorsque Gaël était entré dans l'aire de réception. Mya vit son père scruter les alentours et ensuite s'avancer vers la porte entrouverte à côté des panneaux d'affichage. Elle le vit aussi l'ouvrir et pénétrer à l'intérieur de la pièce sombre et y disparaître. Elle était trop éloignée pour pouvoir voir ce qu'il faisait à l'intérieur.

— Papa!!! Papa!!!

Elle eut beau essayer d'appeler son père, rien n'y fit. Aucun son ne parvint à sortir de ses lèvres. Après une période qui lui parut interminable, l'inconnu bougea finalement. Il se pencha vers le plancher pour y prendre une grande barre de métal. Elle vit ses mains : des mains recouvertes de gants noirs. Elle se vit avancer lentement vers l'endroit où son père avait disparu. Lorsqu'elle fut tout près de la porte ouverte, Mya put le voir qui tenait dans ses bras une dame qui, de toute évidence, pleurait.

« Mais c'est la personne que j'ai vue tantôt dans mon autre rêve ! C'est la madame qui avait reçu un coup sur la tête ! »

Mya n'y comprenait plus rien. Elle ressentit un élan de panique.

« Qu'est-ce qui se passe avec moi ? Je ne veux plus continuer ! Maman ! Aide-moi ! Je t'en supplie, aide-moi ! »

Elle vit les regards de son père et de la dame se tourner vers elle avec une expression d'intense surprise. La barre de métal se leva.

« Mais il va les frapper ! Il va les tuer ! »

Mais au lieu de voir l'inconnu se ruer sur la dame et son père, elle vit se refermer la porte. La barre de métal fut immédiatement coincée sous la poignée, les emprisonnant sur le coup. Tout devint subitement sombre tout autour de Mya. De plus en plus sombre. Elle eut l'impression de s'éloigner de l'endroit où elle était. Elle se sentit irrémédiablement poussée vers une destination inconnue…

Laurie et Gaël s'apprêtaient à se lever pour sortir de la pièce lorsqu'ils entendirent, près de la porte, les commentaires de l'inconnu. Ils virent une personne tout de noir vêtue, avec une cagoule ne laissant apparaître que les yeux. Ils furent sur le coup paralysés de stupeur.

— Eh bien! Vous avez trouvé mon colis, Monsieur le PDG. Et maintenant, si vous pensiez sortir d'ici tous les deux, vous allez avoir toute une surprise, mes très chers prisonniers.

Sur ces mots, il referma la porte rapidement. Les deux détenus n'eurent même pas le temps de bouger qu'ils entendirent un bruit métallique derrière la porte. C'était la barre de métal qui bloquait la porte de l'extérieur, les privant en même temps du peu de lumière qu'ils avaient. Gaël se leva d'un bond et se précipita vers la porte. Il trouva en tâtant la poignée et essaya de l'ouvrir. La porte résista malgré son insistance. Il se lança de toutes ses forces et à plusieurs reprises contre celle-ci, mais elle ne broncha pas d'un millimètre.

— Inutile de perdre votre énergie à essayer d'ouvrir cette porte, mon cher, vous ne réussirez pas malgré toute la volonté que vous y mettrez.

« Cette voix me semble familière, se dit-il. C'est une voix que j'ai entendue quelque part. »

Se sentir prisonnier, et surtout s'être fait avoir comme ça fit monter en lui un sentiment de frustration et un vif élan de colère.

— Ouvrez cette porte immédiatement ! ordonna-t-il sur un ton qui cachait difficilement sa colère.

— Ici, ce n'est pas vous qui commandez ! C'est moi le Maître du Jeu ! J'ai tiré mes cartes et vous êtes les perdants !

— Je trouverai bien un moyen de sortir d'ici !

L'inconnu se mit à ricaner bruyamment. Un rire démoniaque qui leur glaça le dos. Il était évident qu'il prenait un malin plaisir à ce qu'il venait de faire.

— Vous m'aviez donné votre parole en promettant de ne pas alerter qui que ce soit. C'était notre entente. Vous êtes pris au piège tous les deux. Vous ne sortirez jamais d'ici vivants !

— Vous m'aviez promis, de votre côté, que je ne risquerais rien, que ma vie ne serait pas en danger.

— Ah oui ? Quel dommage ! C'est la conséquence d'avoir été assez bête pour m'avoir cru. C'est le prix à payer.

Gaël se trouva effectivement bête d'avoir cru cet individu. Il ne put s'imaginer avoir été naïf à ce point.

« J'aurais dû laisser une note à l'inspecteur Lang lui disant où j'allais. Comment puis-je avoir été assez bête pour ne pas y penser ! »

Sa colère, déjà grande, augmenta encore.

— Vous ne perdez rien pour attendre ! Dès que je sortirai d'ici, je vous retrouverai et nous réglerons nos comptes !

— Personne ne pourra vous retrouver dans cette ancienne gare abandonnée. Personne ne vient par ici. Et si jamais quelqu'un vous retrouve, il sera trop tard, vous serez tous les deux dans un état squelettique.

— Vous êtes diabolique !

— Mais non ! Plutôt astucieux ! Sur ce, je dois vous quitter. Adieu !

Ils entendirent le rire démentiel de l'individu qui s'éloignait. Gaël eut beau se jeter à maintes et maintes reprises contre la porte, elle refusa de s'ouvrir. Il finit par se laisser choir par terre, complètement épuisé par ses efforts. Laurie se remit à sangloter. Ils étaient dans la noirceur la plus totale.

— Laurie, dit-il, n'ayez crainte. Nous allons sortir d'ici. Je vous le promets. Dès que l'inspecteur Lang s'apercevra de ma disparition, il va se mettre à ma recherche. Je suis persuadé qu'il déploiera tous les effectifs nécessaires pour me retrouver.

— Mais il n'y a personne qui se promène par ici ! Ce fou a raison ! Personne ne va penser à venir nous chercher dans cet endroit abandonné. C'est perdu d'avance ! Nous allons mourir de faim et de soif.

Elle se remit à pleurer de plus belle. Gaël réalisait bien qu'il était impossible qu'ils puissent sortir de cet endroit. Il avait eu beau essayer de dégager la porte, s'élancer comme un forcené contre celle-ci, malgré sa force imposante il n'avait pas réussi à la faire bouger d'un millimètre. Et il n'y avait aucune autre issue dans cette pièce exiguë.

— Il faut garder espoir, Laurie. Il le faut. Je suis convaincu que nous allons être retrouvés.

— Il ne nous reste que cela, répliqua-t-elle. Un seul espoir, celui que quelqu'un vienne nous délivrer. Gaël alla la retrouver. Il prit place à ses côtés et lui prit les mains. Ils se mirent alors à attendre avec espoir. Attendre dans la noirceur la plus totale. Ils n'avaient que cela à faire... Attendre... Espérer...

« Ah, Jeanne..., se dit-il. C'est le moment ou jamais d'avoir une de tes transes et de reconnaître l'endroit où nous sommes... »

Chapitre 18

MYA FINIT PAR REVENIR TOUT DOUCEMENT à la conscience. L'expression de son visage était nettement plus calme, un signe évident, pour Jeanne, qu'elle n'était plus en transe. Mya commença à bouger un peu, cligna des yeux et finalement, entrouvrit légèrement les paupières. Elle reconnut sa mère à son chevet.

— Maman, dit-elle, encore un peu léthargique.

— Prends le temps de bien te réveiller. Je reste avec toi.

Jeanne déposa instinctivement le creux de sa main sur la joue de sa fille afin de la rassurer. Mya referma les yeux un instant, le temps de reprendre tout à fait conscience.

— C'est terminé, tu es avec moi maintenant, ma grande.

Au fur et à mesure qu'elle revenait à elle, les images de son père prisonnier dans la petite pièce lui revenaient à la mémoire. Elle se tourna vers sa mère et se mit à pleurer.

— Oh, maman ! dit-elle entre deux sanglots. J'ai encore fait un mauvais rêve. C'était comme celui de tantôt. Tout avait l'air si vrai…

— Ça va aller, ma belle. Je suis là. N'aie plus peur.

Jeanne prit place à côté de sa fille et la prit dans ses bras. Phélix-Olivier, qui ne comprenait rien aux propos de sa mère et de sa sœur, se mit à pleurer.

— Est-ce que Mya est malade ? demanda-t-il en haletant entre deux sanglots.

— Mais non, répondit sa mère. Ta sœur a juste fait un vilain rêve. Tout va bien aller.

Jeanne tendit un bras vers son fils et il s'empressa aussitôt d'aller s'y blottir. Les deux enfants avaient besoin d'être réconfortés. Ils avaient de la difficulté à comprendre tout ce qui se passait. Leur petite routine quotidienne n'était pas la même aujourd'hui et il y avait de quoi les rendre nerveux. La chaleur maternelle les rassura. Jeanne se tourna vers sa belle-mère et sa belle-sœur. Le regard interrogatif, elles attendaient que Jeanne leur explique cette situation singulière.

— J'aimerais bien avoir une explication, demanda sa belle-mère. J'ai de la difficulté à comprendre ce qui se passe ici.

— Je vous expliquerai plus tard, Madame Lauzié.

— Comment ça, plus tard ? répliqua celle-ci. Mya n'a pas l'habitude d'avoir un sommeil agité, à ce que je sache. Et vous me parlez maintenant de transe. Je veux savoir ce qui se passe.

— Pour le moment, Mya a besoin que je la rassure.

— C'est évident, je vous l'accorde. La pauvre petite est encore toute bouleversée de son cauchemar.

— Que diriez-vous d'une bonne tasse de thé, belle-maman ? Quand il sera prêt, nous irons nous installer dans le salon et je vous expliquerai à vous et à Solaine ce qui se passe ici.

— J'ai bien hâte d'entendre vos explications !

— Solaine, se contenta de dire Jeanne en se tournant vers celle-ci, pourrais-tu aller nous préparer du thé, s'il te plaît ? Je l'apprécierais beaucoup.

— D'accord. Où sont les sachets ?

— Dans le contenant blanc à droite du réfrigérateur. La théière est déjà sur la cuisinière. Ensuite, nous passerons à table dès que Gaël sera de retour, ce qui ne saurait tarder.

— Je ne veux pas manger avant d'avoir reçu des explications, répliqua sa belle-mère avec entêtement.

— Maman, venez avec moi me donner un coup de main, l'interrompit Solaine. Nous pourrons tout mettre sur un plateau et l'apporter au salon. Jeanne pourra venir nous retrouver ensuite.

Sa belle-sœur avait deviné au regard de Jeanne que la priorité en ce moment allait à sa fille. Elle se pencha vers Phélix-Olivier et lui tendit la main. Celui-ci ne pleurait plus, les bras de sa mère autour de lui avaient su apaiser ses craintes.

— Viens avec moi, mon grand garçon. Tu pourras nous aider car je ne sais pas où est le sucre. J'ai besoin de toi.

Phélix-Olivier regarda sa mère, inquiet de la quitter.

— Va donner un coup de main à ta marraine, dit-elle en lui déposant un baiser sur le front. Tout va bien maintenant.

Rassuré, il se leva d'un bond et prit la main de sa marraine.

— Viens, grand-maman. Moi aussi j'aimerais avoir du thé.

— Je crois qu'un petit verre de jus de fruits serait mieux, répondit celle-ci, le visage plus souriant.

— D'accord.

Madame Lauzié mère les suivit un peu à contrecœur vers la cuisinette. Elle jeta néanmoins un regard furtif à sa bru. Un regard qui permit quand même à Jeanne de comprendre qu'elle s'attendait toujours à recevoir des explications. Jeanne se contenta de se tourner vers sa fille.

— Et si tu me racontais ton cauchemar ?

Laurie et Gaël se sentaient isolés du reste du monde. Seuls, dans cette grande noirceur, ils n'avaient guère le cœur à la conversation. Cependant, attendre en silence commençait à être de plus en plus pénible.

— Croyez-vous sincèrement que nous ayons une petite chance d'être délivrés ? demanda la jeune fille.

— Je suis persuadé que l'inspecteur Lang va s'apercevoir assez vite de ma disparition. En ce moment, il doit avoir terminé son interrogatoire auprès des victimes. Je devais l'attendre au Centre, il voulait me voir dès sa sortie de l'hôpital.

— Mais il ne saura pas où chercher !

— Il va utiliser son flair de détective, Laurie. C'est un homme qui a une grande expérience dans les enquêtes criminelles. Il va sûrement analyser la carte géographique de la ville pour répertorier tous les endroits où il est possible de cacher un otage.

— En tout cas, personne ne va s'apercevoir de sitôt de ma disparition.

— Et pourquoi donc ?

— Parce que je viens tout juste de louer un appartement et que j'y habite seule. Je ne viens pas de la région et ma famille est loin. Je n'ai pas beaucoup d'amis ici. Je n'ai même pas de petit ami.

— Qu'est-ce qui vous a décidée à venir vous installer ici ?

— Chez moi, c'est un tout petit village et il n'y a pas beaucoup de commerces ou d'entreprises. C'est très tranquille. Les postes en secrétariat administratif sont plutôt rares.

— Et vous avez eu la chance d'obtenir un poste ici.

— J'ai été tellement surprise d'avoir ce job. On m'a dit qu'il y avait eu beaucoup de candidats.

— D'après ce que j'ai su, vos résultats académiques et vos stages ont été impeccables. Vous vous êtes sûrement démarquée du groupe lors des entrevues d'embauche.

— J'ai travaillé très fort pour obtenir de bons résultats académiques. C'était important pour moi si je voulais tenter ma chance ici. Ça m'a rapporté !

— Vous avez raison. Et je vous trouve déjà autonome au bureau.

— Oui… Cependant, il me reste à m'habituer à Madame Landrie. Elle est difficile à comprendre parfois. Elle m'intimide beaucoup. Elle me donne froid dans le dos. C'est certainement une femme très consciencieuse et d'une très grande expertise, mais elle laisse peu de place à l'erreur.

— J'en conviens. Sa personnalité est un peu difficile à comprendre.

— Elle me fait peur parfois.

— Mais non, Laurie, n'ayez pas peur d'elle. Elle connaît tellement bien le fonctionnement administratif de ce Centre, vous apprendrez beaucoup avec elle. Vous ne pourriez pas avoir de meilleur mentor.

— Si elle ne m'achève pas avant.

— Je suis persuadé qu'elle reconnaît déjà en vous de très grandes compétences en secrétariat.

— Vous croyez ?

— Absolument ! Et croyez-moi, si Rosemarie vous avait trouvée le moindrement inefficace, elle me l'aurait certainement dit ce matin dès mon arrivée au bureau.

— Et elle m'aurait fichue à la porte bien avant votre arrivée !

— Soyez-en sûre ! s'exclama-t-il en essayant de ne pas laisser paraître son ton de voix enjoué.

Gaël eut un large sourire en entendant les propos de Laurie. Malgré la noirceur totale, elle devina l'expression de son visage.

— Je vous vois sourire malgré la noirceur !

— Comment ça ? C'est impossible, il fait beaucoup trop noir. Comment avez-vous deviné ?

— Le ton de votre voix vous a trahi.

Tous les deux se mirent alors à rire. Ce fut bon de se détendre un peu. Leur nervosité baissa d'un cran, ce qui leur permit de mieux contrôler leur stress dans cette situation fort pénible.

— Ne vous inquiétez surtout pas pour votre travail. Vous avez certainement fait vos preuves.

— Merci beaucoup.

— Et vous saurez sûrement un jour percer la carapace de notre chère secrétaire. Vous verrez.

— Si nous réussissons à sortir d'ici vivants…

— Je regrette de ne pas avoir laissé une note à l'inspecteur. Cet ignoble individu m'avait averti de n'aviser personne du lieu de notre rencontre. Il m'avait menacé de s'en prendre à ma famille.

— Non !

— J'avais peur qu'il s'en prenne encore une fois à mon épouse et à mes enfants. Je n'aurais jamais dû accepter.

— Ne vous sentez pas coupable, Monsieur Lauzié. Vous avez agi sous la menace, pour protéger votre famille.

— Je m'en veux quand même d'avoir été aussi crédule.

♣

— Je te dis, maman. C'était la même madame que dans mon autre rêve.

Jeanne fut estomaquée par la précision des détails que sa fille lui donnait. Elle fut persuadée sans aucun doute possible que la dame décrite par Mya était celle qu'elle avait vue se faire assommer plus tôt lors de sa transe précédente.

— Et tu as vraiment reconnu papa avec cette dame? En es-tu certaine?

— Mais oui, maman! C'est comme si j'avais été là. J'ai hâte de raconter mes rêves à papa.

Jeanne lui sourit tendrement et passa une main dans ses cheveux.

— Maintenant, c'est terminé.

— Je ne veux plus refaire de cauchemar. J'aime pas ça.

Elle le souhaita elle aussi, du plus profond de son cœur, malgré le doute qui s'était déjà installé en elle.

« Quand toute cette histoire sera terminée, je devrai demeurer à l'affût pour voir si ces transes se répètent. Si c'est le cas, je devrai trouver les mots pour lui expliquer cela sans lui faire peur. Elle est tellement jeune pour commencer à vivre ce genre de choses... »

— Et si nous allions donner un coup de main à ton frère? Nous pourrons ainsi boire un petit quelque chose au salon en attendant papa. Je suis sûre qu'il va arriver bientôt.

— D'accord.

Elles se levèrent toutes les deux et se dirigèrent vers la cuisinette. Tout à coup, un déclic se fit en elle, provoquant un élan de panique.

« Mais si Gaël est enfermé avec cette femme, cela veut dire qu'il est réellement prisonnier quelque part! »

— Mya?

— Oui, maman? dit-elle en se retournant.

— Je vais appeler au bureau de papa pour savoir s'il est en route.

Mya acquiesça du regard et continua son chemin vers la cuisinette. Jeanne s'élança vers le téléphone près de la télévision. Elle souhaita, du plus profond de son cœur, que les visions de sa fille soient fausses. Au même moment, le combiné se mit à sonner. Elle se précipita pour répondre.

— Gaël ? demanda-t-elle nerveusement. C'est toi ?

— Madame Lauzié ? C'est l'inspecteur Lang. Je pensais que votre époux était avec vous.

— Il m'a dit qu'il devait vous voir avant de quitter le Centre.

— En effet, nous avions convenu de nous voir ici avant qu'il ne quitte l'établissement. Je suis présentement au Centre et il n'y est pas.

Jeanne fut soudainement prise d'un étourdissement qui lui donna un haut-le-cœur. Elle s'agrippa au meuble de télévision.

— Gaël est emprisonné, Monsieur Lang ! Il a été enfermé quelque part, je ne sais pas trop où.

— Comment cela, Madame Lauzié ?

— Je ne sais pas où il est, redit-elle. Il est enfermé avec une autre personne. Une femme.

— Vous avez eu une transe ?

— Non, c'est ma fille.

Les propos saccadés de Jeanne rendirent le policier confus.

— Si je comprends bien, votre fille a eu une transe, et elle a vu votre époux et une dame enfermés quelque part.

— C'est bien cela, dit-elle, presque en pleurs. Il faut absolument les retrouver ! Ils sont en danger !

Jeanne balbutia ces derniers mots entre deux hoquets. Elle n'en pouvait plus. Ses nerfs à vif la plongèrent dans un état de panique difficile à contrôler.

— Calmez-vous, Madame Lauzié. J'arrive dans un instant et je vais voir à cela. Savez-vous où ils sont enfermés ?

— Non, je ne sais pas, dit-elle dans un souffle. Ma fille ne connaît pas l'endroit.

— Votre fille a peut-être fait un cauchemar.

— Alors, pourquoi Gaël n'est-il plus au Centre ? Pourquoi n'est-il pas déjà arrivé ici ?

— Il faut questionner votre fille. En attendant que j'arrive, demandez-lui d'essayer de se souvenir des lieux.

— Elle ne connaît pas l'endroit, je viens de vous le dire.

— Je sais. Essayez quand même. Peut-être pourrait-elle se rappeler quelques petits détails. Le moindre indice pourrait peut-être nous indiquer par où commencer nos recherches.

— D'accord, je vais essayer.

— Je serai chez vous dans peu de temps. Si votre époux n'est pas arrivé, je déclencherai une alerte.

— Merci.

— Il ne peut pas être à l'extérieur de la ville, il n'a quitté le centre que depuis quarante minutes selon le policier de garde. Et s'il est déjà prisonnier, il n'est pas très loin.

— Il ne faut que quinze minutes pour venir ici. Il aurait eu amplement le temps d'arriver.

— En effet. J'arrive à l'instant. Gardez courage.

L'oxygène commençait à diminuer dans la pièce exiguë. Gaël et Laurie avaient un peu de difficulté à respirer. Des gouttes de sueur commençaient à perler sur leur front.

— Qu'est-ce qui se passe, Monsieur Lauzié ? Il fait très chaud et j'ai l'impression que je vais étouffer.

— Il y a peu d'air qui circule ici. Il ne doit pas y avoir d'échangeur d'air. De toute façon, s'il y en a un, il n'y a pas d'électricité pour le faire fonctionner. L'oxygène ne pénètre pas assez dans cette pièce fermée. Pas assez pour nous permettre de respirer convenablement.

— Nous allons mourir étouffés, dit-elle dans un sursaut de panique. Ça ne se peut pas ! Ce n'est pas vrai !

Elle se mit à pleurer, ce qui augmenta sa difficulté à respirer et provoqua chez elle un état de panique encore plus grand.

— Calmez-vous, Laurie. Calmez-vous, répéta-t-il plus fermement. Il faut rester calme. Il faut dépenser le moins d'énergie possible afin de ne pas trop consommer l'oxygène qu'il reste dans cette pièce.

— Nous allons mourir étouffés, répéta-t-elle encore dans un souffle de détresse. Sortez-moi d'ici, je vous en supplie !

Gaël eut du mal à retenir la jeune femme. Son attaque de panique lui fit éprouver à lui aussi une plus grande difficulté à respirer. Dépourvue d'énergie, elle cessa de se débattre, ne pouvant rien faire qu'essayer de reprendre son souffle.

— C'est ça, calmez-vous, Laurie, lui dit-il en la serrant tout contre lui. Vous pourrez mieux respirer en restant calme, et nous ne nous épuiserons pas. Bougeons le moins possible et ça va aller.

— Je suis désolée, Monsieur Lauzié. Je suis désolée. Je ne veux pas mourir. Ce n'est pas juste.

— Vous n'allez pas mourir, Laurie. Nous allons tenir le coup tous les deux.

Gaël continuait à la serrer dans ses bras. Elle se contenta d'aller s'y blottir. Elle continua à pleurer en silence. Le simple fait de ne pas bouger les aida à mieux respirer. Tous deux étaient mouillés de sueur. Gaël se sentit désespéré. Un élan de désespoir monta en lui.

« Il faut tenir le coup, se dit-il. Ah, Jeanne… Tu dois nous retrouver avant qu'il ne soit trop tard… »

Chapitre 19

JEANNE EUT DE LA DIFFICULTÉ À SE CALMER. Après quelques efforts et quelques grandes respirations, elle réussit
tant bien que mal à se rendre jusqu'au futon. Elle s'y laissa
choir, épuisée par les émotions. Elle s'empressa de sécher
ses larmes avant d'appeler sa fille. Il était hors de question
que celle-ci puisse ressentir sa grande nervosité. Elle prit à
nouveau une grande respiration avant de l'appeler.

— Mya ! Viens ici un instant.

Celle-ci apparut à l'entrée de la salle de séjour, toute
souriante.

— Oui, maman.

— Viens ici, Mya. Il y a quelque chose que j'aimerais bien
savoir, ma chouette.

Mya s'approcha de sa mère. Celle-ci lui prit la main et
l'invita à s'asseoir tout près d'elle.

— J'aimerais beaucoup te poser quelques questions à propos du rêve que tu as fait tantôt.

— Comme quoi, maman ?

— Tu m'as dit que tu ne savais pas où était papa dans ce
rêve.

— Non, je ne sais pas.

— Je suis tellement curieuse. J'aimerais bien savoir à quel endroit tout cela s'est passé. Que dirais-tu de faire un jeu, toi et moi ?

— Un jeu ?

— Oui. Nous allons faire comme un jeu et essayer de découvrir si tu peux te rappeler certains détails que tu aurais pu voir d'où tu étais. Ça pourrait peut-être nous aider à trouver l'endroit où papa était.

— Comme tu veux, lui répondit-elle, tout excitée de jouer avec sa mère.

— Alors, installe-toi confortablement tout près de moi.

Mya se colla tout contre sa mère.

— Et maintenant, ferme tes yeux et essaie de te rappeler le début de ton rêve. Prends le temps qu'il faudra, ma chérie.

Elle ferma les yeux. Ensuite, elle essaya du mieux qu'elle put de se concentrer afin de se rappeler à quel endroit cela avait bien pu se passer.

— Peux-tu retourner en arrière et revoir ton père ?

— J'essaie très fort, répondit-elle.

Jeanne attendit quelques secondes avant de poursuivre.

— Qu'est-ce que tu vois autour de toi, ma grande ?

— Je ne vois rien, maman. J'essaie de me rappeler mon rêve. J'y arrive pas.

Jeanne voyait bien les efforts de sa fille qui se concentrait, les yeux fermés. Elle sentait déjà tout espoir s'amenuiser.

« Ce ne sera pas évident de demander à une enfant de neuf ans de se rappeler cet endroit », se dit-elle.

— D'accord. Commençons par voir papa. Essaie de le revoir. Prends ton temps et concentre-toi.

Mya fit un plus grand effort. Graduellement, le visage de son père commença à apparaître dans sa mémoire. Elle le revit dans une pièce sombre.

— Ça y est, maman, je vois papa. Je me souviens de son visage.

— Vois-tu la pièce, ma chérie ?

— Un peu… C'est pas éclairé beaucoup.

En entendant les propos de sa fille, Jeanne retrouva tout à coup espoir.

« Ne brusquons rien, prenons notre temps. »

— Est-ce que c'est une grande pièce ? se risqua-t-elle à demander.

— Je ne sais pas. Il y a un grand bureau à côté de papa. C'est comme le bureau où on va acheter la crème glacée.

— Oh, un comptoir, tu veux dire ?

— Je pense que oui.

— Très bien, ma belle. Est-ce que tu te souviens s'il y avait d'autres meubles autour de papa ?

— Je ne sais pas… Je ne me souviens pas.

— Ce n'est pas grave, Mya. Te rappelles-tu s'il y avait des photos sur les murs ?

Mya gardait toujours les yeux fermés et faisait des efforts pour se rappeler quelque chose d'autre. Rien ne lui revint à la mémoire.

— Je ne me rappelle pas, maman. Je sais pas…

Elle ouvrit les yeux, déjà lasse de jouer à ce jeu.

— Je ne veux plus jouer. Je me sens fatiguée un petit peu.

— D'accord, répondit la mère, déçue de ne pas en savoir plus. Tu as fait un bel effort. Si tu te souviens de quelque chose, viens me voir tout de suite pour en discuter.

— D'accord, lui dit-elle.

Mya noua ses bras autour de sa mère et se colla tout contre elle.

— Je t'aime beaucoup, dit Jeanne.

— Je t'aime aussi, maman. Gros comme l'univers !

La mère regarda affectueusement sa fille, fière des efforts qu'elle avait faits pour se souvenir des lieux. Mya se leva et se dirigea vers la cuisinette. En sortant de la pièce, elle se tourna tout à coup, les yeux grands ouverts, avec une expression de surprise.

— Ah oui ! maman ! Je me souviens de quelque chose !

— Oui ? répliqua Jeanne, les yeux agrandis d'espoir.

— Il y avait derrière papa un genre de grosse affiche sur le mur. Il y avait quelque chose d'écrit dessus.

— Quoi donc ? demanda-t-elle, la gorge serrée.

— Hum... attends...

Mya se concentra à nouveau, plissant les yeux, ne laissant entrevoir qu'une petite fente entre ses paupières.

— Gare...

— Gare ? redit Jeanne pour vérifier l'exactitude du mot.

— Oui... Il y a aussi un autre mot...

Jeanne ne bouscula pas sa fille, préférant lui laisser le temps de se rappeler ce détail crucial. L'attente lui parut interminable.

— *Cental,* est-ce que ça se peut ? demanda Mya.

— *Cental ?* Ce n'est pas un mot, ma belle.

— Je ne me souviens pas de l'autre mot.

— Gare… Gare…

Jeanne cherchait fébrilement quel mot pouvait bien ressembler à celui-là. Soudain, il lui apparut.

— Gare centrale !!! Est-ce que c'est *Gare centrale ?*

— Je pense que oui, maman. En tout cas, ça ressemble à ça ! Qu'est-ce que ça veut dire ?

— C'est un endroit où les gens vont prendre le train.

— Ah bon.

— Très bien, ma belle. Je te félicite. Tu es très forte. Quand papa sera ici, je suis sûre qu'il sera très intéressé à entendre ton rêve.

Mya eut un large sourire, toute fière d'avoir fait plaisir à sa mère.

— Tu peux aller retrouver ton frère.

Mya s'en retourna, sautillant sur une jambe et sur l'autre. Jeanne était persuadée que ce que sa fille avait vu sur l'affiche était réel. Elles avaient trouvé l'endroit exact où Gaël et la femme étaient séquestrés.

« Je dois aller immédiatement à la gare avec l'inspecteur ! Ils sont sans aucun doute enfermés à l'intérieur ! »

Elle se leva rapidement. Ce mouvement l'étourdit un peu. Elle empoigna le bras du meuble pour ne pas vaciller. Toutes ces émotions l'avaient rendue vulnérable. Au bout de quelques secondes, elle reprit ses esprits et se dirigea rapidement vers le vestibule.

— Solaine ! Viens ici, s'il te plaît, lança-t-elle à voix haute vers la cuisinette tout en se dirigeant vers la porte d'entrée.

La main sur la poignée de la porte, Jeanne attendit que sa belle-sœur soit dans le vestibule. Elle l'interpella aussitôt.

— Solaine, je ne peux rien t'expliquer pour le moment, mais je dois absolument sortir. L'inspecteur Lang est en route pour venir me rejoindre.

— Comment ça ? répondit Solaine, toute surprise.

— Il le faut. Je dois aller faire certaines vérifications.

— Maintenant ? Mais pourquoi ?

Jeanne ne sut que répondre. Elle préféra ne pas entrer dans les détails pour éviter de l'inquiéter et pour éviter surtout une avalanche de questions auxquelles elle ne voulait pas répondre pour le moment. Elle opta pour un demi-mensonge.

— L'inspecteur qui s'occupe de l'enquête me demande d'aller avec lui vérifier certains indices.

— Est-il arrivé quelque chose à Gaël ? demanda Solaine, soudainement inquiète.

— Je ne pense pas que ce soit alarmant, se contenta de répondre Jeanne.

— Mais, Jeanne ! Tu ne peux pas nous quitter comme ça !

— Il le faut.

— Quand maman va savoir que tu es partie sans même prendre le temps de l'avertir, elle va en faire une syncope !

— Je sais.

— Tu sais comment elle devient insupportable quand elle n'a pas le contrôle sur tout ce qu'il y a autour d'elle...

— Crois-moi, je ne pars pas sans raison. Je reviens dans peu de temps et je vous expliquerai tout, c'est promis.

Sa belle-sœur n'eut même pas le temps de répliquer que Jeanne était déjà sortie. Les états d'âme de sa belle-mère étaient en ce moment le moindre de ses soucis. Elle s'élança vers la rue en espérant que l'inspecteur arrive rapidement. Comme elle atteignait le trottoir, elle vit apparaître les gyrophares de la voiture de police, suivie d'une deuxième. L'inspecteur Lang avait décidé de ne pas mettre les sirènes en marche, jugeant préférable de ne pas créer trop d'émoi. Le véhicule arriva rapidement et Jeanne reconnut l'inspecteur au volant, accompagné d'un assistant. Elle lui laissa à peine le temps de s'arrêter, s'élança vers la portière arrière, l'ouvrit et monta dans la voiture sans laisser aux policiers le temps d'ouvrir la bouche.

— Je sais où Gaël est enfermé ! J'ai pu identifier l'endroit. Nous devons nous rendre à la gare.

— D'accord, lui répondit l'inspecteur, la croyant sur parole. Nous y allons immédiatement.

Il prit sans attendre la route vers la gare, suivi de la deuxième voiture de police. Quatre policiers prenaient place dans cette voiture. L'inspecteur jeta brièvement un regard vers son coéquipier.

— Je veux le panier à salade à la gare. Demande-leur d'attendre au bout du boulevard et de nous suivre quand nous passerons devant eux.

— Oui, inspecteur.

Le policier prit l'émetteur radio et lança un appel.

— Quartier 29, dit-il.

— Ici Quartier 29, répondit peu de temps après une voix féminine.

— Agent Viennot, auto-patrouille 101.

— Bien reçu, agent Viennot.

— Envoyez immédiatement le panier au boulevard Pionnier, côté ouest, avant la gare, et dites-leur de nous attendre.

— Demande exécutée.

— Lorsque nous passerons sur le boulevard, la fourgonnette devra nous suivre immédiatement.

— Message reçu.

Le policier remit l'émetteur dans son socle.

— C'est bizarre, dit l'inspecteur. C'est bien le dernier endroit où j'aurais pensé enfermer quelqu'un. Il y a un va-et-vient continuel là-bas. J'avoue que cela me déroute complètement.

— C'est vrai, répondit Jeanne. Je n'avais pas pensé à ça. Peut-être est-ce dans un entrepôt près de la gare?

— C'est possible… Expliquez-moi ce que votre fille vous a dit.

— Elle a eu de la difficulté à se rappeler les détails.

— Qu'a-t-elle vu exactement?

— Elle a vu son père dans une pièce.

— Une grande pièce?

— Elle ne sait pas vraiment. Il y avait un grand comptoir et, sur le mur, elle a vu une sorte de grande affiche avec des mots inscrits dessus.

— Quels mots ?

— Selon Mya, il y avait les mots *Gare centrale*.

— Quels mots ? redemanda tout à coup l'inspecteur.

— Gare centrale, répéta Jeanne.

L'inspecteur regarda son coéquipier. Ils avaient l'air perplexe. Un regard à la fois surpris et perplexe. Jeanne le vit encore mieux lorsque l'inspecteur la regarda dans le rétroviseur.

— Qu'y a-t-il ? demanda-t-elle.

— Nous faisons route vers la Cité de la Gare ! Votre fille a sûrement fait une erreur en lisant les mots sur l'affiche.

— Je ne crois pas. Je sais qu'elle a bien identifié les mots. C'était bel et bien *Gare centrale*.

Les deux policiers se regardèrent à nouveau. Jeanne, de son côté, ne savait pas comment interpréter leur attitude. Et encore moins leurs commentaires. Ils n'eurent pas besoin de se parler. Ils avaient compris.

Chapitre 20

L'INSPECTEUR LANG TOURNA AU COIN DE RUE suivant pour prendre un itinéraire complètement différent de celui de la Cité de la Gare. L'agent Viennot prit aussitôt l'émetteur radio.

— Qu'est-ce qui se passe ? demanda Jeanne, surprise de ce revirement.

— Un instant, je vous prie, Madame Lauzié, interrompit l'agent calmement. Je vous reviens.

Elle ne comprenait rien à ce nouvel itinéraire, ce qui la rendit encore plus nerveuse qu'elle ne l'était déjà. Elle eut un mouvement d'impatience qu'elle eut peine à retenir. Toutes ses émotions étaient mises à rude épreuve, et ne pas recevoir de réponse à sa question la poussa à bout. Elle préféra toutefois se taire pour le moment afin de ne pas créer de frictions. Elle souhaitait néanmoins avoir une réponse rapidement.

— Quartier 29 ! demanda l'agent Viennot par l'intermédiaire de la radio.

— Ici Quartier 29, répondit presque aussitôt une voix.

— Changement de directives. Nous nous dirigeons vers l'ancienne gare abandonnée, aux limites de la ville. Faites suivre le panier.

— Message reçu, répondit la voix.

L'agent Viennot se tourna vers Jeanne.

— Il s'agit sans aucun doute de cet endroit, Madame Lauzié. Il y a une ancienne gare aux limites de la ville. Elle est maintenant fermée, depuis plusieurs années déjà.

Elle comprit tout à coup la raison de leur étrange attitude. Les deux policiers avaient immédiatement compris que Gaël n'était pas prisonnier à la Cité de la Gare mais plutôt à l'ancienne gare.

— Je ne savais pas qu'il y avait une gare abandonnée ici, dit-elle. Et elle se nomme Gare centrale ?

— Oui. Et tout s'explique, ajouta l'inspecteur Lang. C'est l'endroit idéal pour enfermer quelqu'un. C'est un secteur où il n'y a pas de circulation. Jamais personne ne va par là.

Jeanne ne répondit rien. Elle ferma plutôt les yeux. Elle se mit à espérer que ce soit bien l'endroit où son époux était séquestré. Et surtout qu'il soit vivant. Plus le temps avançait, plus il risquait d'y laisser sa peau. Juste à y penser, Jeanne sentit un frisson de frayeur lui parcourir l'échine.

« Je t'en supplie, Gaël ! Tiens le coup ! Je ne veux pas te perdre ! » implora-t-elle silencieusement en joignant les mains.

Gaël et Laurie ne bougeaient plus. Ils se tenaient immobiles dans cette noirceur totale. Ils n'avaient tout simplement plus de forces pour effectuer un quelconque mouvement, si minime soit-il. Ni pour parler d'ailleurs. Gaël voulut vérifier si Laurie était toujours consciente mais, malgré ses efforts, il ne parvint même pas à lever le bras. Il en était incapable. Toute l'énergie qui lui restait était canalisée et servait maintenant à contrôler sa respiration devenue laborieuse. Il fallait alors rester immobile afin de ne pas augmenter son besoin d'oxygène, dont la faible concentration dans la pièce atteignait un seuil critique pour leur survie. Gaël essaya tout de même d'ouvrir les yeux. Ce simple effort fut sans résultat. Ses pensées s'entremêlaient. Il ne pouvait même plus réfléchir. Son cerveau commençait à souffrir du faible taux d'oxygène.

❧

La vieille gare apparut dans leur champ de vision. Les deux voitures de police éteignirent rapidement leurs gyrophares. Les sirènes étaient déjà silencieuses depuis le moment où ils avaient pris le chemin de la gare. Les voitures s'approchèrent lentement des lieux. Les policiers se tenaient sur leurs gardes. Jeanne se sentait de plus en plus nerveuse. Ils aperçurent l'auto de Gaël dans le stationnement. Quand Jeanne vit la voiture de son époux, elle eut un vif sursaut. Il était bien là. Elle était soulagée qu'ils aient retrouvé l'auto de son époux, mais encore plus anxieuse de savoir ce qui avait pu lui arriver. À première vue, rien ne bougeait autour de la bâtisse. Tout était d'un calme inhabituel. Jeanne se tordait les mains pour essayer de diminuer les tremblements de son corps. Ils se garèrent lentement tout près de l'auto de son époux. L'inspecteur Lang se tourna calmement vers Jeanne.

— Veuillez rester ici pour le moment, Madame. Inutile de vous mettre en danger. Ce sera plus sécuritaire comme ça.

La voix imposante et autoritaire de l'inspecteur Lang ne laissait aucune place à la discussion. Elle le sentit et n'osa pas le contredire.

— D'accord, répondit-elle d'une voix tremblante.

— Nous allons nous diviser en sous-groupes pour procéder à la fouille aux alentours de l'édifice et ensuite nous entrerons à l'intérieur.

— Le temps que cela va prendre va me paraître une éternité, lui répondit-elle dans un souffle.

— J'en conviens, Madame. Ce ne sera pas évident pour vous d'attendre.

— Faites attention.

— N'ayez aucune crainte pour nous. Nous avons été bien entraînés pour ce genre de situation.

Malgré ces paroles, Jeanne savait bien que la situation était complexe et que les risques étaient très élevés.

— Son auto est ici, dit l'officier Viennot. Je présume que votre époux est à l'intérieur de l'édifice.

— Sûrement.

— S'il y est toujours, nous les retrouverons assez rapidement.

« Je l'espère de tout mon cœur », se dit-elle avec espoir.

— Veuillez m'avertir dès que vous les aurez retrouvés, implora-t-elle. Je vous en supplie. Je suis à bout de nerfs. L'attente va être un supplice intolérable.

— Nous vous ferons signe dès que possible, Madame.

Il lui toucha délicatement le bras dans un geste de réconfort. Elle ne put refouler les quelques larmes qui scintillaient dans ses yeux. Elle détourna le regard. Son inquiétude était tellement grande que rien ne pouvait la rassurer. Imaginer dans quelles conditions ils allaient peut-être retrouver Gaël et la dame était difficile à supporter. L'inspecteur se sentit dépourvu. Lui toucher le bras était le mieux qu'il puisse faire pour elle en ce moment difficile. Jeanne apprécia ce geste de réconfort.

Les deux policiers dégainèrent leurs armes. Avec une extrême prudence, ils sortirent du véhicule. Les policiers de la deuxième voiture suivirent. L'inspecteur désigna quatre policiers pour faire le tour de l'édifice. Ils se divisèrent en deux groupes, chacun se dirigeant en direction opposée afin de faire le tour de la bâtisse. Pendant ce temps, l'inspecteur Lang pénétra le premier dans la gare, suivi de son assistant, l'agent Viennot.

Jeanne eut l'impression que la terre s'arrêta de tourner. L'image des deux hommes entrant dans la gare l'un derrière l'autre lui serra le cœur comme s'il était pris dans un étau. Lorsque les autres policiers disparurent aux deux extrémités de la gare, elle se sentit au bord de l'évanouissement. Le silence qui suivit fut plus que difficile à supporter. Elle eut la nette impression que son cœur allait s'arrêter de battre tellement l'anxiété qu'elle ressentait était intense. Les muscles de son cou étaient si tendus qu'elle en éprouvait une douleur presque intolérable. Elle essaya de se masser la région cervicale pour apaiser cette tension.

À l'intérieur de la bâtisse, tout reposait dans la pénombre. Il était difficile pour les deux policiers de distinguer quelque chose. Ils allumèrent leurs lampes de poche. L'inspecteur Lang et son coéquipier scrutèrent les lieux avec une très grande prudence tout autour d'eux. Rien ne bougeait. Aucune forme ou ombre ne retint leur attention. Une fouille plus exhaustive commença prudemment. Ils ne perçurent aucun signe de l'agresseur ni de ses victimes. Tout à coup, à l'entrée principale, ils virent des ombres aux mouvements furtifs qui s'approchaient lentement. Ils se mirent en position de tir. Un à un, les quatre policiers, qui avaient terminé le tour de l'édifice, entrèrent sans bruit. L'inspecteur et son assistant baissèrent leur arme, soulagés de les avoir reconnus. Les policiers s'approchèrent d'eux en silence.

— Il y a une voiture stationnée derrière l'édifice, murmura l'un des policiers. Il n'y a personne à l'intérieur. À part cela, nous n'avons rien observé.

— De notre côté, nous n'avons rien trouvé pour le moment, répondit sur le même ton l'agent Viennot.

Puis, l'un des policiers fit un signe à l'inspecteur. Il lui indiqua le fond de la salle principale. Celui-ci vit alors une barre de métal appuyée contre une porte. Il était facile de deviner que cette barre retenait cette porte fermée.

Instinctivement, l'inspecteur sut que s'il y avait quelqu'un d'enfermé dans la gare, c'était évidemment dans cette pièce. Il s'en approcha rapidement, suivi des autres policiers, qui avaient eux aussi la même intuition. Ils se mirent en position de tir. L'inspecteur s'approcha lentement de la porte. Il enleva la barre avec précaution et peu à peu ouvrit toute grande la porte. L'inspecteur Lang reconnut immédiatement Gaël. Ils étaient là, tous les deux. Il les avait découverts. Ils étaient assis tout au fond de la pièce, l'un contre l'autre. Ni Gaël, ni Laurie ne levèrent leur visage vers leur sauveteur. Cette absence de mouvement lui fit craindre le pire.

— Gaël ! cria-t-il.

Aucun signe de celui-ci. Aucun mouvement de sa part. Cette absence de réaction provoqua un mouvement d'inquiétude dans tout le groupe.

— Allez les secourir immédiatement ! ordonna l'inspecteur en tenant la porte ouverte. Dépêchez-vous ! Vite !

Sans plus tarder, deux policiers pénétrèrent dans la pièce et se rendirent auprès d'eux. L'inspecteur mit la main sur le cadre de la porte pour se donner du courage et pour absorber le choc. Il tendit la barre de métal qu'il tenait à la main à l'un des policiers et celui-ci l'installa de façon à maintenir la porte ouverte.

— L'homme respire, inspecteur ! annonça le premier policier. Faites de la place, je le sors d'ici immédiatement pour lui donner une meilleure oxygénation.

Il prit Gaël par le torse et le traîna à l'extérieur de la pièce. L'inspecteur laissa échapper un soupir de soulagement. Gaël respirait difficilement, mais c'était quand même un signe encourageant.

« Il n'est pas mort ! se dit-il. Pourvu que la dame soit vivante. »

— La dame ne respire pas ! cria le second policier. Vite ! De l'aide pour la réanimation !

La crainte de l'inspecteur monta d'un cran. Un autre policier pénétra rapidement dans la pièce pour donner un coup de main à son coéquipier. Le premier étendit Laurie sur le dos et commença aussitôt la respiration artificielle. Le second vérifia le pouls carotidien au cou de la femme.

— Son cœur bat ! s'écria-t-il.

— Appelez immédiatement les ambulanciers, ordonna l'inspecteur à l'un des policiers tout près de lui. Allez !

Il fallait que la jeune femme soit sauvée !

« Il faut garder espoir de la réanimer ! Ce serait trop bête d'être arrivés trop tard. »

Le fait de ne pas les avoir trouvés morts était pour lui un signe qu'ils allaient sûrement s'en tirer. L'inspecteur se pencha sur Gaël. Toujours inconscient, sa respiration était cependant un peu plus régulière. Il était temps d'aller avertir son épouse. Il leva la tête vers un des policiers.

— Allez chercher Madame Lauzié, demanda-t-il.

Le policier acquiesça et sortit immédiatement de la salle. L'inspecteur se pencha un peu plus vers Gaël et le secoua.

— Gaël ! Allez, Gaël ! dit-il. Revenez à vous !

Jeanne mit peu de temps à apparaître. Dès qu'elle franchit le seuil de la gare, elle eut un hoquet de frayeur en voyant son époux étendu par terre, inconscient. Elle se précipita vers lui, en proie à une panique incontrôlable.

— Gaël ! Gaël ! s'écria-t-elle en pleurs. Gaël !

— Il est vivant, Madame. Il est évanoui.

Jeanne se décrispa. Elle laissa échapper un soupir de soulagement. Elle ne put contenir ses larmes et se mit à pleurer librement. Elle posa la tête sur le torse de Gaël en pleurant de tout son cœur. Tout cela était trop pour elle. Elle ne pouvait plus se retenir, laissant se déverser un torrent de larmes intarissable. L'inspecteur mit une main sur son épaule. La scène était très émouvante. Les mots lui manquaient pour lui exprimer ses sentiments.

— Nous avons réussi à le sauver juste à temps. Il va revenir à lui, se contenta-t-il d'ajouter. Ça va aller.

— Oh… Gaël ! dit Jeanne entre deux sanglots, toujours penchée contre lui.

Tout à coup, elle sentit son époux bouger. Elle leva aussitôt la tête et le fixa intensément, espérant qu'il revienne à lui le plus rapidement possible. Gaël bougea un peu et essaya d'ouvrir les yeux. Peu à peu, il reprenait graduellement conscience. Il se sentait tellement las. Il eut l'impression qu'il revenait de très loin, ce qui était le cas. Il finit par ouvrir les yeux et ce qu'il vit fut le plus beau cadeau qu'il puisse espérer : le visage de son épouse ruisselant de larmes et penché sur lui. Cela le rassura aussitôt. Il sut qu'il était sauvé. Il lui adressa un large sourire.

— Pensais-tu que j'allais te quitter comme ça ? lui dit-il d'une voix faible en essayant de conserver son sourire.

— Oh, Gaël ! lui répondit-elle. Je suis tellement contente que tu sois vivant !

Tous les deux se sourirent. Ils se serrèrent dans leurs bras. Soudainement, Gaël sursauta. Il venait de se rappeler qu'il n'était pas seul dans la pièce où il avait été enfermé. Où était Laurie ? Il se tourna vers l'inspecteur, toujours à ses côtés.

— Laurie ? demanda-t-il, inquiet. Où est-elle ? Est-elle vivante ?

Au même moment, un des policiers ressortit de la petite pièce.

— La dame respire d'elle-même. Mais elle est toujours inconsciente. Pouvons-nous l'installer ici ?

— Sortez-la immédiatement, répondit l'inspecteur.

— La connaissez-vous ? s'enquérit l'agent Viennot en regardant Gaël.

— Elle se nomme Laurie Elwart. C'est l'une de mes secrétaires du secteur administratif au Centre.

L'autre policier sortit de la pièce, portant la jeune femme dans ses bras. Il la déposa non loin de Gaël. Elle ne bougeait pas.

— Va-t-elle s'en sortir ? demanda-t-il au policier, visiblement inquiet.

— Elle va sûrement s'en sortir. Sans aucun doute. J'en suis persuadé.

Gaël eut un regard empreint d'un vif soulagement. Il ferma les yeux et laissa échapper un long soupir. Ils l'avaient échappé belle tous les deux, et de justesse en plus. Sans la rapide intervention des policiers, leurs minutes étaient comptées. Il s'en était fallu de peu qu'ils soient retrouvés morts. Juste à y penser, Gaël sentit un frisson lui parcourir le corps.

— L'oxygène se faisait de plus en plus rare, dit-il. Nous avons dû perdre connaissance tous les deux.

— Nous sommes arrivés juste à temps, poursuivit l'inspecteur. Une minute de plus et il aurait été trop tard.

— J'en suis conscient et je vous en suis très reconnaissant.

L'inspecteur posa une main sur son épaule. Il eut un bref regard vers Jeanne avant de se tourner vers Gaël.

— Il n'y a pas que nous, Monsieur Lauzié, qui méritons votre reconnaissance pour ce sauvetage. Votre épouse nous a été d'un très grand secours. Elle nous a mis sur une piste qui nous a menés jusqu'à vous. Sans elle, nous n'aurions jamais pu deviner que vous étiez tous les deux prisonniers ici.

— Merci, Jeanne. Je n'ai jamais été aussi content de toute ma vie que tu aies un don semblable.

— Ce n'est pas moi qui ai vu que tu étais ici…

— Ah ?

Jeanne savait que son époux serait stupéfait d'apprendre que leur fille avait hérité de son don de prescience. Aucun signe précurseur ne leur avait laissé penser cela.

— C'est Mya…

Gaël regarda son épouse, surpris de cette déclaration impromptue. Il avait sûrement mal compris. Il mit cela sur le compte de son esprit embrouillé par le manque d'oxygène.

— Qui, dis-tu ?

— Mya…

— Mya ? demanda-t-il, réalisant qu'il avait bel et bien compris la première fois.

— Oui… Mya…, répondit Jeanne sérieusement.

— Comment cela ?

— Elle a eu une transe. C'est elle qui t'a vu ici, dans cette gare.

— Ah oui ? ne sut que répondre celui-ci.

C'était effectivement un choc pour lui d'apprendre cela. C'était bien la dernière chose qu'il aurait pu imaginer à cet instant.

— C'est… Les mots me manquent, Jeanne… Je n'en reviens pas…

— Je sais…

Jeanne leva les yeux et vit le panneau installé sur le mur en face d'elle avec les mots *Gare centrale*.

— Et c'est grâce à ces mots, qu'elle a pu voir sur ce panneau, dit-elle en les pointant du doigt.

Gaël se tourna pour lever son regard vers l'endroit qu'elle désignait.

— Mya a vu ces mots et cela nous a permis de savoir où tu étais.

— Comment va-t-elle ?

— Elle va bien. Elle a hâte de te raconter ce qu'elle croit être un rêve.

Gaël ferma les yeux un instant. Depuis le matin… En fait, depuis qu'il était entré dans ses nouvelles fonctions de PDG, il n'avait eu aucun répit. Il allait de surprise en surprise et cela l'avait fait passer par toute la gamme des émotions imaginables. Malgré toute sa bonne volonté, il ne pouvait rien contrôler. Les incidents se succédaient sans lui laisser le temps de réagir. Et, comble de malheur, il ne pouvait rien prévoir. Tout arrivait trop vite. Tellement vite…

— Avez-vous attrapé ce fou furieux ? demanda-t-il à l'inspecteur avec espoir.

— Non, ne put que répondre l'inspecteur avec une contrariété évidente. Il n'était plus ici lorsque nous sommes arrivés. Aucun indice ici non plus pour nous fournir une piste quelconque. Sauf une auto derrière la gare. Nous ferons relever les empreintes.

Le regard de Gaël laissa échapper une déception évidente. Cet ignoble individu était toujours en cavale. Nul doute qu'il ne sauterait pas de joie en apprenant qu'ils avaient été secourus.

— Nous allons bien finir par le coincer, poursuivit l'inspecteur. Nous resterons aux aguets et à la moindre erreur de sa part, nous le piégerons.

— Pourvu qu'il n'ait pas le temps de blesser quelqu'un d'autre ou de tuer quelqu'un, dit Gaël avec inquiétude.

Le son strident de la sirène d'une ambulance se fit entendre au loin, un son de plus en plus puissant qui s'approcha rapidement.

Chapitre 21

Les deux ambulancières qui arrivèrent sur les lieux étaient les mêmes qui avaient été dépêchées plus tôt au Centre. Elles affichèrent une expression de grande surprise et furent stupéfaites de reconnaître Gaël parmi les victimes. L'ambulancière Robi se pencha sur lui, toujours étendu sur le sol, pour l'examiner, tandis que l'autre ambulancière s'occupait de Laurie.

— Mais que faites-vous ici ? ne put s'empêcher de demander la secouriste.

— Ce serait trop long et trop compliqué à vous expliquer, se contenta-t-il de lui répondre.

Celle-ci le fixa quelques instants puis elle se tourna vers l'inspecteur. Celui-ci nota son regard interrogateur. Il devina son inquiétude et prit le temps de la rassurer.

— N'ayez crainte, Madame. Monsieur Lauzié est l'une des victimes.

— Oh ! répondit-elle.

Elle se sentit coupable d'avoir soupçonné Gaël d'être l'agresseur. Sans savoir ce qui s'était passé au juste, elle ne pouvait pas deviner qui était qui dans toute cette affaire. Deux victimes avaient été secourues plus tôt au Centre de formation internationale, et maintenant, deux autres l'étaient à cet endroit. Et l'homme qu'elle avait vu au Centre était maintenant ici, et peut-être blessé. Tout était possible.

— Je suis désolée. Je ne savais pas quoi penser de cette situation.

Elle se tourna vers Gaël et lui adressa un sourire timide.

— Je vous en prie, Madame, répondit-il simplement. Tout cela aurait pu être possible puisque vous n'avez pas vu le film. Vous avez été en retard pour le début de la projection et nous ne vous avons pas attendue !

La taquinerie de Gaël sut détendre l'ambulancière qui lui retourna son sourire. Elle commença sans plus tarder à l'examiner. Elle s'enquit brièvement de ce qui s'était passé, s'arrêtant surtout aux faits qui lui permettaient de mieux comprendre son état. Elle lui installa un masque à oxygène à titre préventif et prit sa tension artérielle. Elle installa ensuite à son index gauche un petit appareil lui permettant de savoir si son corps était suffisamment oxygéné.

— Vos signes vitaux sont très bons. Votre saturation en oxygène est à quatre-vingt-dix-neuf pour cent. Tout est dans la norme.

— Alors, il n'y a pas de quoi s'inquiéter outre mesure, conclut Gaël le plus sérieusement du monde. Je ne vois pas ce qui m'empêcherait de m'en retourner chez moi à présent.

Malgré l'insistance de l'ambulancière, il refusa d'aller au centre hospitalier, disant qu'il se sentait de mieux en mieux et qu'il préférait aller retrouver sa famille. Même l'inspecteur et son épouse ne purent le faire changer d'idée. Il se leva, enleva son masque à oxygène et le saturomètre.

— Nous ne pouvons vous forcer à venir vous faire examiner, dit l'ambulancière. Vous êtes cependant responsable de votre décision. Si vous ne vous sentez pas bien au cours des prochains jours, je veux absolument que vous me promettiez que vous irez au service d'urgence afin de vous faire examiner. Il ne faut pas oublier que vous avez souffert d'hypoxie et vos organes internes ont pu souffrir de ce manque d'oxygène. Cela pourrait vous causer de sérieux problèmes de santé et pourrait s'avérer plus difficile à régler en raison du délai entre l'incident et le jour de la consultation.

— Je vous le promets. N'empêche que je sais que je vais bien aller. Et encore mieux lorsque je serai à la maison auprès des miens. Je ne ressens aucune séquelle en ce moment. Je ne me sens plus étourdi et je peux me tenir sur mes deux jambes sans difficulté.

Gaël avait encore le visage un peu pâle et ses traits laissaient paraître une fatigue évidente. Mais sa respiration était redevenue normale depuis qu'il avait repris conscience. Il trouva que cette amélioration était un bon signe. Son excellente forme physique l'avait certainement aidé à récupérer aussi vite.

— Je préfère que vous vous occupiez de Laurie, elle a besoin de soins bien plus que moi. Elle n'est pas encore revenue à elle. Je m'inquiète beaucoup.

L'état de la jeune femme s'était toutefois légèrement amélioré. Sans avoir repris complètement conscience, elle avait cependant réagi au son de la voix de l'ambulancière en bougeant un peu la tête. Elle avait aussi réagi à la douleur provoquée par l'installation d'une sonde intraveineuse, car elle avait plissé le front lors de l'insertion de la canule. Même si elle ne répondait pas à leurs questions, les ambulanciers se dirent que c'était quand même un bon signe et que son cerveau était maintenant bien oxygéné. Il y avait de bonnes chances pour qu'elle ne soit pas affectée par un possible manque d'oxygène. Un masque à oxygène avait été installé sur son visage. L'ambulancière Robi installa à son doigt un saturomètre. Elle se tourna alors vers Gaël.

— Les signes vitaux sont très satisfaisants. Nous pourrons mieux évaluer son cas lorsqu'elle reprendra complètement conscience. En attendant, elle réagit au son de notre voix. Je considère que cela est très encourageant.

Elle fit une courte pause avant de terminer ses commentaires.

— Vous l'avez échappé belle, tous les deux.

— C'est en effet le cas, répondit Gaël.

Il regarda tendrement son épouse, encore toute secouée. Il l'attira contre lui et la serra de nouveau dans ses bras. Elle s'y blottit. Elle tremblait encore. Gaël apprécia sa chance inouïe d'avoir été retrouvé vivant. Ils savourèrent tous les deux ce moment privilégié où ils étaient l'un contre l'autre, l'un avec l'autre. Et surtout, cette chance de pouvoir s'apprécier mutuellement. Gaël ferma les yeux pour mieux apprécier ce moment.

— Monsieur Lauzié, interpella l'inspecteur Lang.

— Oui, répondit-il en ouvrant les yeux mais sans quitter son épouse, et sans prendre la peine de le regarder.

— Un de mes policiers va vous ramener chez vous. Un autre ramènera votre voiture ultérieurement.

— D'accord.

— J'irai vous voir un peu plus tard afin de prendre de vos nouvelles et de faire une mise au point au sujet des derniers événements. Vous pourrez alors me raconter comment vous vous êtes retrouvé ici.

L'inspecteur Lang regarda sérieusement Gaël. Le ton de sa voix laissait clairement deviner qu'il n'était pas content que celui-ci se soit aventuré dans ce lieu désaffecté, et seul en plus.

— Je vous avais pourtant demandé de m'attendre au Centre. Vous auriez pu me rejoindre et nous aurions pu vous escorter.

— Je n'ai pas pensé à cela, avoua-t-il en se sentant fautif. Tout s'est déroulé tellement vite, je n'ai eu le temps de prévenir personne. Je devais intervenir rapidement.

— Nous en reparlerons chez vous, lorsque nous serons tous plus détendus, dit l'officier plus calmement.

— D'accord. Je vous raconterai tout.

L'un des policiers apparut dans l'entrée principale et se dirigea rapidement vers l'inspecteur avec des papiers dans les mains.

— Selon les documents, commença-t-il, l'auto appartient à une dame qui se nomme Laurie Elwart.

— C'est la jeune femme qui était emprisonnée avec moi, répliqua aussitôt Gaël.

— Je doute fort qu'elle soit venue ici d'elle-même, poursuivit le policier. Nous avons retrouvé son sac à main et ses papiers d'identification dans la valise de la voiture. La clé était même restée dans le démarreur. Je présume que la dame a été enfermée dans le coffre, car après examen nous y avons retrouvé quelques mèches de cheveux. À ce que je constate, les cheveux retrouvés sont de la même couleur que ceux de la victime.

— C'est fort probable, en effet, commenta l'inspecteur.

— Nous allons terminer la fouille du véhicule. J'ai pris l'initiative de faire venir l'officier responsable de la prise des empreintes digitales.

— Très bien. Vous rapporterez ensuite l'auto au quartier général. Faites aussi ratisser les environs pour trouver une éventuelle piste. Et désignez quelqu'un pour ramener la voiture de Monsieur Lauzié chez lui lorsque le moment sera venu.

— À vos ordres, inspecteur.

Sur ce, le policier prit congé et retourna derrière l'édifice afin d'aider ses collègues à terminer leur travail. Gaël et Jeanne se dirigèrent lentement vers la voiture de police.

Un policier avait déjà pris place au volant et les attendait. Ils s'installèrent sur le siège arrière. Le véhicule démarra et prit la route lentement. L'inspecteur Lang regarda la voiture s'éloigner.

« Mais quel casse-tête, se dit-il. On a beaucoup de pain sur la planche. Il faut absolument tout mettre en œuvre pour démasquer au plus vite ce criminel. Nous ne devons pas lui laisser l'occasion d'attaquer à nouveau. »

Gaël ressentit une sensation de bien-être en apercevant sa résidence au détour de la rue. Il avait hâte de s'y retrouver et de prendre un moment de répit. Malheureusement, il avait oublié que sa mère s'y trouvait et que son moment de tranquillité allait être irrémédiablement hypothéqué. À peine la porte d'entrée ouverte, il reçut un accueil qui était loin d'être chaleureux.

— Gaël ! l'interpella sa mère en apparaissant dans le vestibule suivie de sa sœur, qui n'osa dire un mot. Mais où donc étiez-vous ? Ta bru nous a laissées ici comme ça, tout d'un coup, sans nous prévenir de son départ. Oups ! Partie ! Envolée !

— Arrêtez, maman ! lança brusquement Gaël en interrompant son bavardage.

Elle avait à peine commencé son plaidoyer qu'il était déjà fatigué de ses commentaires. Dans le ton de sa voix, il avait quand même perçu une note d'inquiétude. Il nota qu'elle avait les yeux agrandis par l'angoisse.

— Laissez-moi au moins le temps d'entrer, poursuivit-il plus calmement.

Il commença à sentir ses jambes légèrement chancelantes. Il jugea plus prudent de s'asseoir avant de subir l'interrogatoire maternel. Jeanne le vit pâlir et s'en inquiéta. Elle regretta qu'il ne soit pas allé au service d'urgence se faire examiner.

— Nous devrions nous rendre à l'urgence, dit-elle. Ce serait plus prudent. Je n'aime pas te voir ainsi.

— Ça va aller, Jeanne. Je dois me remettre du choc. Allons au salon. J'ai besoin de m'asseoir pour mieux récupérer.

— Qu'est-ce qui s'est passé ? demanda Solaine, inquiète de le voir ainsi.

— Laisse-moi me ressaisir d'abord, lui répondit-il. Je me sentirai mieux dès que je serai assis.

Ce n'était pas dans les habitudes de son frère de paraître aussi exténué. Il s'était sûrement passé quelque chose de grave. Ces constatations augmentèrent l'inquiétude de Solaine.

— Tu ne m'as pas l'air bien, ajouta sa mère, qui venait de remarquer elle aussi les mêmes signes que sa fille.

Elle n'osa plus le bombarder de mille et une questions, réalisant qu'il était préférable que son fils reprenne son souffle avant de pouvoir répondre à quoi que ce soit.

— Je vais bien, maman. Juste un peu secoué. Je viens de passer un mauvais quart d'heure.

Elle se sentit fautive de ne pas avoir remarqué que son fils semblait exténué. Visiblement alarmée, elle regarda sa bru.

— Ne vous inquiétez pas, dit Jeanne. Laissez-lui le temps de se remettre et il vous expliquera ce qui s'est passé.

Elle acquiesça, sans ajouter de commentaire.

— Solaine, dit Jeanne. Va me chercher un grand verre d'eau, s'il te plaît. Gaël a besoin de se réhydrater le plus vite possible.

Solaine obtempéra et se dirigea rapidement vers la cuisinette. Jeanne se tourna vers son époux.

— Ton corps a sûrement perdu beaucoup d'eau. Tu étais tellement en sueur lorsque je t'ai pris dans mes bras… Boire un peu d'eau va te réhydrater et te revigorer.

— D'accord.

Ils se dirigèrent lentement vers le salon. Jeanne l'escorta, suivie de près par sa belle-mère. Il eut un soupir de soulagement lorsqu'il prit place sur le canapé. Il s'y laissa choir, heureux de pouvoir s'y installer. Solaine arriva presque aussitôt avec le verre d'eau et le lui tendit.

— Merci beaucoup, Solaine.

Le contact de l'eau froide sur ses lèvres lui procura aussitôt une merveilleuse sensation de fraîcheur. Il se désaltéra avec une satisfaction évidente. Cela lui faisait grand bien. Il prit le temps de boire tout le verre. Lorsqu'il eut terminé, il ferma les yeux quelques secondes. Il prit une grande respiration et se tourna ensuite vers sa mère, qui n'en pouvait plus de se retenir.

— Est-ce que Solaine a eu le temps de vous expliquer tout ce qui s'est passé depuis ce matin ?

— Oui. Elle m'a tout raconté. Il est inconcevable d'avoir une force policière aussi incompétente dans cette ville! Faut-il attendre que nous ayons tous été assassinés pour que ce timbré soit attrapé?

— Ah! Maman! S'il vous plaît. Arrêtez vos jugements non fondés. Il y a plusieurs policiers sur cette affaire. Il y a même des policiers de l'extérieur de la ville qui sont venus en renfort.

— Mais pourquoi ne m'as-tu rien dit?

— Je n'ai pas eu le temps. Tout s'est déroulé tellement vite que j'ai eu moi-même de la difficulté à suivre les événements.

— Après ce que Solaine m'a raconté, j'ai imaginé le pire lorsque Jeanne est partie subitement, et de plus, je l'ai vue monter à bord d'une voiture de police et partir en trombe. J'ai sincèrement cru que tu avais été tué…

Sa voix se cassa. Ses yeux se remplirent de larmes. Elle détourna le regard pour essayer de se reprendre.

— Je n'aurais jamais pu supporter de perdre un autre de mes enfants… C'aurait été trop pour moi…

Malgré le manque de tact et la froideur habituelle de celle-ci, Gaël ressentit malgré tout l'attachement de sa mère envers lui. Ce qui était singulièrement rare et le bouleversa. Néanmoins, ce moment de laisser-aller de la part de sa mère fut de courte durée. Au grand jamais elle n'aurait laissé voir une faiblesse quelconque, même devant ses enfants.

— J'attends des explications, dit-elle, changeant brusquement de ton, comme si elle n'avait jamais eu ce moment d'égarement.

Gaël regarda discrètement sa sœur du coin de l'œil. Ils étaient conscients qu'ils avaient eu droit à un très court élan de soi-disant affection et que c'était tout ce qu'ils recevraient de leur mère. Elle devait réellement avoir ressenti une vive inquiétude pour se laisser aller de la sorte.

— D'accord, dit-il avec un bref soupir.

Solaine et sa mère furent consternées d'entendre son récit. Il fit de grands efforts pour rester calme en racontant au fur et à mesure ce qu'il venait tout juste de vivre. Revoir ces événements lui fit réaliser combien il avait été plus que chanceux de s'en sortir indemne. Même son épouse fut perturbée d'apprendre ce qui s'était passé avant qu'elle le retrouve. Lorsqu'il eut terminé, un silence suivit. Tous demeurèrent muets pendant quelques instants.

— Il faut croire que mon heure n'était pas encore venue, dit-il imperceptiblement.

— C'est incompréhensible, dit sa mère. Comment se peut-il que cet individu ne puisse être attrapé ni identifié ?

— Ce n'est pas si facile qu'on peut le croire. Il ne laisse aucune trace, ni indice qui pourrait mettre les policiers sur une piste.

— Ils doivent avoir des suspects ? poursuivit-elle.

— Je pense que l'inspecteur Lang a peut-être un suspect, maman...

— Ah oui ? Quelqu'un de ton entourage ? Quelqu'un que tu connais ?

— Plutôt quelqu'un de notre entourage à nous.

Sa mère, Solaine et Jeanne parurent très intriguées.

— Qui ? se contenta de demander sa mère.

— L'inspecteur pense que papa pourrait être un suspect. Il s'est évadé de l'institut psychiatrique. Après l'attaque que Solaine et moi avons subie dans le passé, il craint que, dans sa psychose, il puisse à nouveau vouloir nous faire du mal.

— Ton père est psychotique, en effet, mais il ne sera jamais assez lucide pour pouvoir réfléchir et préparer un plan pour faire du mal à qui que ce soit.

— Maman a raison, Gaël, commenta sa sœur. Ce n'est pas notre père.

— Il manque à l'appel.

— Il a été retrouvé, annonça sa mère.

Gaël parut à la fois surpris et soulagé que son père ne puisse être suspecté.

— Le directeur de l'institut m'a rejointe ici plus tôt pour m'aviser qu'il avait été retrouvé. Il s'était perdu dans un boisé derrière l'établissement. Il errait dans l'un des multiples sentiers qui traversent ce secteur.

— Je suis content qu'il ait été retrouvé, dit Gaël, visiblement rassuré. Cela me soulage de savoir que ce n'est pas lui.

— Moi aussi, avoua sa mère. L'un des agents de sécurité croit qu'il est sorti de l'établissement en profitant d'un court moment d'inattention des surveillants. Les portes de ce service sont toujours fermées à clé, mais puisque c'est un secteur moins surveillé, il semblerait que l'une des portes ait été mal refermée. Et il est sorti sans se faire remarquer.

— Était-il agité ?

— Non. Il n'a opposé aucune résistance. J'ai avisé le directeur que nous irons le voir dès que possible. Je lui ai expliqué que nous avions une urgence familiale qui nous empêchait de nous déplacer.

— De toute façon, à bien y penser, le ton de la voix de cet individu ne ressemblait pas du tout à celui de papa.

Tout à coup, les enfants de Gaël firent irruption dans le salon. Ils se mirent à courir vers leur père.

— Papa ! Papa ! crièrent-ils avec joie.

Tous les deux se mirent à lui parler en même temps. Il ne comprenait rien à ce qu'ils disaient.

— Attendez, les enfants ! dit-il en pouffant de rire. Un à la fois, s'il vous plaît ! Si vous continuez à me parler en même temps, je ne comprendrai rien de ce que vous voulez me dire.

— C'est moi qui commence le premier ! imposa le frérot.

— Non ! C'est moi ! Je suis la plus vieille !

— Holà ! Arrêtez ! Chacun son tour. Et pas de chamailleries.

— Vas-y, dit Phélix-Olivier, visiblement contrarié.

— Papa ! commença sa sœur, tout excitée de prendre la parole. J'ai fait des rêves vraiment bizarres !

— Elle était bizarre elle aussi quand elle rêvait, coupa son frère, qui n'en pouvait plus d'attendre. Elle bougeait et elle faisait des grimaces.

— Laisse-moi parler, Phélix-Olivier ! dit sa sœur, exaspérée, les deux mains sur les hanches en signe de mécontentement.

Mya expliqua à son père ce qu'elle avait rêvé. Ne pouvant se retenir, Phélix-Olivier lui expliqua avec de grandes mimiques les grimaces que sa sœur faisait. Gaël les écouta attentivement et le plus sérieusement possible sous le regard amusé des autres. Lorsqu'ils eurent terminé, ils étaient quasiment essoufflés d'avoir essayé de tout raconter en même temps.

— Eh bien ! dit Gaël. Quelle histoire, mes enfants ! J'espère que tu ne feras plus d'autres cauchemars, Mya.

— Je l'espère moi aussi, répondit-elle. J'aime pas ça.

— Moi non plus, ajouta son frère. Je pensais qu'elle était malade.

— C'est terminé maintenant. Et on va espérer qu'il n'y en aura plus d'autres, souhaita-t-il du plus profond de son cœur.

— Allez regarder la télé en attendant le repas, les enfants, dit Jeanne. Nous allons passer à table bientôt.

Gaël les embrassa et les enfants s'en allèrent dans le solarium, tout excités de pouvoir encore regarder la télévision.

Chapitre 22

Ils étaient encore dans le salon lorsque la sonnette de l'entrée principale fit entendre son carillon mélodieux dans toute la maison. Ils s'apprêtaient à se lever pour se rendre à la salle à manger.

— Je vais voir qui c'est, dit Jeanne en se levant.

Elle se dirigea aussitôt vers l'entrée principale. En jetant un coup d'œil à travers le judas, elle reconnut immédiatement l'inspecteur Lang. Elle lui ouvrit sans attendre.

— Bonjour, Madame Lauzié. Me permettez-vous de poursuivre mon enquête auprès de votre époux ?

— Bien sûr. Entrez, monsieur l'Inspecteur, répondit-elle en faisant un pas vers l'arrière.

— Merci, dit-il en pénétrant dans le vestibule.

— Gaël est au salon, avec sa mère et sa sœur. Je vais vous y mener tout de suite. Veuillez me suivre.

L'inspecteur acquiesça d'un léger hochement de tête et referma la porte derrière lui. Jeanne le conduisit vers le salon.

— Nous allions justement commencer à manger.

— Oh ! Je regrette d'avoir à vous retarder ! Je tâcherai de faire vite.

— Vous pouvez vous joindre à nous si vous le désirez. Cela nous fera grand plaisir de vous faire une place à notre table.

— Non merci, Madame. Vous êtes bien aimable.

Ils pénétrèrent dans le salon. Gaël se leva dès qu'il vit le policier. Il ne se sentit pas étourdi et fut heureux de voir qu'il se portait mieux.

— Bonjour, inspecteur, dit Gaël en serrant la main que le policier tendait vers lui. Voici l'inspecteur Lang, maman, poursuivit-il en se tournant vers sa mère. C'est lui qui est en charge de l'affaire. Et voici ma sœur, Solaine.

— Bonjour, Mesdames, dit l'inspecteur en leur serrant la main chacune à son tour.

— Bonjour, monsieur l'Inspecteur, dit Madame Lauzié. J'espère que vous nous apportez de bonnes nouvelles et que cet individu a été arrêté.

— Je crains que non, Madame. Cependant, je peux vous assurer que tous les moyens ont été mis en œuvre pour le trouver.

— Puisque vous le dites.

Le ton intransigeant de celle-ci était si différent de celui de son fils que l'inspecteur ne put s'empêcher de le remarquer.

— Je vois que vous semblez aller mieux, dit-il en se tournant vers Gaël. Est-ce le cas ?

— En effet, c'est le cas. Je me sens de mieux en mieux.

— Pouvons-nous alors poursuivre notre conversation de tantôt ?

— Bien sûr, prenez place, dit Gaël en désignant la causeuse tout près de lui. Avez-vous des objections à ce que ma famille reste là ?

— Absolument pas. Si vous n'y voyez pas d'inconvénient, je n'en vois pas non plus.

— Merci.

À la demande de l'inspecteur, Gaël raconta à nouveau les péripéties qu'il avait vécues, de l'appel de l'inconnu au Centre jusqu'à ce qu'il ait été découvert avec Laurie. Le policier écouta attentivement son récit tout en prenant de fréquentes notes dans son calepin. À part quelques précisions, le policier possédait un compte-rendu assez exhaustif et bien détaillé.

— Avez-vous des nouvelles de Laurie ? demanda Gaël, toujours aussi inquiet pour la jeune femme.

— Non, je suis désolé. Cependant, je dois me rendre au centre hospitalier pour prendre des nouvelles du jeune Joshua. Si son état est stable, je pourrai peut-être l'interroger. J'en profiterai pour m'informer de Jacques et aussi de Laurie. Je dois aussi recueillir sa déposition. Je vous téléphonerai ensuite pour vous donner de leurs nouvelles.

— Je vous en remercie.

— Si nous revenions maintenant à la situation que vous avez vécue à la vieille gare... Avez-vous pu déceler un indice quelconque qui aurait pu vous permettre de nous aider à identifier cet individu ?

— Malheureusement, non. Il était vêtu de noir et il portait une cagoule qui lui cachait complètement le visage. Je ne pouvais voir que ses yeux.

— Décrivez-moi son apparence physique, s'il vous plaît.

— Un mètre soixante-dix environ et dans les soixante-quinze kilos, je dirais. Il faisait tellement sombre qu'il m'est très difficile de vous le décrire.

— Et sa voix ?

— C'était une voix masculine. Bien articulée et sans accent.

— Cela nous donne peu d'informations qui pourraient nous aider.

— J'en conviens. Cela me frustre énormément de ne pas pouvoir l'identifier. Pourtant, cette voix m'est familière. Au téléphone, il l'avait déformée avec un appareil, mais ce n'était pas le cas à la gare. J'aimerais bien parvenir à y coller un visage.

— Est-ce que cette voix ressemblait à celle de votre père ?

— Non, j'en suis sûr.

— Sous l'effet du stress, il se peut que vous ne l'ayez pas reconnue, dans le cas, bien sûr, où ce serait votre père.

— Je sais que ce n'est pas mon père. Je peux vous le prouver.

— Ah bon ? répondit l'inspecteur, prêtant une attention particulière à ce qu'il venait d'entendre.

— Maman a reçu un appel du directeur de l'institut psychiatrique tantôt. Il a été retrouvé dans l'un des sentiers boisés derrière l'établissement.

— Je suis soulagé pour vous que votre père ne soit plus un suspect. Vous devez l'être aussi.

— Oui, cela nous a tous soulagés. Cela ne résout pas le problème, mais il est très rassurant de savoir que mon père n'a rien à voir dans toute cette histoire.

Un moment de silence suivit. L'inspecteur en profita pour griffonner quelques notes dans son calepin, puis il le referma et le rangea dans la poche de son veston.

— Alors, s'il vous revient à l'esprit quoi que ce soit, un indice quelconque pour nous mettre sur une piste, avisez-moi aussitôt.

— D'accord.

— Cela vaut pour vous aussi, Mesdames, dit le policier en les regardant sérieusement à tour de rôle. Tout indice, même anodin, pourrait possiblement nous mener vers cet énergumène.

Celles-ci acquiescèrent sans mot dire.

— Vous avez le numéro de mon téléavertisseur, poursuivit-il en se tournant vers Gaël. Contactez-moi immédiatement si vous désirez me parler. Je vous rappellerai aussitôt.

— Soyez sans crainte.

— Et surtout, Monsieur Lauzié, je vous en conjure, veuillez ne plus prendre de risque. Si cela se produit de nouveau, vous risquez de ne pas vous en tirer avec la même veine. Je ne veux pas que vous preniez de décisions sans me consulter auparavant.

Le ton de voix du policier montrait sans équivoque le sérieux de cet avertissement. Il était hors de question qu'il prenne le moindre risque. Gaël acquiesça du regard. Il avait bien appris la leçon.

— J'ai déjà dû faire mettre votre résidence sous surveillance, je ne voudrais pas être obligé de vous surveiller, vous personnellement, et constamment, pour assurer votre protection.

— J'ai bien compris, inspecteur. Je vous promets de vous tenir au courant s'il y a de nouveaux développements. Je ne prendrai aucune décision sans vous consulter préalablement.

— Puisque cette personne semble vous en vouloir personnellement, je veux que vous soyez dorénavant escorté par un policier si vous désirez vous déplacer.

— Je n'y vois pas d'inconvénient.

— Évidemment, vous ne devrez vous déplacer que pour des situations importantes, et seulement si ça ne peut attendre.

— Je comprends.

— Pour le moment, je vous recommande de rester à l'intérieur de votre domicile avec toute votre famille. Cela sera beaucoup plus prudent et vous serez tous en sécurité.

— D'accord.

— Soit dit en passant, votre ligne téléphonique a été mise sur écoute électronique. S'il appelle ici, avec de la chance nous pourrons peut-être identifier la provenance de l'appel et l'intercepter avant qu'il ait le temps de s'éloigner.

— Je vous en remercie.

— S'il appelle, retenez-le le plus longtemps possible pour nous donner une chance de le localiser.

— D'accord. Je ferai ce qu'il faut.

— Je crois que nous pouvons terminer notre entretien. Je n'ai plus rien à ajouter. Est-ce que quelqu'un parmi vous a des questions ?

Au regard de chacun, le policier comprit qu'ils n'avaient pas de questions, seulement une inquiétude évidente dans les yeux.

— Permettez-moi de vous raccompagner, proposa Gaël.

— Je vous remercie mais ce ne sera pas nécessaire, répondit l'agent en se levant. Je sais que vous alliez passer à table, je vous ai assez retardés comme ça. Allez prendre votre repas.

Sur ce, le policier prit congé de Gaël pour se diriger tel que prévu vers le centre hospitalier. Entre-temps, Jeanne se rendit à la cuisinette afin de terminer de mettre la table. Le repas fut prêt peu de temps après.

— Allons manger, dit-elle à la cantonade. Un bon repas nous redonnera de l'énergie. Et nous en avons grandement besoin.

Tous se dirigèrent alors vers la salle à dîner et s'installèrent silencieusement. Les enfants avaient déjà commencé leur entrée. Le repas débuta dans un lourd silence. Il était plutôt difficile de trouver un sujet de conversation après tous ces incidents qu'ils venaient de vivre.

« Ce n'est pas ce que j'avais espéré pour fêter le nouveau poste de Gaël, se dit Jeanne, déçue de la tournure des événements. »

Même si le repas était excellent, elle considéra quand même ce moment en famille bien décevant. Cela aurait dû se passer dans la joie et le plaisir. Mais elle se reprit en pensant à l'immense chance que son époux ait été retrouvé sain et sauf. Ce fut un baume apaisant. Le repas se poursuivit tranquillement, interrompu à l'occasion par les enfants qui, par leur attitude enfantine et naïve, surent leur faire apprécier ce moment entre eux.

Chapitre 23

Lorsque le repas fut terminé et que tout fut rangé à sa place, ils allèrent tous dans le solarium prendre une tasse de thé en souhaitant que la soirée puisse se dérouler tranquillement et sans autres anicroches. Les enfants, eux, préférèrent aller jouer dans leur chambre respective. Il était difficile de trouver un sujet d'intérêt commun. Malgré leurs efforts, leurs propos déviaient constamment vers les derniers événements et la possible identité de l'inconnu. Mais qui donc pouvait-il être ? Leurs multiples questions restaient sans réponse. Ils n'eurent guère le choix que d'attendre que l'individu soit retrouvé. Le temps parut s'étirer sans fin dans cette attente qui leur sembla à tous interminable.

— Et si nous regardions les nouvelles télévisées ? demanda Gaël.

— Bonne suggestion ! répondit Solaine. Cela nous changera les idées !

Jeanne alluma le téléviseur et choisit la chaîne des nouvelles régionales. Quelle ne fut pas leur surprise de voir la journaliste raconter les événements survenus au Centre. Celle-ci ne perdit pas de temps et étala au grand jour les agressions qui avaient fait deux victimes dans l'établissement. La nouvelle faisait la une du téléjournal. La description détaillée des assauts surprit Gaël, qui fut abasourdi de voir la rapidité avec laquelle l'information avait été véhiculée. Il ne s'attendait absolument pas à ce que les infos télévisées s'emparent aussi rapidement de cette histoire.

— Comment ont-ils fait pour savoir tout cela ? s'insurgea-t-il, visiblement choqué par toute l'information que la journaliste détaillait avec une précision surprenante.

— Les médias ont plus d'un tour dans leur sac pour aller dénicher tous les renseignements qu'ils désirent, répondit Solaine. Ce n'est ensuite qu'une question de temps avant qu'ils ne l'annoncent en ondes à toute la population.

— Et c'est probablement très difficile de tenir dans le plus grand secret tout ce qui est arrivé au Centre, poursuivit Jeanne. Surtout tenant compte de l'importance de ce qui s'est passé.

— En effet. C'est assez gros comme situation.

— Il y a toujours quelqu'un qui cherche à raconter ce qu'il a vu ou entendu.

— Une personne qui aimerait être celle qui donne les premières informations, renchérit Solaine.

— Si c'est un employé ou un élève du Centre qui a ébruité l'affaire, lança Madame Lauzié à son fils, j'espère bien que tu vas prendre des mesures disciplinaires. Quant à moi, ce serait un congédiement immédiat et sans discussion. Une exclusion sans possibilité de retour. Tu devrais mener une enquête lorsque tu retourneras au Centre.

Gaël choisit de ne pas répondre aux commentaires de sa mère, préférant écouter la suite du topo de la journaliste. Elle mentionna qu'en raison de circonstances incontrôlables, le président-directeur général du Centre de formation internationale ne pouvait être rejoint pour recueillir ses commentaires. L'inspecteur Lang avait prévu le coup. Il avait obtenu une injonction immédiate interdisant aux médias de contacter Gaël, afin d'éviter toutes représailles de la part de l'agresseur et pour assurer sa sécurité et celle de sa famille. Les spéculations émises par la journaliste allaient bon train. Elle évoqua une possible tentative de fusillade ratée par un élève en délire psychotique ou peut-être, étant donné la présence de nombreux étudiants en provenance de l'étranger, la mise à jour d'un éventuel attentat terroriste en préparation.

— Je ne sais pas s'il vaut la peine de continuer à écouter ces propos ridicules, dit Gaël, dégoûté.

— Ils ne font que leur boulot, répliqua son épouse. C'est leur métier d'informer les gens. Les journalistes veulent analyser l'information reçue, la transmettre aux gens, la commenter et aussi essayer de comprendre ce qui s'est passé.

— C'est possible, acquiesça Gaël. Tu as sans doute raison. Tu as toujours une explication qui nous fait voir les deux côtés de la médaille. Tu es merveilleuse, comme toujours.

Tous les deux eurent un petit sourire complice. Ils avaient réussi, avec les années, à développer une belle et intime complicité dans leur vie de couple et de famille. Il était évident qu'un lien très puissant les unissait tous les deux. L'un était devenu le complément de l'autre. Ils continuèrent à regarder les nouvelles sans ajouter d'autres commentaires. Tout à coup, le téléphone sonna. Gaël allongea le bras pour prendre le combiné tout près de lui.

— Oui, bonsoir, dit-il.

— Bonsoir, Monsieur Lauzié. Ici l'inspecteur Lang. Je vous appelle directement du centre hospitalier pour vous donner des nouvelles concernant vos trois employés.

— De bonnes nouvelles, j'espère ? demanda-t-il avec un empressement qui laissa deviner au policier son inquiétude.

— N'ayez crainte ! Je n'ai que de bonnes nouvelles pour vous ! Pour commencer, Laurie a repris conscience. Elle se plaint d'une céphalée résiduelle en raison du coup qu'elle a reçu à la tête mais pour le reste, elle va très bien. D'ailleurs, elle pourra recevoir son congé de l'hôpital demain après-midi si les derniers examens sont bons et si tout demeure stable.

— Merveilleux ! J'en suis tellement content ! Je vais lui téléphoner demain, puisque tout va bien. Elle habite seule dans un appartement. Elle doit se sentir nerveuse d'être isolée, loin de sa famille.

— Ses parents sont présentement en route pour venir la retrouver et la soutenir. Ils seront avec elle bientôt. Laurie était très soulagée lorsqu'elle a appris qu'ils arriveraient bientôt.

— Je n'en doute pas. Cela me rassure aussi qu'elle ne soit pas seule à son appartement. Ce fut une expérience très traumatisante pour elle, la pauvre petite.

— Quant à Jacques, il vient tout juste de recevoir son congé. Il est parti avec son épouse. Il m'a dit que tous les résultats de ses examens étaient bons. J'ai pu l'interroger à nouveau. Cependant, je n'ai rien appris de neuf. L'important, c'est qu'il se porte bien.

— Une autre bonne nouvelle ! Je vais l'appeler en soirée pour voir s'il a besoin de quelque chose.

— En ce qui concerne Joshua, il est en ce moment aux soins intensifs. Cependant, je n'ai pas reçu l'autorisation de l'interroger. Il est conscient mais encore beaucoup trop faible. Mais ses parents m'ont dit qu'il était maintenant hors de danger.

— Ah ! Je suis tellement content !

— Il va s'en sortir, il est jeune et en santé.

— Quelles bonnes nouvelles, inspecteur ! Je suis très heureux qu'ils aillent tous mieux. Et quel soulagement ! Je me faisais beaucoup de souci pour eux.

— Tout va bien aller maintenant pour Laurie, Jacques et Joshua.

— Merci beaucoup de votre appel. J'apprécie énormément que vous ayez pris la peine de m'appeler.

— De rien, Monsieur Lauzié. Je savais que c'était très important pour vous et que vous attendiez impatiemment mon coup de téléphone.

— C'est très apprécié !

— Je dois vous quitter. S'il y a du nouveau, je vous tiendrai au courant.

— Bonsoir, et merci encore.

— Bonsoir.

Gaël raccrocha et regarda son épouse avec un léger sourire en coin et une expression de réconfort évident. Sa vive inquiétude concernant la santé de ses employés avait disparu. Le plus important pour lui était qu'il n'y ait pas eu de mort parmi les victimes. Il n'aurait jamais pu accepter la perte de l'un d'eux. Cela aurait été plus que catastrophique pour lui.

— Ils vont tous bien, annonça-t-il aux trois femmes.

— Quel soulagement ! dit Solaine. J'ai peine à imaginer ce que j'aurais éprouvé si l'un d'entre eux n'avait pas survécu.

— J'ai l'impression qu'un poids très lourd vient d'être enlevé de sur mes épaules, lui répondit-il.

— Cela ne règle pas tous les problèmes, ajouta sa mère. Un fou furieux rôde toujours, et il peut frapper n'importe qui, n'importe quand. Tant qu'il ne sera pas arrêté et emprisonné, il y a de quoi le craindre.

— Je sais, maman, dit Gaël, déçu d'avoir été aussi vite délogé de son petit nuage et ramené sur terre par celle-ci. Ça me fait juste du bien de recevoir de bonnes nouvelles, expliqua-t-il. Je n'en ai pas eu vraiment beaucoup depuis ce matin.

— Tu as raison, je te l'accorde, appuya Solaine. Ça fait du bien de les savoir hors de danger. Avec tous les tourments que tu as vécus aujourd'hui, de bonnes nouvelles comme celles-là se prennent bien.

Le téléphone sonna à nouveau, interrompant leur conversation. Jeanne eut soudain le vif pressentiment que cet appel n'annonçait rien de bon. Un fort sentiment de malaise jaillit brusquement en elle, telle une grande onde de choc. Elle se sentit même un peu étourdie sur le coup. Et elle sut immédiatement qui appelait. Elle leva les yeux vers son époux et le regarda avec une expression inquiète.

— C'est lui… C'est ce fou, lui dit-elle, la voix tremblante. Je sais que c'est lui qui veut te parler.

Gaël regarda son épouse, visiblement nerveuse. Il ne sut comment réagir sur le moment. Il fixa le téléphone qui continuait de sonner. Les battements de son cœur s'accélérèrent. Si son épouse était certaine que c'était cet individu, il la croyait sans le moindre doute. Il avança la main vers le combiné et le décrocha lentement. Sa main tremblait légèrement lorsqu'il approcha le combiné de son oreille. Sa mère et sa sœur le virent pâlir.

— Oui, se contenta-t-il seulement de répondre.

— Eh bien ! Monsieur le PDG ! Vous en avez mis du temps à répondre !

Il reconnut immédiatement la voix. Il n'y avait aucun doute, c'était bel et bien ce fou. Sa voix n'était pas déformée cette fois-ci. C'était bien celle de l'individu rencontré à l'ancienne gare. Il eut beau essayer de l'identifier, il ne put mettre aucun visage sur celle-ci. Il préféra ne pas commenter ses propos moqueurs et provocants.

— Que me voulez-vous ? demanda-t-il sèchement.

— Ce que je veux ? Je veux que vous sachiez que je suis extrêmement déçu que vous ayez été retrouvé. Ce n'était pas prévu dans mon plan. Je vous avais pourtant demandé de ne pas alerter les policiers. Vous n'avez pas écouté mes recommandations.

« Il faut seulement que je fasse durer cette conversation le plus longtemps possible, se dit-il avec espoir. Cela donnera sûrement une chance aux policiers d'identifier la provenance de son appel. »

— Je suis très en colère, poursuivit l'inconnu.

— Je peux vous assurer que je n'ai pas alerté les policiers. Je n'ai parlé à personne. J'ai suivi vos recommandations à la lettre.

— Balivernes ! dit l'inconnu en élevant le ton. Personne n'aurait pu savoir où vous étiez enfermés tous les deux.

— Je vous l'assure. Je vous répète que je n'ai rien dit aux policiers ni à quiconque. J'ai pris votre avertissement au sérieux. Je ne voulais surtout pas mettre ma famille en danger.

— Je ne vous crois pas.

— C'est un hasard, mentit-il à demi en pensant au don que son épouse et sa fille possédaient et qui les avait sauvés *in extremis*, Laurie et lui.

— Hasard ou pas, le résultat est le même. Vous avez réussi à vous en sortir et je n'ai pas le cœur à rire.

— Il s'en est fallu de peu que nous y restions.

— Comptez-vous chanceux !

— Je sais.

— Néanmoins, vous aurez droit à une deuxième chance.

— Que voulez-vous dire ? demanda Gaël, intrigué.

— Une deuxième chance, dis-je bien, d'éviter que vous et votre famille n'ayez à payer pour l'affront que vous venez de me faire.

— De quel affront parlez-vous ? demanda-t-il, ne comprenant pas où l'inconnu voulait en venir.

— De vous en être sorti indemne.

— Ah bon, dit-il, ne sachant trop quoi répondre.

Jeanne lui fit un signe de la main afin qu'il la regarde. Gaël devina à son expression qu'elle voulait savoir si c'était bien l'inconnu qui était au bout du fil. Elle souhaitait s'être trompée, mais au geste que son époux lui fit, elle comprit qu'elle avait visé juste, que c'était réellement ce fou. Elle crut s'évanouir de peur. Il avait osé l'appeler à la maison.

— Que me voulez-vous alors ? demanda-t-il à son interlocuteur.

— Je veux que vous m'apportiez votre démission.

— Vous voulez que je démissionne ? demanda-t-il, surpris, ne comprenant pas au juste la raison de cette demande.

— Mais oui, mon cher futur ex-PDG ! Je veux tout simplement que vous me remettiez votre démission comme président-directeur général du Centre de formation internationale.

— Et pourquoi donc ? s'écria Gaël, abasourdi par cette demande inattendue.

— Parce que vous ne méritez pas ce poste.

— Et pourquoi donc ? répéta-t-il dans un souffle.

— Je n'ai pas à vous donner de raison. Remettez-moi une lettre annonçant votre démission, dûment signée. Je veux aussi que vous me promettiez que vous respecterez cet engagement.

— Je ne peux faire ça. Ça n'a pas de sens.

— Je vous oblige à le faire.

— Et si je refuse d'acquiescer à votre demande ? demanda-t-il, craignant déjà la réponse qu'il allait lui donner.

— Si vous refusez, je peux vous garantir que vous ne serez quand même pas le PDG de ce Centre.

— Comment cela ? demanda-t-il avec un élan d'inquiétude.

— Parce que si vous ne démissionnez pas, vous ne vivrez pas plus de vingt-quatre heures. Et en plus, toute votre famille va y passer aussi.

— Je vous interdis formellement de toucher à ma famille ! répliqua-t-il aussitôt avec force.

— De quel droit osez-vous exiger quoi que ce soit ? s'insurgea l'inconnu. Ne savez-vous pas de quoi je suis capable ?

— Oui, je sais, répondit Gaël après un bref silence. Je n'ai aucun doute à ce sujet, admit-il amèrement.

— Alors, je présume que vous avez compris le sérieux de ma demande ainsi que ma menace.

— Je me vois dans l'incapacité de vous contredire. Je n'ai vraiment aucun choix.

— Dans ce cas, vous avez intérêt à obéir à mes ordres.

— Ma famille vaut infiniment plus que le poste de PDG que j'occupe en ce moment au Centre. Il n'y a rien au monde de plus cher et de plus précieux à mes yeux que les membres de ma famille.

— Bon! J'en suis fort aise! Voilà finalement des propos sensés de votre part. Vous devez être raisonnable. C'est moi qui mène le jeu et vous devez m'obéir.

— Je le vois bien, dit-il à contrecœur.

Une vive frustration monta en flèche chez Gaël. Il ne pouvait absolument rien faire. Il avait pour ainsi dire les mains totalement liées. Et il devait obéir à cet individu afin de protéger sa famille. Il ne put réprimer un élan de colère.

— Vous... Vous êtes un être ignoble! J'espère que bientôt quelqu'un pourra enfin vous démasquer et que vous irez pourrir en prison pour un bon bout de temps!

— Ha! ha! ha! s'esclaffa l'inconnu haut et fort. Je suis bien trop futé pour cela! Soyez assuré que cela n'arrivera jamais!

« N'en sois pas si persuadé! se dit Gaël. Si ton appel peut être retracé, c'en sera fait de ton assurance! »

— Quand j'aurai enfin obtenu ce que je veux, poursuivit l'inconnu, et que j'aurai la confirmation que vous avez réellement démissionné, je disparaîtrai et vous n'entendrez plus jamais parler de moi.

— Comment pourrais-je être sûr que vous ne me mentez pas et que vous allez réellement disparaître?

— Pourquoi continuerais-je ? J'aurai enfin obtenu ce que je veux. J'aurai gagné la partie !

Gaël sentit un étau se serrer autour de sa gorge. Il se sentait pris au piège. Il ne voyait aucune issue. Il eut l'impression d'étouffer.

— Comment voulez-vous recevoir cette lettre ? lui demanda-t-il sèchement, désirant en finir le plus vite possible.

— Je veux la recevoir en mains propres.

— Vous voulez que je vous la remette personnellement ? s'exclama-t-il, surpris de cette requête.

— Eh bien, oui, mon cher. De vous à moi.

— Et ce sera où ?

— Avant tout, je vous avertis que, cette fois-ci, je ne vous laisserai aucune chance si vous alertez les policiers.

— Je n'ai pas l'intention de leur parler. J'ai bien compris vos menaces et je ne veux en aucun cas mettre ma famille en péril.

— Vous faites mieux de me prendre très au sérieux, mon cher. Le moment est maintenant venu de régler mes comptes avec vous. Je veux que tout soit terminé dès ce soir. Je n'ai pas l'intention de m'éterniser dans les alentours.

— Ce sera où ? redemanda-t-il.

— Cela se passera à l'entrepôt de bois. Celui qui est situé à la croisée de la 5e Avenue et de la rue qui mène au parc industriel. C'est un lieu désert à cette heure-ci.

— Comment vais-je y entrer ? Tout est fermé à cette heure-ci…

— Aucun problème pour moi. Ce sera un jeu d'enfant d'y pénétrer et de mettre hors circuit le système d'alarme. Je suis un Maître dans l'art de l'intrusion.

— Puisque vous le dites.

— Rendez-vous du côté sud de la bâtisse. La sortie de secours sera entrouverte. Je vous attendrai à l'intérieur.

— D'accord.

— Rendez-vous dans une heure. J'accepterai avec un très grand plaisir votre lettre de démission.

Gaël n'eut pas le temps de répliquer. Un bref déclic se fit entendre dans le récepteur. L'interlocuteur avait mis un terme à la conversation et il avait tout simplement raccroché. Gaël replaça le combiné sur son socle et regarda les trois femmes. Celles-ci n'avaient eu aucune difficulté à deviner quelle était la demande de l'inconnu.

Chapitre 24

L'ATMOSPHÈRE ÉTAIT TRÈS TENDUE DANS LA PIÈCE. Le dernier appel de l'inconnu avait de quoi plonger quiconque dans une vive inquiétude. La demande faite à Gaël était un ultimatum. Que pouvait-il envisager d'autre que de s'y résigner ? Il ne pouvait plus décider quoi que ce soit. Cet individu avait le contrôle sur ses décisions. S'il avait refusé, les risques pour sa famille et pour lui auraient été trop élevés. Il n'avait pas eu le choix, il avait accepté la demande de ce fou pour assurer leur sécurité.

— Est-ce qu'il te demande vraiment ta démission ? demanda Jeanne, tremblante.

— Oui, il veut ma résignation comme PDG du Centre.

— Il ne peut pas te demander cela ! C'est insensé ! dit-elle.

— Eh bien, oui. C'est effectivement ce qu'il me demande : de démissionner du poste que j'occupe présentement.

Les trois femmes n'en revenaient tout simplement pas que cet inconnu ait osé faire une telle requête.

— Mais pourquoi ? demanda Solaine.

— Il dit ne pas avoir accepté que je sois toujours vivant.

— Il doit y avoir plus que cela, dit sa mère. On ne demande pas la démission de quelqu'un sans motif valable. Il doit y avoir une autre raison.

— S'il y en a une autre, répondit Gaël, il ne me l'a pas dit.

— Il est complètement fou !

— Si je ne lui remets pas ma lettre de démission, il dit qu'il va me tuer. Et en plus, il précise que toute ma famille va y passer aussi.

— C'est insensé, redit Solaine. C'est sans aucun doute un malade.

— Malade ou pas, je ne veux prendre aucun risque. Je préfère démissionner pour en finir avec lui.

Un moment de silence suivit. Toutes étaient abasourdies par ce que Gaël leur avait dit. Cela devenait cauchemardesque.

— Tu ne peux pas te plier à sa demande juste pour le satisfaire, dit Solaine.

— Il ne me laisse pas le choix. Si je refuse, nous serons tous en danger.

— Que t'a-t-il dit d'autre ? demanda Jeanne.

— Je dois aller le rencontrer dans une heure à l'entrepôt de bois. Il veut recevoir ma lettre de démission en mains propres.

— Non ! s'écria-t-elle. Je ne veux pas ! Je ne veux pas que tu y ailles !

— Je n'ai pas le choix, Jeanne.

— C'est trop dangereux ! J'ai trop peur pour toi !

Elle s'élança, en pleurs, vers son époux. C'en était trop pour elle. Le danger imminent d'une rencontre avec cet inconnu provoqua chez elle une crise de panique qu'elle ne put contrôler. Elle s'agrippa à Gaël en balbutiant des mots incompréhensibles entre ses sanglots.

— Chut, mon amour, lui dit-il doucement en essayant de la calmer. Les enfants vont t'entendre et ils vont s'inquiéter s'ils te voient ainsi.

— Je refuse que tu y ailles ! dit-elle entre deux sanglots.

— Calme-toi. Ça va aller.

— Non ! Ça ne va pas aller. C'est comme si tu te jetais dans la gueule du loup ! Je ne te laisserai pas faire ça.

— Il m'a dit que, dès qu'il recevra ma lettre de démission et que j'aurai respecté cet engagement, il va disparaître pour de bon de nos vies.

— J'espère que tu ne vas pas le croire ! dit la mère de Gaël.

— Jeanne a entièrement raison, appuya Solaine. Tu ne dois pas y aller. C'est bien trop dangereux.

— Je n'ai pas le choix. Si je refuse, il va s'en prendre à nous tous. Je ne peux pas prendre ce risque.

— Si tu n'y vas pas et s'il se pointe ici, dit Solaine, les policiers se feront un plaisir de l'agripper. Et nous en aurons fini avec ce fou.

— On ne sait pas de quoi il est capable, le contredit Gaël. Je le crois capable de s'en prendre à nous malgré l'étroite surveillance des policiers.

— Oh, Gaël ! Je ne veux pas que tu y ailles, redit Jeanne péniblement entre ses sanglots.

— Je ne suis plus capable de continuer, Jeanne. Je ne veux plus me battre contre lui.

— Ce n'est pas une raison pour le rencontrer, Gaël! lui répondit-elle.

— Mon poste ne vaut la vie d'aucun d'entre vous. Il veut ma démission, alors je vais la lui donner, et qu'on en finisse une fois pour toutes avec cette histoire.

— Il faut en discuter avec l'inspecteur Lang, dit Solaine. Tu dois lui parler immédiatement.

— Je vous le répète : il m'a bien averti que si jamais j'osais en parler à la police, il s'en prendrait à nous tous !

Jeanne pleurait toujours dans les bras de son mari. Elle se sentait tellement épuisée. Elle se laissa bercer par celui-ci.

— Je t'en prie, Gaël, implora-t-elle. Tu dois absolument parler à l'inspecteur avant de t'y rendre.

— Qu'importe ce qu'il va me dire, ma décision est prise. Je vais lui remettre ma lettre comme il le désire.

— Il est spécialiste en la matière, dit Solaine. Il a sûrement une meilleure solution à te proposer.

— Et juste de lui en parler, dit son épouse, n'implique pas que ce forcené va le savoir.

L'état de panique de son épouse remit en question sa décision. Il avait promis à l'inspecteur de le tenir au courant s'il y avait du nouveau dans cette affaire. Il devait au moins le consulter. Cela ne changea cependant en rien son intention d'aller au rendez-vous.

— D'accord, répondit-il après un bref moment de réflexion.

— Merci, ne put que dire Jeanne, pleine d'espoir.

— Je vais l'appeler. Je verrai ce qu'il a à me dire avant de m'y rendre.

— Cela vaudra la peine à coup sûr de l'écouter, dit sa sœur.

— Il aura certainement des conseils et des suggestions à te donner, dit Jeanne.

— S'il peut me garantir qu'il n'y a aucun risque que ce dingue devine leur présence, je pourrai peut-être accepter ses recommandations. Sinon, je préfère y aller seul.

Jeanne perçut en lui une hésitation. Elle ne voulait pas qu'il coure ce risque seul. Si les policiers pouvaient assurer sa sécurité, ce dont elle ne doutait pas, les risques seraient moindres. S'il devait y aller sans escorte, le danger était grand. Si jamais cette rencontre tournait mal, s'il y laissait sa vie, une partie d'elle s'éteindrait aussi. Survivre à son absence était impossible à envisager.

— Jeanne, tu dois te calmer avant tout. Il ne faut pas flancher.

— Je sais, mais c'est plus fort que moi. J'ai peur pour toi.

— J'ai besoin de ton soutien pour continuer. Je n'en ai jamais eu autant besoin qu'en ce moment, mon ange.

— L'inspecteur pourrait envoyer quelqu'un d'autre à ta place, suggéra-t-elle. Ils sont expérimentés dans ce genre de situation. Et ce serait beaucoup plus prudent pour toi.

— Si ce fou découvre le subterfuge, Jeanne, il sera indigné. Il a bien dit qu'il nous tuerait tous si j'alertais les policiers.

— Mais ils sont experts en la matière, Gaël, essaya-t-elle de lui faire comprendre. Nous devons leur faire confiance.

— Je ne veux pas que vous soyez en danger. Pour te faire plaisir, je suis bien prêt à discuter avec l'inspecteur Lang. Mais c'est à moi de me rendre au rendez-vous. Seul, s'il le faut.

— Tu peux peut-être t'y rendre seul, mais rien n'empêche que tu sois supporté par une aide policière, dit Solaine. Ils peuvent se cacher, te suivre à distance et te protéger à l'insu de ce fou.

— Peut-être bien, lui répondit-il, incertain. Je verrai bien avec l'inspecteur ce qu'il en pense au juste.

Le téléphone sonna une autre fois. Tous sursautèrent au son de l'appareil. Le dernier appel leur avait tous mis les nerfs à vif. Était-ce encore cet inconnu ? Gaël prit à nouveau le combiné avec un sentiment d'appréhension.

— Oui ? se contenta-t-il de répondre.

— Ici l'inspecteur Lang.

— Ah ! je suis content que ce soit vous ! répondit Gaël avec un soulagement évident dans la voix. Je m'apprêtais à vous téléphoner.

— Si c'est pour m'annoncer que votre inconnu vous a appelé, je suis au courant.

— Ah oui ? Déjà ?

— Je viens tout juste d'en être avisé par le policier qui effectuait une surveillance de votre ligne téléphonique.

— Dites-moi… avez-vous pu localiser l'appel ? demanda Gaël, plein d'espoir.

— Malheureusement, non. Je regrette. L'appel provenait d'un téléphone cellulaire et il n'a pu être localisé.

Décidément, la chance n'était pas de leur côté. Tout espoir qu'il soit retracé s'envola immédiatement en fumée.

« Cette histoire va-t-elle finir un jour ? » se demanda-t-il avec désespoir.

— J'ai à vous parler de ce qu'il me veut, dit Gaël.

— Je vais prendre la route pour me rendre chez vous. Entre-temps, je vais écouter l'enregistrement et nous pourrons en discuter.

— Très bien. À tantôt.

Gaël raccrocha le combiné. Il se tourna vers les trois femmes.

— C'était l'inspecteur Lang. Il est en route pour ici. Il est au courant de l'appel que j'ai reçu. Ils n'ont pas pu localiser la provenance de l'appel car il s'agissait d'un téléphone cellulaire.

Les trois femmes eurent la même réaction que Gaël en apprenant ce résultat négatif.

Chapitre 25

Tous étaient assis dans le salon. Ils écoutaient calmement les propos de l'inspecteur Lang. Le moment était venu de faire une mise au point et de mettre les pendules à l'heure. Les commentaires et les recommandations du policier à l'intention de Gaël étaient francs et directs.

— Pour commencer, il ne faut pas se leurrer, nous savons tous très bien de quoi cet individu est capable. On ne peut tout simplement pas lui faire confiance et tout peut arriver lorsque vous serez en sa présence.

— Je vous l'accorde, répondit Gaël, forcé d'admettre la réalité. J'ai vu ce qu'il était capable de faire lorsqu'il a agressé mes employés, et aussi lorsqu'il nous a emprisonnés, Laurie et moi, à l'ancienne gare.

— C'est pour cela que je ne vous crois pas du tout en sécurité avec lui, renchérit gravement le policier. Et s'il décide de vous blesser, ou même de vous tuer, il le fera, même s'il vous a dit le contraire lorsqu'il vous a parlé au téléphone.

— Je dois admettre qu'il peut effectivement être très impulsif. Avec tout ce que je vous ai raconté et tout ce que j'ai vécu, les faits sont là, c'est une évidence.

— Je suis entièrement de votre avis. Et c'est pour cela que j'estime sérieusement qu'il y a une très grande possibilité qu'il puisse changer d'idée en cours de route. Il pourrait certainement vous le faire payer très cher lorsque vous serez face à face avec lui.

— C'est possible, admit Gaël.

— Je ne peux pas vous laisser y aller seul, vous allez courir un trop grand danger.

— Mais, s'il a le moindre doute que des policiers m'aient suivi, ce n'est pas mieux. Il a bien spécifié tantôt que sa vengeance serait terrible s'il me prenait l'envie de vous alerter.

— Je peux vous garantir qu'il ne verra aucun policier. Il ne se doutera absolument de rien.

— Vous pouvez me l'assurer ?

— Mes hommes sont des spécialistes en la matière. Ils sont régulièrement demandés pour des situations aussi complexes que celle que nous vivons en ce moment. Leurs multiples expériences leur ont permis d'être reconnus comme des experts.

Gaël dévisagea l'inspecteur sans mot dire. Il est vrai que s'il était entouré d'une équipe spécialisée dans ce genre de situations, il risquerait moins que sa vie soit en danger. Néanmoins, la peur que tout ne fonctionne pas comme prévu prenait le dessus. Il aurait bien voulu ajouter foi à la parole du policier, mais ses craintes étaient tellement fortes qu'elles inhibaient sa volonté d'y croire. Il avait de la difficulté à surmonter une puissante appréhension.

— Nous allons commencer par établir un périmètre de sécurité tout autour de la bâtisse en question, poursuivit l'inspecteur. Si jamais il prenait l'idée à l'inconnu de s'enfuir, je peux vous assurer qu'aussitôt dehors, il sera entouré en un temps record par toute une équipe de policiers alertes et bien armés.

— J'ai tellement peur qu'il découvre en cours de route la supercherie et qu'il réussisse à s'enfuir malgré le périmètre de sécurité. Je ne peux tout simplement pas m'enlever cette crainte.

— Cela n'arrivera pas. Je peux vous en assurer.

— J'aimerais bien savoir comment vous allez vous y prendre lorsque je serai à l'intérieur de l'entrepôt. J'ai besoin de savoir de quelle façon je devrai procéder si j'accepte votre proposition.

— Pas de problème, Monsieur Lauzié. J'ai déjà établi un scénario et je vais vous l'expliquer. J'ai tout prévu en fonction de votre implication.

— Je ne suis pas habitué à ce genre de circonstances. Cela me rend un peu inquiet d'être impliqué dans ce plan.

— Vous n'aurez pas grand-chose à faire, en fin de compte. Suivez les instructions que je vais vous donner et mon équipe se chargera du reste.

— Expliquez-moi, alors.

— Les membres de mon équipe, et moi aussi d'ailleurs, porterons un mini émetteur-récepteur dans l'oreille afin d'être toujours en contact entre nous. Cela nous permettra à tous de mieux interagir tout au long de l'opération.

— D'accord.

— Vous devrez voir à créer discrètement une diversion, afin qu'il ne prête attention qu'à vous pendant un moment. Pendant ce temps, notre escouade pourra entrer en catimini.

— S'il continue à surveiller la porte par où je suis entré, même d'un œil, ce sera quasiment impossible pour les policiers de pénétrer à l'intérieur.

— Mon équipe va plutôt utiliser la porte principale. Cet accès est situé au nord, complètement à l'opposé de l'endroit où vous serez. S'il vous a dit qu'il comptait mettre le système d'alarme hors circuit, ce sera un grand avantage pour nous. Il a commis une grave erreur en vous avouant cela. Ça ne jouera pas en sa faveur. Il nous sera facile de vérifier si le système a effectivement été mis hors circuit et de s'infiltrer ensuite dans la bâtisse.

— Pensez-vous que l'entrée principale soit assez éloignée de nous pour ne pas attirer son attention ?

— Je connais très bien ce bâtiment. J'y suis allé plusieurs fois comme client et je me souviens parfaitement des lieux. À la façon dont l'immeuble est construit, l'entrée est partiellement invisible de l'endroit où vous serez. Et elle est assez éloignée pour que nous puissions y entrer silencieusement avec succès.

— D'accord.

— Si vous le maintenez dos à cette entrée, il ne pourra pas voir si quelqu'un entre. Ce sera un jeu d'enfant pour mes hommes de se disperser discrètement.

— Il ne faut absolument pas qu'il se rende compte de l'intrusion de vos hommes.

— Si vous discutez avec lui, la tâche sera encore plus facile. Ils pourront alors se placer à des endroits stratégiques, après vous avoir localisé.

— S'il a moindrement l'impression qu'il a été vu, je peux vous affirmer qu'il va réagir fortement. Il va, à coup sûr, chercher à se venger en essayant de me blesser ou de me tuer. Je suis persuadé que, cette fois-ci, il va avoir en sa possession une arme blanche ou une arme à feu.

— Je suis persuadé aussi qu'il aura une arme.

— Il ne voudra pas répéter la même erreur que lors de notre rendez-vous à l'ancienne gare.

— Je vais vous donner un gilet pare-balles, juste au cas. Il vous protégera efficacement s'il vous lance un objet tranchant ou s'il tire sur vous.

— Peut-être…, dit Gaël, visiblement toujours indécis.

— Je vous le répète, mes policiers sont très habiles dans ce genre d'interventions.

— Je ne doute pas du tout de leurs compétences. C'est la réaction de ce fou qui m'inquiète. Il est imprévisible.

— S'ils voient que cet individu veut vous agresser, ils vont immédiatement le neutraliser. Ils sont extrêmement rapides et avant qu'il n'ait eu le temps de lever la main sur vous, il sera immobilisé.

L'inspecteur vit bien que l'incertitude et les propos de Gaël persistaient malgré ses explications. La peur que cette stratégie puisse échouer et que l'inconnu parvienne à le blesser, à le tuer ou même à s'échapper provoquait chez lui une appréhension difficile à contrôler. Si l'inconnu réussissait à s'échapper, il chercherait à se venger sur lui et sur sa famille. Et cela, il ne le voulait absolument pas. S'il acceptait cette rencontre, il ne voulait courir aucun risque de la voir échouer.

— Je note toujours de l'incertitude chez vous, Monsieur Lauzié.

— En effet, monsieur l'Inspecteur, c'est plus fort que moi. La crainte qu'une telle intervention puisse rater me glace d'effroi.

— La stratégie proposée par l'inspecteur est sécuritaire, dit Jeanne. Si le plan échoue, tu seras protégé par les policiers, qui seront prêts à intervenir au moindre signe.

— S'il prend à l'inconnu l'idée de s'enfuir, ajouta l'inspecteur, et s'il réussit à sortir de la bâtisse avant que nous ayons réussi à l'attraper, à l'extérieur, toutes les voies de passage des environs ainsi que les moindres recoins seront amplement surveillés par des policiers bien armés. Je vous garantis qu'il n'aura pas la moindre chance de s'échapper.

Quelle atroce torture pour Gaël ! Ses sentiments étaient tellement partagés. Il fallait qu'il prenne une décision. L'inspecteur Lang ne lui laissait pas beaucoup de choix, malgré son tact et ses recommandations. Il savait pertinemment que celui-ci ne le laisserait jamais aller rencontrer l'inconnu seul. Il dut se résoudre à faire confiance à la stratégie proposée. C'était leur chance de mettre la main au collet de ce fou et d'en finir une fois pour toutes avec lui.

— D'accord. J'accepte votre proposition. Je sais bien que je ne peux pas lui mettre les menottes moi-même si j'y vais seul et sans aucune ressource extérieure pour m'aider.

— Parfait ! répondit l'inspecteur, soulagé et content de ne pas avoir à lui imposer la présence des policiers pour sa propre sécurité. Je suis convaincu que, cette fois-ci, nous allons pouvoir le piéger et l'attraper. Je n'ai aucun doute à ce sujet !

Jeanne se blottit contre son époux. Elle était visiblement soulagée que celui-ci ait enfin abdiqué. Elle était persuadée que les policiers allaient être capables d'assurer sa sécurité lorsqu'il serait en présence de l'individu.

— Merci, lui dit-elle avec reconnaissance et un peu apaisée. Je suis tellement contente que tu acceptes les recommandations de l'inspecteur.

— Je dois être réaliste. Ce sera plus sécuritaire ainsi. Je me remets entre leurs mains.

— Ce sont des professionnels dans ce genre d'interventions, dit Solaine. Il faut leur faire confiance. Il n'y a pas de doute que ce fou sera bientôt sous les verrous.

La mère de Gaël se leva et se dirigea vers lui. Elle avait suivi la conversation sans dire un mot. Le risque que son fils puisse y laisser sa peau la frappa tout à coup de plein fouet. Elle essaya de cacher du mieux qu'elle le put sa frayeur et son angoisse. Néanmoins, son regard ne put mentir, elle était morte d'effroi. Elle mit sa main sur l'épaule de son fils. Celui-ci s'aperçut qu'elle tremblait un peu.

— Fais attention, mon fils, dit-elle péniblement. Je vais être morte d'inquiétude, laissa-t-elle échapper malgré elle. Savoir que tu vas être devant ce monstre, c'est trop pour moi.

Sa voix vacillante émut profondément Gaël. Il lui prit la main et la serra tendrement dans la sienne. Elle laissa sa main dans celle de son fils. Il sut alors dans son cœur que sa mère, malgré sa froideur et son passé difficile, l'aimait plus que tout et que les derniers événements avaient resserré les liens entre eux. Cela apaisa délicatement son cœur meurtri par les coups durs de son enfance. Il la regarda avec douceur, cette dame qui ne semblait plus être la mère intransigeante d'autrefois.

— Je te promets que je serai très prudent, maman. Je veux que tu veilles sur Jeanne et les enfants entre-temps.

Elle acquiesça du regard et elle se tourna vers sa bru. Son regard bouleversé émut aussi Jeanne. Elle lui tendit la main. Le temps des confrontations était maintenant révolu. Sa belle-mère la prit sans hésiter. La scène était très touchante et ne laissait personne indifférent. Solaine et le policier les regardaient silencieusement. Celle-ci essuya une larme et l'autre roula sur sa joue.

— Il faut nous préparer sans plus attendre, annonça calmement l'inspecteur après un bref moment de silence. Je dois aussi alerter l'escouade et exposer à toute mon équipe le plan que je vous ai proposé. Il ne nous reste que vingt-cinq minutes, le temps file à toute allure.

— Je vais aller immédiatement écrire ma lettre de démission, dit Gaël.

— Inutile, répondit le policier.

Gaël le regarda avec une expression de surprise. Il ne s'était pas attendu à une telle réplique de la part du policier. S'il se présentait devant l'inconnu sans sa lettre de démission, celui-ci risquait de deviner qu'on lui avait tendu un piège. Cela pourrait faire échouer le plan établi.

— Placez seulement une feuille vide dans une enveloppe, poursuivit-il.

— Pourquoi? demanda Gaël, toujours étonné.

— Je vous explique. Nous allons l'arrêter avant qu'il n'ait le temps de lire le contenu de votre lettre. Cela ne servira à rien d'écrire quoi que ce soit sur la feuille. Pourvu qu'il pense recevoir votre démission, c'est suffisant pour nous.

— De quelle façon allez-vous procéder?

— Mes policiers auront chacun un pistolet paralysant et l'un d'entre eux fera feu sur lui, ce qui l'immobilisera presque immédiatement.

— Quand sauront-ils que c'est le bon moment pour tirer?

— Je vais leur dire de le garder constamment dans leur mire. Dès qu'il aura ouvert l'enveloppe et déplié la feuille pour prendre connaissance du contenu, le mieux placé tirera immédiatement sur lui.

— Ça va marcher?

— Il aura une double surprise. Celle de ne rien voir sur la feuille, mais surtout celle de recevoir un tir paralysant.

— Lorsqu'il recevra cette décharge, est-ce que ce sera long avant qu'elle fasse son effet ? demanda Jeanne.

— Je peux vous assurer qu'il sera terrassé sur le coup.

— Ça va le tuer ? demanda Gaël, inquiet de l'ampleur que prenait cet événement.

— Non. Seulement le paralyser temporairement, mais bien assez longtemps pour que mes hommes l'immobilisent avant que l'effet disparaisse.

Gaël se sentit tout à coup plus rassuré. Son courage monta d'un cran. Le plan semblait bien conçu. L'inspecteur était confiant. Rassuré par la conviction du policier, il se sentit en confiance et prêt à relever le défi.

— À première vue, dit Gaël, tout cela me semble bien organisé. Je crois qu'il n'aura pas grande chance de s'en sortir. Vous avez su me rassurer, monsieur l'Inspecteur.

— Absolument ! Mon plan est infaillible. Allez chercher une enveloppe et insérez-y une feuille vierge.

— D'accord.

— Puis-je entre-temps prendre votre téléphone pour déclencher les préparatifs immédiatement ?

— Faites.

— Mes équipes tactiques doivent aller au plus tôt prendre leurs positions. Tout doit être prêt lorsque vous pénétrerez dans l'entrepôt. Dès que vous serez à l'intérieur, nous pourrons essayer de nous y infiltrer tel que prévu.

— Bien.

— Je vais aussi aller chercher le gilet pare-balles.

— D'accord.

— Le compte à rebours est commencé ! Déclenchons le processus !

L'inspecteur se leva d'un bond et alla prendre le combiné téléphonique. Lorsqu'il rejoignit le quartier général, il commença immédiatement à mettre son plan en œuvre. Pendant qu'il donnait ses ordres, Gaël se leva pour aller chercher une feuille et une enveloppe.

— Reste ici, dit Jeanne. Je vais te les apporter.

— D'accord.

Toujours au téléphone, l'inspecteur fit signe à Gaël qu'il sortait à l'extérieur. Lorsqu'il revint quelques minutes plus tard, il avait raccroché. Il avait avec lui un gilet pare-balles qu'il lui tendit.

— Je vais vous aider à enfiler cette veste, lui dit-il en la lui tendant. Enlevez votre veston et votre chemise, car elle doit être installée convenablement sous votre complet-veston.

Gaël obtempéra et se dévêtit, laissant paraître un torse admirablement musclé avec de puissants bras. Il prit le gilet tendu par le policier. Il remarqua le regard admiratif de celui-ci.

— Je me doutais bien que, sous ce complet, il y avait une forte stature, mais je dois vous avouer que je suis impressionné.

— Merci.

— Monsieur se tient en forme à ce que je vois, dit-il, manifestement épaté par sa carrure.

— Oui... Un peu..., admit-il humblement et sans fausse modestie. Un brin d'entraînement au gym et de la natation m'aident beaucoup à faire passer le stress que je vis et j'avoue que cela me garde en forme en même temps. Cela ne me fait pas de tort.

— Effectivement ! On voit le résultat ! Vous feriez un bon garde du corps !

Gaël lui sourit sans rien ajouter. Il remit rapidement sa chemise et son veston. À première vue, personne n'aurait pu deviner qu'il portait un gilet pare-balles. Jeanne arriva avec une feuille qu'elle avait déjà soigneusement pliée et insérée dans l'enveloppe.

— Tiens, dit-elle en la tendant à son époux. C'est prêt. La feuille est dans l'enveloppe.

— Merci, lui répondit-il. J'ai mis sous ma chemise le gilet pare-balles. Est-ce que ça se voit ?

Celle-ci l'examina. Il fit un tour sur lui-même afin de lui permettre de bien voir si le tout était correctement installé.

— Parfait ! Personne ne peut deviner que tu la portes.

— Merci, lui répondit-il.

— Il est temps d'y aller, Monsieur Lauzié, dit l'inspecteur. Je veux que vous preniez votre véhicule, au cas où l'individu aurait eu l'idée de vous suivre à partir d'ici. Je vous suivrai de loin. Nous ne devons courir aucun risque. Il ne faut pas qu'il ait le moindre doute. Je vous suivrai de manière à ne pas être vu.

— D'accord.

— Lorsque vous serez arrivé à l'entrepôt, faites comme si vous étiez venu seul et ne vérifiez pas s'il y a des policiers postés ici et là aux alentours. Cela pourrait éveiller les soupçons de ce fou s'il vous surveille. Vous ne devez prendre aucune chance. Faites attention au cas où il arriverait derrière vous. Il pourrait ne pas être à l'intérieur et attendre que vous ayez pénétré avant d'entrer à son tour.

— J'ai bien compris.

Gaël se tourna alors vers son épouse. Même si elle se sentait un peu plus rassurée à l'idée que son époux serait entouré d'une haute protection policière, il était très difficile de ne pas avoir de craintes. Gaël perçut son angoisse et la rapprocha tout contre lui.

— Ça va aller, mon amour.

— Fais attention, Gaël. Je t'en supplie, ne prends aucun risque.

— C'est promis.

Jeanne se serra contre lui. C'était un moment très difficile pour tous les deux. Il y avait toujours un risque, si faible soit-il, qu'il y laisse sa vie, malgré toute la sécurité érigée autour de lui. Il l'embrassa tendrement. L'étreinte fut pénible pour tous les deux. Ils se séparèrent avec difficulté.

— Je t'aime, lui lança-t-il.

— Je t'aime aussi, répondit-elle dans un sanglot.

— Tu n'aurais pas, juste par hasard, une bonne prémonition ? lui demanda-t-il en souriant.

— J'aimerais bien, lui répondit-elle en lui rendant son sourire.

Il se dirigea silencieusement vers la sortie avec le policier. Sa sœur et sa mère les attendaient déjà sur le seuil de la porte. Ils s'arrêtèrent devant elle. Gaël prit Solaine dans ses bras un court moment pour ensuite passer à sa mère. Il la serra affectueusement en la regardant dans les yeux. Sa mère passa la main dans les cheveux de son fils. Elle ne put rien dire ni rien faire de plus, sa peur la clouait sur place. Solaine s'approcha de sa mère et lui prit le bras.

— Viens, maman, lui dit-elle tout bas. Allons préparer les enfants pour leur dodo. Ça va nous tenir occupées toutes les deux.

Celle-ci acquiesça d'un simple hochement de tête.

— Je présume que c'est le mieux que l'on puisse faire pour le moment, répondit-elle à sa fille.

— Il faut y aller, dit le policier à Gaël.

Celui-ci ouvrit lentement la porte d'entrée. Il se tourna vers son épouse avant de sortir. Il vit bien qu'elle était morte d'angoisse. Il lui envoya un baiser pour la rassurer et lui sourit. Elle lui rendit son sourire avec difficulté, les larmes aux yeux.

Chapitre 26

Au détour de la rue, Gaël vit l'entrepôt de bois. C'était une grande bâtisse, très haute, avec deux petits bâtiments reliés à la bâtisse principale par un large couloir. Il y avait aussi sur la propriété, ici et là, des remises de différentes grandeurs servant à entreposer divers équipements. Il roula lentement vers le côté sud de l'entrepôt et aperçut la porte, comme l'avait dit l'inconnu. Aucun véhicule n'était visible dans les environs. Aucun employé ne circulait autour de la machinerie et de l'entrepôt. Tout était calme. À se demander si l'individu y était. Il remarqua que la porte était entrouverte.

« Il est sûrement à l'intérieur. Il doit m'attendre. »

Un frisson lui parcourut l'échine. Il régnait aux alentours un calme angoissant. Ce silence avait de quoi rendre quiconque anxieux. Il gara sa voiture le long du bâtiment, tout près de la porte. Il jeta discrètement un regard dans les parages. Il ne put deviner s'il y avait des policiers cachés quelque part. Rien ne bougeait, rien ne laissait deviner que quelqu'un s'y cachait.

« Et si j'étais seul ? pensa-t-il avec une pointe d'inquiétude. Les policiers n'ont peut-être pas eu le temps d'arriver et de s'installer… »

Gaël essaya de chasser cette idée. Toute l'équipe était forcément là, en position de guet. Il devait faire confiance à l'inspecteur Lang. Les effectifs avaient sûrement eu le temps d'arriver. Il éteignit le moteur de son véhicule. Le silence qui suivit alourdit encore le sentiment d'angoisse qu'il ressentait. Il ouvrit doucement la portière et mit pied sur l'asphalte. Il referma la portière avec autant de précaution, afin d'éviter de faire trop de bruit.

« Que c'est stupide ! Comme si ne pas faire de bruit allait m'éviter d'avoir des surprises ! Au point où j'en suis, ce n'est pas le bruit d'une portière d'auto qui va changer le cours des choses… »

Il prit une grande respiration pour essayer de se donner du courage et avança doucement vers la porte entrouverte. Au fur et à mesure qu'il s'en approchait, la cadence de son cœur s'accélérait, résonnant avec force dans ses tempes. Il était tellement tendu que plusieurs vaisseaux sanguins saillirent sous la peau crispée de son visage.

« Il faut absolument que je me calme. Je ne dois pas paniquer, cela ne ferait qu'empirer la situation. Il en va de ma survie. »

Avec toutes les peines du monde, il s'approcha de la porte et s'arrêta sur le seuil. Il tendit l'oreille, mais aucun son ne lui parvint de l'intérieur. Il prit une grande bouffée d'air avant de s'engouffrer dans la bâtisse. Tout était sombre à l'intérieur. Tout était silence. La seule source de lumière provenait des fenêtres, tout en haut. Cette lumière projetait d'énormes ombres, car beaucoup de colonnes et d'étagères montaient du sol vers le plafond. Néanmoins, Gaël put aisément distinguer les environs. Il hésitait à avancer. Il ne savait quoi faire. Tout était tellement hors de l'ordinaire.

— Bienvenue, cher PDG ! lança brusquement une voix.

Gaël sursauta. Il regarda autour de lui pour essayer de localiser l'individu mais en vain. Rien ne bougeait.

« C'est lui ! C'est ce fou ! Je reconnais sa voix. Je suis sûr de l'avoir déjà entendue, mais où... ? »

— Où êtes-vous ? demanda-t-il. Je ne vous vois pas.

— Je ne suis pas très loin de vous. Je veux avant tout m'assurer que vous êtes bien venu seul ici.

— Je suis seul.

— Éloignez-vous de la porte. Avancez de quelques pas.

Gaël obtempéra sans oser le contredire. Il s'avança de quelques pas jusqu'à ce que l'inconnu lui dise d'arrêter.

— Restez là où vous êtes. Et ne bougez pas d'un poil. Ne vous retournez même pas. Je vais aller jeter un coup d'œil à l'extérieur pour vérifier s'il y a quelqu'un dans les parages. Je veux m'assurer que ne m'avez pas menti.

Gaël n'osa pas le contredire et attendit nerveusement la suite. Il ne put rien entendre, ni mouvement derrière lui, ni aucun son. L'attente lui parut interminable. Cela n'apaisa en rien sa nervosité. Soudain, la porte par où il était entré se referma d'un coup sec, ce qui le fit sursauter à nouveau.

— Restez encore là où vous êtes. J'ai vérifié et je ne vois personne à l'extérieur. Je suis bien content que vous ayez suivi mes ordres.

Il préféra ne pas répliquer, jugeant que le silence était plus approprié pour le moment. Il ne fallait pas envenimer la situation.

— J'ai pris la peine de bien refermer cette porte, juste au cas. On ne sait jamais, quelqu'un pourrait peut-être avoir envie de venir nous visiter. Ainsi, nous serons vraiment seuls tous les deux et nous pourrons discuter tranquillement, sans craindre d'être dérangés par quiconque. Je n'ai pas envie de recevoir une visite surprise.

Un moment de silence suivit. Gaël jeta un coup d'œil vers le fond de l'entrepôt. Il put voir partiellement l'accès principal. Si les policiers tentaient d'entrer, nul doute que l'inconnu s'en apercevrait.

« Comment vais-je faire pour détourner son attention ? se dit-il. Je ne sais même pas où il se cache. »

— Puisque nous sommes seuls tous les deux, risqua Gaël, nous pourrions discuter face à face.

— Un face-à-face me semble très intéressant, répondit la voix. Avancez encore un peu et retournez-vous vers la gauche. Vous pourrez alors me voir.

Gaël s'avança lentement de quelques pas et se retourna. Il était bien là, appuyé contre une colonne, tout au fond de la salle. Vingt-cinq mètres à peine les séparaient. L'individu était toujours vêtu de noir et portait une cagoule qui lui recouvrait le visage, ne laissant entrevoir que ses yeux.

— Vous voilà enfin en face de moi, Gaël !

— Me voilà, se contenta-t-il de répondre.

L'individu éclata d'un rire strident. Un rire plutôt démoniaque.

— Enfin, répéta-t-il encore. Je vous ai finalement devant moi.

« Je dois à tout prix entretenir la conversation afin de donner le temps aux policiers d'entrer et de se mettre en position. »

— Remettez-moi votre lettre de démission, mon cher futur ex-PDG.

— J'ai bien la lettre que vous avez exigée. Toutefois, je veux être certain que vous respectiez votre promesse de nous laisser tranquilles, ma famille et moi.

— N'ayez crainte. Je vais honorer notre entente et même plus ! Vous aurez droit à un extra !

— Que voulez-vous insinuer ? demanda Gaël, perplexe.

— Vous le saurez en temps et lieu. Pour le moment, je veux la lettre.

— D'accord. Je l'ai dans la poche intérieure de mon veston. Je vais la prendre pour vous la remettre.

— Pas de faux mouvement de votre part, sinon je pourrais me fâcher. J'ai un revolver et je n'hésiterai pas à l'utiliser si vous osez quoi que ce soit contre moi.

Sur ce, l'inconnu sortit de son habit l'arme en question. Un petit revolver qu'il braqua vers Gaël.

— Prenez cette enveloppe.

Une onde d'appréhension parcourut Gaël. Il sentit sa nervosité se transformer en une grosse boule dans sa gorge. Il fallait être très prudent. Un geste trop brusque de sa part pourrait lui être fatal. Il s'exécuta et sortit délicatement l'enveloppe de son veston. Il aurait aimé ne pas la lui remettre immédiatement mais, avec cette arme braquée directement sur lui, il était maintenant difficile de marchander.

— Très bien. Approchez-vous de moi lentement.

« J'espère que les policiers ont eu le temps d'entrer… », se dit Gaël.

Il s'avança prudemment. L'étranger recula lui aussi lentement, en même temps qu'il s'approchait de lui.

« Il doit rester là où il est ! S'il recule encore, il sera hors du champ de vision des policiers… »

Il y avait de multiples panneaux de différentes grandeurs posés contre des colonnes. Ces panneaux empêcheraient les policiers de le voir, rendant ainsi toute intervention plus difficile et risquée pour eux. Un vent de panique l'envahit. Il s'arrêta net.

— Mais avancez donc ! Ne restez pas là ! Est-ce que vous avez peur ? lança-t-il avec cynisme.

— Pourquoi ne pas vous remettre tout simplement cette lettre ici ?

— Je ne veux pas que vous ayez l'idée de me faire faux bond après me l'avoir remise. Continuez à avancer. Je veux que vous vous postiez tout contre ce mur, au fond. Comme ça, vous ne pourrez pas vous enfuir quand j'aurai la lettre en ma possession.

« Ce n'était pas prévu dans le plan, se dit Gaël. De cette manière, il sera hors d'atteinte. »

— Allez ! Avancez !

Gaël hésita un court moment. Il était pris au piège. Il ne pouvait plus faire marche arrière. Cet individu le visait et il était sûrement prêt à tirer sur lui s'il n'obéissait pas. Il dut avancer à contrecœur. L'individu reculait au fur et à mesure qu'il s'approchait de lui. Il lui fit signe de se poster contre le mur du fond.

« Si je lui fais face de ce coin, il sera dos aux policiers. Peut-être auront-ils la chance de le voir au moins un peu. J'espère que l'un des policiers pourra le viser même si l'endroit est difficile d'accès… »

C'était sa seule chance que le plan de fonctionne. Le seul problème était que les policiers ne pourraient probablement pas voir l'individu au moment où il lui remettrait l'enveloppe. Il souhaita que ce fou puisse être dans leur champ de tir et que personne n'attende le moment idéal pour tirer sur lui. Il ne fallait plus compter maintenant sur un meilleur moment.

— Tenez-vous contre le mur, lui lança l'inconnu, impatient. Je ne veux pas m'éterniser ici.

Décidément, rien n'allait comme ce qui était prévu dans ce fameux plan. Il commença à perdre l'espoir de s'en sortir vivant. Sa seule chance, lorsque ce fou s'apercevrait du stratagème, était que son gilet pare-balles lui sauve la vie, car il allait assurément tirer sur lui pour se venger.

— Vous êtes un être répugnant, lança Gaël. Vous me dégoûtez.

— Vos états d'âme ne m'affectent en rien, répondit l'individu sarcastiquement.

— Je souhaite qu'un jour vous soyez démasqué !

— Je ne serai jamais démasqué ! Je ne laisserai jamais à personne l'occasion de le faire. Quoique… À bien y penser… Je ne vois aucun inconvénient à dévoiler mon identité, juste à vous !

Gaël le regarda, étonné de ce qu'il venait d'entendre.

— Sur ce point, je peux assurément satisfaire votre vœu. Je peux vous faire connaître mon identité. Malheureusement pour vous, il n'y aura que vous qui connaîtrez la vérité.

L'inconnu porta la main à sa cagoule et tira lentement sur celle-ci, dévoilant peu à peu son visage. Gaël fut estomaqué. Il ne pouvait pas croire ce qu'il voyait.

— Vous !

— Surpris, n'est-ce pas ? lui lança l'agresseur en riant.

— Ce n'est pas possible. Je ne peux pas le croire.

— Eh bien, oui. C'est moi.

— Phylippe Goudaist ! Votre voix m'était tellement familière. Je la reconnais mieux maintenant sans cette cagoule.

— En effet, le tissu épais de cette cagoule m'a aidé. Ma voix était un peu masquée et difficile à reconnaître.

— Mais pourquoi toute cette mise en scène et toute cette rage contre moi ?

— Je n'accepte tout simplement pas que vous ayez obtenu ce poste de PDG. Ce poste me revenait de droit. Je suis arrivé dans cet établissement un an avant vous.

— J'avais les qualifications exigées.

— Balivernes ! J'aurais très bien pu faire l'affaire sans avoir vos multiples certificats. Vous leur avez jeté de la poudre aux yeux.

— Je suis désolé pour vous. Le conseil d'administration a fait son choix et j'ai été choisi. Je ne suis pas responsable de leur choix.

Le visage expressif de Phylippe se crispa de rage. La fureur qui se dégagea de son faciès fit peur à Gaël.

— Pourquoi avez-vous blessé des employés ? Ils n'ont rien à voir dans cette histoire.

— Il fallait que je calme la colère en moi. En attaquant d'autres personnes, je vous touchais aussi.

— En effet, cela m'a beaucoup affecté. Blesser de pauvres innocents est bien bas de votre part.

La tension était à son paroxysme. Gaël connaissait enfin celui qui était la cause de tous ses tourments. Cela n'enleva rien à son appréhension quant à ce qui allait se passer. L'agresseur s'avança tout à coup vers sa victime.

— Remettez-moi votre lettre de démission, lui dit-il brusquement en tendant la main.

— Qu'allez-vous faire avec cette lettre ?

— Je vais en prendre connaissance, juste pour le plaisir de la lire.

Un sentiment de panique s'empara de Gaël. Lorsque Phylippe s'apercevrait que la feuille était vierge, il allait sûrement éclater de colère. Il tendit nerveusement l'enveloppe. Il souhaita ardemment que l'un des policiers puisse l'avoir dans sa mire et réussisse à l'atteindre.

— Je n'ai pas besoin de votre démission, mon cher. Vous avez devant vous le vrai PDG du Centre de formation internationale !

— Comment cela ? lui demanda Gaël, surpris. Vous m'avez dit que vous disparaîtriez après avoir reçu ma démission…

— Oups ! répliqua-t-il en ricanant. J'ai fait une petite erreur lors de notre conversation téléphonique. Ce n'est pas moi qui vais disparaître, mais vous. C'est le petit extra dont je vous ai parlé.

— Moi ?

— Oui, vous ! Pensiez-vous qu'après m'être démasqué devant vous, je vous aurais laissé partir ? Si je vous élimine, je serai finalement choisi comme prochain PDG du Centre.

— Vous ne pouvez pas faire cela ! Si vous me tuez, il y aura une enquête et vous serez suspect.

— Je ne laisserai aucune trace qui leur permettra de remonter jusqu'à moi. Ce sera impossible pour la police de m'incriminer, faute de preuves.

Gaël était ahuri par la déclaration de ce fou. Il reçut ces propos comme une douche froide. C'était donc la raison de toutes ces manigances, il voulait ce poste à tout prix et il était même prêt à tuer pour l'obtenir.

— Remettez-moi cette lettre ! ordonna-t-il à nouveau d'un ton sec.

Gaël la lui tendit à contrecœur. Phylippe la lui arracha des mains et recula de quelques pas. Il le garda en joue avec son arme d'une main et de l'autre, il sortit habilement la feuille de son enveloppe.

« De grâce ! Il faut qu'il soit dans la mire des policiers ! »

Gaël devint diaphorétique. Des gouttes de sueur perlaient ici et là sur son front. Lorsque Phylippe déplia la feuille, ses yeux s'agrandirent de surprise.

— Qu'est-ce que cela veut dire ? cria-t-il. Pensiez-vous que vous alliez m'avoir comme cela ?

La rage de Phylippe déforma son visage. Sa haine envers Gaël se décupla à un tel point qu'il explosa.

— C'en est fait de vous ! Vous venez de signer votre arrêt de mort ! De toute façon, c'était mon dessein, de me débarrasser de vous en vous tuant !

Il visa Gaël et le son de son arme résonna bruyamment dans tout l'entrepôt. Celui-ci fut projeté par terre sous la force de l'impact. Il sentit une douleur aiguë à la cuisse gauche. Le sang imbiba rapidement son pantalon. Le coup de feu qui avait résonné n'était pas celui d'un des policiers, comme Gaël s'y attendait. Il essaya de se relever mais la douleur l'en empêcha. Il ne put que se redresser partiellement et réussit en grimaçant de souffrance à s'asseoir par terre. Il leva la tête vers Phylippe. Un large sourire marquait son visage.

— Désolé ! Je vous ai raté ! Mais je ne vous raterai pas au prochain coup !

Il visa à nouveau sa victime. Tout à coup, il détourna la tête pour regarder derrière lui. Des bruits de pas s'avançaient à toute vitesse vers eux. Il se tourna vers Gaël, le visage encore plus haineux.

— Je n'aurais jamais dû me fier à vous ! Vous avez alerté les policiers malgré mes avertissements.

— Et je ne regrette pas de l'avoir fait. Vous êtes piégé !

Le son de son arme résonna à nouveau, projetant à nouveau Gaël sur le sol. Il ne bougea plus. Un autre coup de feu se fit entendre. La balle atteignit Phylippe au cœur de plein fouet, ne lui laissant aucune chance de s'en sortir. Il s'écrasa par terre, inerte. Deux policiers se dirigèrent rapidement vers le meurtrier et se penchèrent vers lui pour vérifier son état. Deux autres se dirigèrent vers Gaël et se penchèrent sur lui. Il ne bougeait pas.

— Monsieur Lauzié, appela avec insistance le policier penché sur lui.

Gaël ne répondit pas à l'appel du policier. Celui-ci le toucha pour le secouer un peu.

— Monsieur Lauzié, appela-t-il à nouveau.

Il n'eut aucune réaction. L'inspecteur Lang apparut, suivi de près par Jeanne, torturée par l'angoisse d'avoir entendu des coups de feu. Lorsqu'elle vit son époux étendu par terre immobile et le sang qui imbibait son pantalon, elle ne put s'empêcher de crier :

— Gaël ! Gaël ! Oh non !

Elle s'élança vers son époux, terrorisée.

— Non ! Gaël ! Gaël !

Elle s'écrasa en pleurs à ses pieds et se pencha promptement sur lui. Elle le secoua en balbutiant son prénom. Cela ne se pouvait pas. Il ne pouvait pas être mort. C'était trop bête de finir comme ça. Elle retourna son époux inerte pour l'installer sur ses jambes repliées et le prit dans ses bras. Tout son être se déchirait en elle. Elle se mit à le bercer tout en tremblant de tout son corps. Un son plaintif sortit de sa bouche.

Chapitre 27

L'inspecteur refusait de croire que Gaël ait perdu la vie de façon aussi ridicule. Pourtant, tout avait été bien préparé. Malheureusement, le plan avait une faille et tout avait pris une tournure inattendue. Le gilet pare-balles qu'il portait devait le protéger. L'inspecteur remarqua que le sang sur son pantalon semblait provenir d'une blessure à la cuisse gauche puisque la cuissière du gilet pare-balles était brisée et que le sang s'était accumulé à cet endroit. Aucune blessure n'était visible à la tête. L'inspecteur s'accroupit près de Jeanne. Il tâta avec crainte le cou de Gaël pour essayer de trouver l'artère et percevoir les pulsations cardiaques.

— Je sens son pouls! annonça-t-il, vivement soulagé. Il est vivant!

Le visage de Jeanne changea subitement. Son époux était vivant! Quel grand soulagement pour elle. Elle ne put dire un mot tellement ses émotions la submergeaient. Son visage couvert de larmes s'éclaira. Elle serra encore plus fort son mari contre elle.

— Oh, Gaël! Ne me quitte pas! Reviens-moi! Je t'en supplie!

— Son pouls est régulier et fort, Madame Lauzié, dit l'inspecteur Lang. Il est seulement évanoui.

Elle acquiesça du regard, reconnaissante que le destin l'ait épargné.

— Inspecteur Lang ! appela un des policiers, penché sur le corps de Phylippe.

— Oui, répondit celui-ci en se tournant vers lui.

— Il est mort. Il a reçu la balle en plein cœur. Nous ne pouvons plus rien faire pour lui.

L'inspecteur acquiesça du regard. Il se tourna vers Gaël. Tout à coup, celui-ci bougea la tête légèrement et ouvrit péniblement les yeux. Il leva son regard vers Jeanne et la regarda tendrement dans les yeux en lui adressant un sourire.

— Je vois un ange…

— Oh, Gaël ! Gaël ! s'exclama Jeanne, heureuse qu'il se porte mieux. Je te pensais mort !

— Ça va aller, lui répondit-il. Ce n'était pas mon heure, il faut croire !

Il essaya de bouger mais sa douleur à la cuisse lui coupa le souffle. Il grimaça.

— J'ai été touché à la cuisse gauche.

— Avez-vous mal ailleurs ? demanda l'inspecteur.

— Non, pas vraiment. Je ressens une brûlure ici, au thorax, répondit-il en touchant la région de son sein gauche.

— C'est peut-être le choc de la balle lorsqu'il a tiré une deuxième fois sur vous. Je vois un trou dans votre veston.

Gaël jeta un coup d'œil à l'endroit désigné par l'agent et vit effectivement le trou laissé par la balle.

— N'ayez crainte, la veste est sécuritaire. La balle n'a pas pu traverser le gilet. Cependant, la force de l'impact avait de quoi vous assommer sur le coup.

— En effet, j'ai eu l'impression qu'un camion m'avait frappé de plein fouet. Tout est devenu noir par la suite. Merci pour le gilet pare-balles, inspecteur. Sans lui, j'y aurais laissé ma peau.

— J'en suis bien content pour vous, Monsieur Lauzié.

Il jeta un coup d'œil à son pantalon imbibé de sang. Le saignement avait beaucoup diminué.

— Je pense que ça ne saigne presque plus, dit-il.

— Nous avons appelé les secours d'urgence, dit l'inspecteur Lang. Une ambulance est en route.

— Comment vas-tu, Jeanne ? demanda Gaël en se tournant vers elle.

— Tant que tu vas bien, je vais bien, mon amour, lui répondit-elle en lui souriant.

Elle avait séché ses larmes, elle ne tremblait plus. Son regard était maintenant étincelant et ses yeux brillaient de joie.

— Comment est Phylippe ?

— Si vous parlez de l'autre, il est malheureusement mort.

Le regard de Gaël s'attrista. Quelle fin atroce pour lui. Un sentiment de pitié l'envahit malgré le fait qu'il avait voulu le tuer.

— Quel dommage. Tout cela pour le poste de PDG...

— Vous le connaissiez ? demanda l'inspecteur.

— Oui. C'est Phylippe Goudaist. C'était le directeur de la faculté de droit. Il avait posé sa candidature pour le poste de PDG et il n'a pas accepté que ce soit moi qui l'obtienne et non lui.

— Quelle triste fin pour lui, dit Jeanne.

Celle-ci serra à nouveau son époux dans ses bras. Elle était tellement heureuse que tout soit enfin terminé. Il resta blottie tout contre elle, appréciant sa douce chaleur réconfortante, et regarda l'inspecteur Lang.

— Pourquoi vos policiers n'ont-ils pas tiré sur lui quand il a sorti la feuille de l'enveloppe ?

— Nous vous avons perdu de vue lorsqu'il vous attiré au fond de la salle. Il nous était impossible de faire quoi que ce soit.

— C'est ce que j'ai pensé. J'avais peur que vous l'ayez perdu de vue.

— Il nous a fallu trouver le plus rapidement possible une manière de vous apercevoir. Entre-temps, nous avons entendu le premier coup de feu. Nous avons immédiatement décidé de nous élancer à votre secours.

— Vous avez bien fait.

— Comme nous avions peur que vous ayez été sérieusement atteint, il fallait oublier le pistolet paralysant. Nous devions le neutraliser au plus tôt avant que la situation ne dégénère.

Gaël acquiesça du regard. Il essaya de se lever, mais la douleur le cloua au sol. Il grimaça à nouveau. Le moindre mouvement lui causait une douleur lancinante.

— Ne bougez pas, Monsieur Lauzié. Évitez de faire saigner votre blessure. Les ambulanciers vont pendre soin de votre jambe.

— Ça ne saigne presque plus maintenant. Je ne veux pas rester dans cette salle. C'est trop difficile de voir Phylippe étendu par terre. Sa mort me bouleverse trop.

— Je peux vous comprendre, Monsieur Lauzié, mais je vous recommande de ne pas bouger.

— Les premiers mouvements seront les plus difficiles. Je vais y arriver.

— Comme vous voulez, mais si la douleur est trop intense ou si votre blessure se met à saigner, vous devrez rester ici immobile malgré cette vue pénible.

— D'accord.

Gaël se leva avec beaucoup d'efforts. Son désir de se retrouver le plus loin possible de ce lieu était plus fort que la douleur que lui infligeait sa blessure. L'inspecteur et Jeanne l'aidèrent à rester en équilibre. Le visage grimaçant de Gaël laissait voir qu'il ressentait une vive douleur.

— Est-ce que ça va aller ? demanda Jeanne, inquiète.

— Oui, oui. Ne te fais pas de souci.

Il tenait absolument à s'éloigner de cette scène morbide. Il se sentit un peu étourdi pendant un moment. Il fit quelques pas. La douleur lui sembla moins aiguë.

— Je peux tolérer cette douleur. Du moins, assez pour sortir d'ici. Soutiens-moi juste un peu, Jeanne, et je serai capable de marcher sans trop d'efforts.

— En êtes-vous sûr ? demanda l'inspecteur.

— Oui, je me sens en équilibre et je ne vais pas m'évanouir.

— Je vais aller voir le corps quelques secondes et je vous rejoins pour vous aider à marcher.

— D'accord.

Gaël se sentit assez fort pour rester debout et marcher. La douleur était devenue tolérable. Il se tourna vers son épouse, qui le soutenait.

— Il ne faut pas que je t'écrase ! Je suis tellement plus grand que toi !

— Cela m'importe peu, mon chéri. Ma joie de te voir vivant me donne des forces et des ailes.

Ils se sourirent tous les deux, heureux d'être réunis. Le destin ne les avait pas séparés. Gaël regarda Jeanne intensément. Ses yeux débordaient d'amour pour elle.

— Mais que fais-tu ici, toi ? lui demanda-t-il tout à coup. Tu étais censée demeurer à la maison !

— C'est faux ! Tu ne m'as pas dit d'y rester ! répliqua-t-elle avec un large sourire. J'aurais été morte d'inquiétude si je n'étais pas venue.

— Comment as-tu fait ?

— Dès que tu as pris la route, j'ai tellement insisté auprès de l'inspecteur Lang qu'il a accepté, après que je lui aie promis que je ne sortirais pas de la voiture sans son consentement.

— À te voir ici près de moi, tu n'as pas tenu ta promesse.

— J'avais les doigts croisés, lui dit-elle en souriant. Ça n'a pas compté.

— Vilaine !

Gaël regarda son épouse. Il lui adressa un magnifique sourire. Celle-ci fut émue par le regard intense qu'il lui adressa. Il l'embrassa tendrement. Leur vie allait finalement reprendre son cours normal. Les derniers événements allaient maintenant faire partie du passé.

— Maman et Solaine doivent être très inquiètes en ce moment. Allons les prévenir que tout est terminé.

— Elles vont être tellement soulagées et heureuses de l'apprendre.

Il regarda à nouveau son épouse. Il était content de s'en être sorti vivant.

— Je t'aime, Jeanne.

— Je t'aime aussi, mon amour… Mon beau grand blond.

Ils s'embrassèrent tendrement à nouveau dans une douce étreinte. Ils se dirigèrent ensuite lentement vers l'extérieur de l'entrepôt.

Épilogue

PEU À PEU, UNE SENSATION ÉTRANGE de détachement se fit sentir. L'impression que son être en entier se détachait... Se séparait complètement de son corps... Sa vision était en ce moment trop embrouillée pour qu'il voie quoi que ce soit. C'était comme essayer de regarder à travers un épais brouillard, trop dense et opaque pour voir l'intérieur de la pièce. Son corps ne répondait pas à ses commandes. Aucun mouvement possible malgré tous ses efforts. Devant l'impossibilité de bouger, un élan d'inquiétude l'envahit.

« Que se passe-t-il ? Où suis-je ? »

Graduellement, le brouillard s'estompa. Des formes floues se dessinèrent peu à peu. Le mouvement de ces formes devint visible. Lorsque tout fut finalement plus clair, ses yeux s'agrandirent d'effroi. Il flottait au-dessus d'une personne. Il reconnut ce visage immédiatement. C'était le sien. Il était étendu là, par terre, immobile, entouré de policiers, les yeux grands ouverts.

« Qu'est-ce que je fais là ? Qu'est-ce qu'ils font autour de moi ? »

Tout laissait voir qu'il n'y avait plus de vie dans ce corps… Son corps… Il comprit aussitôt ce qui lui était arrivé quelques minutes plus tôt.

« Non !!! Non !!! Ce n'est pas vrai ! Je ne peux pas être mort ! »

Il se sentit s'éloigner lentement de la scène. Deux personnes se penchèrent plus près sur sa dépouille. En se voyant quitter les lieux, il réalisa qu'il se séparait du monde des vivants. Il essaya de se débattre mais en vain.

« Non !!! Je ne veux pas !! »

Il eut beau essayer de crier, aucun son ne sortit de sa bouche. Phylippe ne pouvait que suivre le cours des événements. Il avait jeté la dernière carte de son jeu et il avait inexorablement perdu. Son regard se détacha brusquement de cette vision pénible à supporter et se tourna vers le fond de la pièce. Il vit deux personnes qui s'éloignaient péniblement. Il les reconnut immédiatement. Jeanne aidait Gaël à marcher. Celui-ci boitait. Une rage incommensurable monta en lui. Une colère explosive qu'il ne put et ne voulut pas retenir en lui.

« Ah non ! Ça ne se passera pas comme ça ! Vous allez le payer cher ! »

Il ressentit comme un courant électrique passer à travers son être. Avec une force de volonté inouïe, nourrie par un esprit de vengeance, il se sentit s'élancer vers eux. Il se vit s'avancer de plus en plus rapidement vers le couple. Plus il s'en approchait, plus son sentiment de fureur augmentait, jusqu'à ce qu'il atteigne son paroxysme.

❦

Jeanne aidait son époux à marcher, le supportant du mieux qu'elle le pouvait. Visiblement, la jambe de Gaël le faisait souffrir au moindre mouvement. Tout à coup, elle eut une étrange impression. Quelque chose s'approchait d'eux rapidement. Elle se tourna mais ne vit rien. Néanmoins, ce sentiment l'envahit de façon anormale. Quelque chose ou quelqu'un... Ce n'était rien de rassurant. Tout à coup, la peur monta en elle. Une peur intense et foudroyante. Cela s'avançait vers eux. De plus en plus vite. Elle se sentit inexorablement menacée.

❦

Phylippe s'approcha de plus en plus rapidement du couple dans une rage incontrôlable. Plus il s'approchait d'eux, plus sa colère décuplait. Il fondit sur eux dans un seul élan et sans aucune retenue.

❦

Jeanne comprit dans un sursaut ce qui se passait. Ses yeux s'agrandirent de frayeur. Elle ne put s'empêcher de réagir fortement sous l'effet du choc ressenti.

— Noooooooooooooon !!!!!!!!!!!!!!!!!!!!

❦

Mya se leva d'un seul élan dans son lit. Ce réveil brutal la paralysa de frayeur. Ses yeux s'agrandirent d'effroi. Elle avait vu la scène. Comme une ombre qui s'élançait sur ses parents. Le visage de sa mère, les yeux agrandis de terreur…

— Noooooooooooooon!!!!!!!!!!!!!!!!!!!

Remerciements

Tout particulièrement à Pierrette Losier-Landry.
Merci beaucoup de tes précieux conseils.
Et merci à toi, Linda Roy, mon éditrice, pour avoir cru
en moi.

Achevé d'imprimer en mars 2010
sur les presses de l'imprimerie Gauvin,
Gatineau, Québec